Daphné et le duc

Chère lectrice, cher lecteur,

On me demande souvent lequel de mes livres je préfère. En toute franchise, c'est une question à laquelle je suis incapable de répondre. À mes yeux, chaque ouvrage possède son charme particulier – tel personnage, telle scène... Chacun à sa façon, tous mes livres me sont chers.

Laissez-moi tout de même vous confier un petit secret. J'ai un faible pour Daphné et le duc, *qui a marqué un tournant dans ma façon d'écrire. Pour une raison que j'ignore, il est plus riche et plus profond que tout ce que j'ai pu produire auparavant. En outre, il ouvre la série des Bridgerton, une collection en huit volumes qui a trouvé auprès de mes lecteurs un accueil si enthousiaste que j'ai encore parfois du mal à y croire.*

Tout a commencé avec Daphné et le duc, avec Simon, cet homme qui tente par tous les moyens d'échapper au douloureux héritage que lui a légué son père, et Daphné, qui désire la seule chose au monde que Simon se croit incapable de lui offrir. Sans parler de lady Whistledown, la chroniqueuse mondaine qui n'a pas sa langue dans sa poche et donne son avis sur tout (ouvrez la première page de n'importe quel chapitre et vous comprendrez ce que je veux dire...).

Si vous n'avez encore lu aucun Bridgerton, celui-ci est le plus indiqué pour commencer. Bonne lecture !

Bien à vous,

Julia Quinn

JULIA
QUINN

LA CHRONIQUE DES BRIDGERTON - 1

Daphné et le duc

ROMAN

Traduit de l'américain
par Cécile Desthuilliers

Titre original
THE DUKE AND I

Éditeur original
Avon Books, an imprint of HarperCollins Publishers, New York.

Pour Danelle Harmon et Sabrina Jeffries, sans qui je n'aurais jamais pu rendre mon manuscrit à temps.

Et pour Martha, de l'équipe du journal électronique The Romance Journal, *qui m'a suggéré d'intituler ce roman* Daphne's Bad Heir Day[1].

Et aussi pour Paul, même si sa façon de danser consiste à rester sur place en me tenant la main et en me regardant virevolter.

---

1. Intraduisible. Jeu de mots sur *hair* (chevelure) et *heir* (héritier). *A bad hair day* est une expression désignant un jour où l'on est mal coiffée, grande préoccupation des héroïnes de romances. *(N.d.T.)*

Note de l'auteur

Une partie des droits d'auteur rapportés par la vente de ce livre sera versée à la Société nationale de sclérose en plaque.

Danse, Elizabeth !

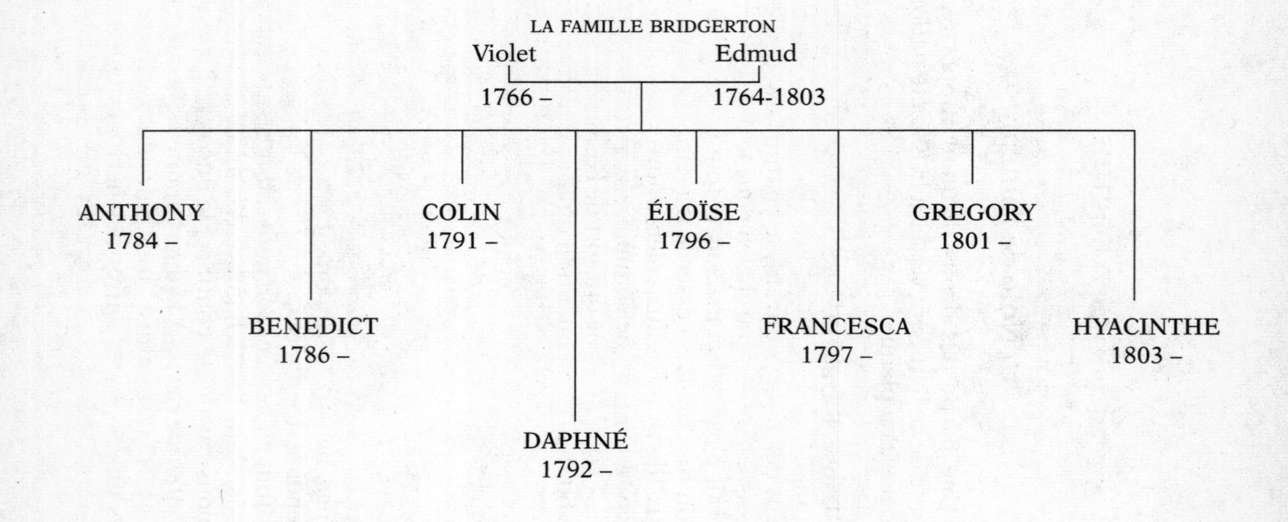
LA FAMILLE BRIDGERTON
Violet
1766 –
Edmud
1764-1803
ANTHONY
1784 –
BENEDICT
1786 –
COLIN
1791 –
DAPHNÉ
1792 –
ÉLOÏSE
1796 –
FRANCESCA
1797 –
GREGORY
1801 –
HYACINTHE
1803 –

Prologue

La venue au monde de Simon Arthur Henry Fitzranulph Basset, comte de Clyvedon, fut l'occasion de grandes réjouissances. Les cloches de l'église sonnèrent des heures durant, le champagne coula à flots dans le gigantesque château que le nouveau-né appellerait plus tard sa maison, et tout le village de Clyvedon fut convié à cesser le travail pour prendre part aux libations et aux célébrations ordonnées par le père du tout jeune comte.

— Voilà un bébé qui sort de l'ordinaire, commenta le boulanger à l'intention du forgeron.

De fait, Simon Arthur Henry Fitzranulph Basset ne se contenterait pas du titre de comte de Clyvedon, lequel était purement conventionnel. Simon Arthur Henry Fitzranulph Basset – l'enfant qui possédait plus de prénoms qu'un bébé ne peut en avoir besoin – était l'héritier de l'un des plus anciens et des plus riches duchés d'Angleterre. Quant à son père, duc de Hastings, neuvième du nom, il avait attendu ce moment pendant des années.

Tout en berçant son nouveau-né vagissant dans ses bras, dans l'antichambre des appartements où son épouse avait été confinée, le duc sentit son cœur se gonfler de fierté. À la quarantaine largement passée, il avait vu ses amis – tous pairs du royaume – avoir les uns après les autres des héritiers mâles. Si certains avaient dû supporter la venue de quelques filles, en fin de compte, tous avaient eu le fils tant convoité. La continuité de leur lignée était assurée ; leur sang se transmettrait à la génération suivante de l'élite de l'Angleterre…

Tous sauf lui, duc de Hastings. Bien que son épouse eût réussi à concevoir à cinq reprises au cours des quinze années de leur mariage, seuls deux enfants étaient arrivés à terme – tous les deux mort-nés. Après sa cinquième grossesse, laquelle s'était conclue au cinquième mois par une fausse couche suivie d'une grave hémorragie, chirurgiens et médecins avaient averti leurs seigneuries : elles ne devaient sous aucun prétexte tenter une nouvelle fois d'avoir un enfant. Il y allait de la vie de la duchesse. Celle-ci était de constitution trop fragile et, avaient-ils ajouté avec prudence, plus toute jeune. Le duc devrait se faire une raison : son titre ne resterait pas dans la famille Basset.

Cependant, la duchesse – Dieu la bénisse ! – connaissait ses devoirs. Après six mois de convalescence, elle avait rouvert la porte qui séparait sa chambre de celle de son époux, et le duc avait repris ses tentatives pour concevoir un héritier.

Cinq mois plus tard, son épouse l'avait informé qu'elle portait le fruit de leurs amours. L'explosion de joie du duc avait été immédiatement tempérée par une inflexible résolution : rien, absolument rien ne ferait échouer cette grossesse. La duchesse fut consignée au lit à la minute même où son état fut connu. Un médecin fut convoqué pour une visite journalière, et vers le second trimestre, le duc choisit le meilleur praticien de Londres et lui proposa une véritable fortune pour abandonner sa clientèle et s'établir provisoirement à Clyvedon Castle.

Cette fois, il ne prendrait aucun risque ! Il *aurait* son fils ; le duché demeurerait entre les mains de la famille Basset.

La duchesse avait commencé à éprouver des douleurs un mois auparavant. Des coussins avaient aussitôt été calés sous ses reins. Comme l'avait expliqué le Dr Stubbs, la force de gravité pouvait « encourager le bébé à rester en place ». Convaincu par l'argument, le duc avait fait ajouter un oreiller supplémentaire dès que le médecin s'était retiré pour la nuit, inclinant son épouse sur un angle d'une bonne vingtaine de degrés. La duchesse était demeurée ainsi pendant quatre semaines.

Enfin, l'instant de vérité était arrivé. Toute la domesticité avait prié pour monsieur, qui désirait si ardemment un fils, et quelques-uns avaient songé à prononcer un *Ave Maria* pour madame, dont la santé s'affaiblissait à mesure que son ventre s'arrondissait. On s'était interdit tout espoir excessif. Après tout, madame avait déjà mis au monde deux bébés qu'elle avait aussitôt enterrés, et même en admettant que l'enfant fût en vie, il pouvait très bien s'agir… eh bien, d'une fille.

Lorsque les cris de douleur de la parturiente s'étaient faits plus sonores et plus fréquents, le duc s'était frayé un passage vers sa couche, ignorant les protestations du médecin, de la sage-femme et de la caméfriste. Une folle confusion régnait, les draps étaient souillés de sang, mais il était résolu à être présent dès que l'on pourrait voir de quel sexe était l'enfant.

La tête de celui-ci apparut, puis ses épaules. Tout le monde se pencha avec curiosité tandis que la duchesse poussait de toutes ses forces, jusqu'à ce que…

Jusqu'à ce que le duc comprît qu'il y avait un Dieu, et qu'Il se montrait bienveillant envers la lignée des Basset. Il accorda une minute à la sage-femme pour procéder à la toilette du nouveau-né, puis il prit le nourrisson dans ses bras et se dirigea vers le grand hall afin de le présenter à l'assistance.

— J'ai un fils ! clama-t-il. Un magnifique petit garçon !

Alors que les domestiques lançaient des hourras en essuyant des larmes de soulagement, le duc baissa la tête vers son minuscule héritier :

— Vous êtes parfait, murmura-t-il. Vous êtes un Basset. Et vous êtes à moi.

Il avait envisagé d'emmener l'enfant au-dehors afin de montrer à tout le monde qu'il était enfin le père d'un garçon en bonne santé mais, constatant que l'air était encore frais en ce début d'avril, il autorisa la sage-femme à rendre le bébé à sa mère. Puis il enfourcha l'une de ses plus belles montures et s'élança au galop, fou de joie, hurlant son bonheur à qui voulait l'entendre.

Pendant ce temps, la duchesse se vida de son sang, perdit connaissance, et rendit l'âme.

Le duc pleura son épouse. Son chagrin était sincère. Il ne l'avait pas aimée, bien entendu, et elle n'avait pas éprouvé davantage de sentiments pour lui, mais ils avaient été amis, à leur manière un peu distante. Il n'avait rien espéré de plus du mariage qu'un fils et héritier, et de ce point de vue, sa femme s'était révélée exemplaire.

Il ordonna que des fleurs fraîches soient déposées au pied de sa pierre tombale chaque semaine, quelle que soit la saison, et fit retirer son portrait du salon pour l'installer dans le grand hall, bien en vue au-dessus de l'escalier.

Puis il s'attela à la tâche d'élever son enfant.

En vérité, il n'y avait pas grand-chose à faire la première année, le bébé étant trop jeune pour les leçons sur la gestion des fermages et les responsabilités qui seraient les siennes. Aussi le duc confia-t-il Simon aux soins d'une nurse avant de retourner à Londres, où il reprit à peu près la même vie qu'avant de devenir père, à la seule différence qu'il obligea tout le monde, y compris le souverain, à jeter un coup d'œil à la miniature représentant son fils qu'il avait fait peindre après la naissance de celui-ci.

Il se rendit de temps à autre à Clyvedon, jusqu'au jour où il revint définitivement s'y établir, à l'époque du second anniversaire de Simon, bien décidé à prendre en main l'éducation du jeune garçon. Il acheta un poney, choisit un petit fusil destiné à de futures chasses au renard, et engagea des professeurs pour toutes les disciplines qui puissent s'imaginer.

— Il est bien trop jeune ! s'écria la nurse, Mme Hopkins.

— Balivernes ! répliqua Hastings avec condescendance. Bien entendu, je ne lui demande pas de maîtriser tout ceci pour l'instant, mais il n'est jamais trop tôt pour commencer l'éducation d'un duc.

— Il ne l'est pas encore, marmonna la nurse.

— Il le sera.

Hastings se détourna pour s'accroupir à côté de son fils, occupé à échafauder sur le sol un château branlant à l'aide de petits blocs de bois. C'était la première fois qu'il revenait à Clyvedon après plusieurs mois d'absence, et il était satisfait de la croissance de l'enfant. Simon était un robuste petit garçon aux cheveux bruns et lustrés, et aux yeux bleu clair.

— Que construisez-vous, mon fils ?

Simon lui sourit et désigna son ouvrage.

— Il ne parle pas ? s'étonna Hastings en levant le regard vers la nurse.

Celle-ci secoua la tête.

— Pas encore, monsieur.

Le duc fronça les sourcils, contrarié.

— Il a deux ans. Ne devrait-il pas commencer à s'exprimer ?

— Chez certains enfants, il faut plus de temps que pour d'autres. Manifestement, il est très intelligent.

— Bien entendu. C'est un Basset.

La nurse acquiesça. Elle approuvait toujours lorsque son employeur vantait la supériorité des Basset.

— Peut-être n'a-t-il tout simplement rien envie de dire, suggéra-t-elle.

Le duc ne fut pas très convaincu, mais il tendit à l'enfant un petit soldat de plomb, lui frotta affectueusement la tête et s'en alla entraîner la nouvelle jument qu'il venait d'acheter à lord Worth.

Deux ans plus tard, il commença à perdre patience.

— *Pourquoi ne dit-il pas un mot ?* tonna-t-il.

— Je ne sais pas, répondit la nurse en se tordant les mains.

— Que lui avez-vous fait ?

— Rien du tout, monsieur !

— Si vous connaissiez votre travail, répliqua le duc en tendant un doigt furieux dans la direction de l'enfant, il saurait parler !

Simon, occupé à tracer des lettres à un petit bureau, observait cet échange avec intérêt.

— Il a quatre ans, ventrebleu ! gronda le duc. Il devrait pouvoir s'exprimer.

— Il sait écrire, se défendit la nurse. J'ai élevé cinq enfants avant lui, et pas un ne connaissait son alphabet comme M. Simon.

— La belle affaire ! ricana le duc.

Puis, se tournant vers Simon :

— Eh bien, allez-vous parler, à la fin ? rugit-il en roulant des yeux furieux.

Simon se recroquevilla sur son siège, et sa lèvre se mit à trembler.

— Monsieur ! protesta la nurse. Il va prendre peur !

Hastings fit une brusque volte-face.

— C'est peut-être de cela qu'il a besoin. Il lui faut de la discipline ! Une bonne correction va l'aider à retrouver sa langue…

Le duc s'empara de la brosse à manche d'argent avec laquelle la nurse coiffait les cheveux de Simon et s'approcha de celui-ci.

— Je vais vous apprendre à parler, stupide petit…

— Non ! protesta l'enfant.

La nurse poussa un cri de stupeur. De surprise, le duc laissa tomber la brosse. C'était la première fois qu'ils entendaient la voix de Simon.

— Qu'avez-vous dit ? demanda Hastings, les larmes aux yeux.

Simon referma ses petits poings, redressa le menton et répondit :

— Ne me t-t-t…

Une pâleur de craie envahit le visage de Hastings.

— Que dit-il ?

Simon recommença sa phrase.

— Ne m-m-m…

— Au nom du Ciel ! murmura le duc, horrifié. Mon fils est débile.

— Certainement pas ! s'écria la nurse en prenant Simon dans ses bras.

— Ne m-m-me t-t-touchez…

L'enfant prit une douloureuse inspiration.

— … *pas !*

Effondré, le duc s'assit lourdement sur la banquette encastrée sous la fenêtre et laissa tomber sa tête entre ses mains.

— Qu'ai-je fait pour mériter cela ? gémit-il. Qu'ai-je bien pu faire ?

— Monsieur devrait féliciter son fils ! protesta la nurse. Voilà quatre ans que monsieur attend qu'il parle, et…

— Et c'est un débile ! gronda le duc. Un horrible petit abruti !

Simon fondit en larmes.

— Hastings va tomber entre les mains d'un faible d'esprit, se lamenta le duc. J'ai prié pendant des années pour avoir un héritier, et voilà le résultat ! J'aurais dû laisser mon cousin hériter du titre…

Il tourna le dos à l'enfant qui reniflait en essuyant ses yeux, dans l'espoir manifeste de se montrer fort devant son père.

— Je ne veux plus le voir, poursuivit le duc. Je ne le supporterais pas !

Sur ces mots, il quitta la pièce à grandes enjambées rageuses.

La nurse serra l'enfant un peu plus fort sur son giron.

— Vous n'êtes pas un débile, murmura-t-elle avec énergie. Vous êtes le plus intelligent petit garçon que j'aie jamais vu, et si quelqu'un peut apprendre à parler correctement, c'est bien vous. Je le sais !

Simon se laissa aller contre elle en sanglotant.

— Nous allons lui montrer, déclara-t-elle. J'y mettrai le temps qu'il faudra, mais je lui ferai regretter ses paroles !

Mme Hopkins ne ménagea pas ses efforts. Alors que son employeur reprenait sa vie londonienne exactement comme s'il n'avait jamais eu de fils, elle consacra chaque minute de chaque journée à répéter des mots en les articulant avec soin, félicitant l'enfant lorsqu'il les prononçait correctement, l'encourageant à recommencer lorsqu'il n'y parvenait pas.

Les progrès furent lents, mais peu à peu Simon apprit à parler. À six ans, son bégaiement s'était notablement atténué, et à huit, il pouvait dire une phrase entière sans buter sur un mot. Les difficultés revenaient quand il était sous le coup d'une vive émotion, et sa nurse lui rappelait régulièrement qu'il devait rester calme et maître de lui s'il voulait s'exprimer de façon audible.

Toutefois, Simon était déterminé, il était intelligent, et surtout il était plus têtu qu'une mule. Il apprit à prendre sa respiration et à se concentrer sur sa phrase avant de la formuler à haute voix. Il étudia les mouvements de ses lèvres lorsqu'il articulait correctement et tenta d'analyser ce qui se passait quand sa diction se brouillait.

Jusqu'au jour où, âgé de onze ans, il s'approcha de Mme Hopkins, prit le temps de se concentrer et déclara :

— Je crois que le temps est venu d'aller voir mon père.

La nurse le scruta quelques instants. Le duc n'avait plus posé les yeux sur son fils depuis plus de sept ans. Il n'avait pas répondu à une seule des lettres que Simon lui avait écrites.

L'enfant lui en avait envoyé presque cent.

— En êtes-vous certain ? demanda-t-elle.

Simon hocha la tête.

— Dans ce cas, je vais faire préparer l'attelage. Nous partirons pour Londres demain.

Le voyage dura une journée et demie. Le soir tombait lorsque la voiture s'arrêta devant Hastings House. Tandis que Mme Hopkins l'accompagnait jusqu'au perron, Simon regarda avec émerveillement l'animation qui régnait dans les rues de la ville. Aucun d'entre eux n'était venu à Hastings House jusqu'alors. Ne sachant que faire, la nurse se décida à actionner le heurtoir de la porte.

Le lourd battant pivota immédiatement sur ses gonds, et un majordome d'allure rébarbative s'encadra dans l'ouverture.

— Pour les livraisons, récita-t-il en s'apprêtant à refermer, il faut passer par l'entrée de service.

— Excusez-moi ! répondit Mme Hopkins en posant un pied sur le seuil. Nous ne sommes pas des domestiques.

L'homme parcourut sa tenue d'un regard dédaigneux.

— Du moins, pas lui, rectifia-t-elle en prenant Simon par le bras. Voici lord Clyvedon, et vous seriez bien inspiré de le traiter avec le respect qui lui est dû.

Le majordome demeura bouche bée quelques instants. Puis il battit des cils et se reprit.

— Lord Clyvedon est décédé.

— Pardon ? s'écria la nurse.

— On vous aura mal informé ! s'écria Simon avec toute l'indignation dont on est capable à onze ans.

Le majordome examina celui-ci. Sans doute reconnut-il en lui le sang des Basset, car il les fit entrer sans plus de protestations.

— Qui vous a dit que j'étais m-m-mort ? demanda Simon.

Il était furieux d'avoir bégayé, mais guère surpris. Il savait qu'il butait sur ses mots quand il était en colère.

— Il ne m'appartient pas de répondre à cette question, répliqua l'homme.

— Au contraire ! s'offusqua la nurse. On ne peut pas dire de telles choses à un enfant de cet âge sans lui donner d'explications.

Le majordome garda le silence quelques instants.

— Voilà des années que monsieur n'a plus évoqué son fils, et la dernière fois, c'était pour affirmer qu'il n'avait pas d'héritier. Monsieur semblait si peiné que personne n'a posé de question. Le reste du personnel et moi-même avons supposé que celui-ci n'avait pas survécu.

Simon serra les dents, la gorge nouée par une soudaine tension.

— Dans ce cas, lord Hastings n'aurait-il pas porté le deuil ? suggéra Mme Hopkins. Comment avez-vous pu croire qu'il avait perdu son fils, puisque ce n'était pas le cas ?

Le majordome ne se laissa pas impressionner.

— Monsieur est souvent vêtu de noir, rétorqua-t-il. Il aurait très bien pu être en deuil sans que cela se remarque.

— Tout cela est fort choquant ! déclara la nurse. Veuillez le faire appeler, je vous prie.

Simon s'était réfugié dans le silence. Il tentait désespérément de recouvrer son calme. Il n'avait pas le choix : jamais il ne pourrait parler avec son père dans l'état de tension extrême qui était le sien !

Le majordome hocha la tête.

— Monsieur est à l'étage. Je vais l'informer de votre arrivée.

Tandis que Mme Hopkins arpentait le salon d'un pas impatient tout en marmonnant au sujet de son employeur en termes étonnamment fleuris mais fort peu flatteurs, Simon resta immobile au milieu de la pièce, les bras le long du corps, droit comme un I, et s'efforça de prendre de longues inspirations.

Tu peux y arriver ! s'encourageait-il en son for intérieur. Tu en es capable !

Se tournant vers lui, la nurse vit ses efforts pour apaiser les furieux battements de son cœur et tomba à genoux devant lui dans un petit soupir navré.

— Très bien, le félicita-t-elle en pressant sa main entre les siennes.

Elle savait mieux que quiconque ce qui se passerait, si Simon affrontait son père avant d'avoir recouvré son calme.

— C'est bien, reprit-elle d'un ton apaisant. Respirez encore… Là. Pensez bien à vos mots avant de les prononcer. Si vous arrivez à contrôler…

— Je vois que vous continuez à traiter ce garçon avec une mollesse coupable ! tonna une voix depuis le seuil.

Mme Hopkins se redressa et pivota sur elle-même avec dignité, cherchant comment saluer son employeur de façon respectueuse et atténuer, d'une façon ou d'une autre, l'extrême tension de ce moment. Toutefois, lorsque ses yeux croisèrent ceux du duc et qu'elle reconnut Simon dans ses traits, une bouffée de fureur monta en elle. Malgré la ressemblance frappante entre le père et le fils, Hastings demeurait incapable du moindre sentiment paternel envers son héritier.

— Monsieur, s'indigna-t-elle, votre comportement est méprisable !

— Et le vôtre est inacceptable. Vous êtes congédiée.

Mme Hopkins sursauta.

— Personne n'emploie ce ton avec le duc de Hastings, poursuivit-il d'une voix blanche. Personne !

— Pas même le roi ? persifla Simon.

Hastings pivota vers lui, sans paraître remarquer sa parfaite élocution.

— Vous voilà, vous ?

Pour toute réponse, Simon se contenta d'un bref hochement de tête. Sa réplique était courte mais il était parvenu à l'articuler sans une hésitation, et il ne voulait pas prendre le moindre risque. Il était trop en colère pour cela. En temps normal, il pouvait rester plusieurs jours sans buter sur le moindre mot, mais aujourd'hui…

Le regard que son père dardait sur sa personne lui donnait l'impression d'être un attardé mental.

Tout d'un coup, il lui sembla que sa langue refusait de lui obéir.

Un sourire cruel étira les lèvres du duc.

— Vous avez quelque chose à dire ? Eh bien, je suis tout ouïe ! Hum ? Parlez, c'est le moment !

— Tout va bien, Simon, murmura Mme Hopkins en fusillant le duc du regard. Ne vous laissez pas impressionner. Vous pouvez y arriver, mon petit.

Hélas ! Ses encouragements ne firent qu'aggraver la situation. Simon était venu pour prouver sa valeur à son père, et voilà que sa nurse le traitait comme un bébé !

— Que se passe-t-il ? ironisa le duc. Le chat a mangé votre langue ?

Simon était si tendu qu'il se mit à trembler comme une feuille. Le père et le fils se dévisagèrent pendant ce qui sembla une éternité, puis le duc, dans un juron de dépit, se détourna.

— Vous êtes mon pire échec, siffla-t-il d'un ton haineux. Je ne sais pas ce que j'ai fait pour vous mériter, mais que Dieu me vienne en aide si jamais je pose de nouveau les yeux sur vous !

— Monsieur ! s'écria Mme Hopkins, indignée de l'entendre parler ainsi à son protégé.

— Emportez-le hors de ma vue, cracha-t-il. Vous pouvez rester à mon service tant que vous le tiendrez éloigné de moi.

— Un instant !

Le duc pivota lentement sur ses talons en entendant la voix de Simon.

— Auriez-vous dit quelque chose ? le railla-t-il.

Les dents serrées, Simon prit trois longues inspirations. Il s'obligea à détendre ses mâchoires et pressa sa langue contre son palais pour se souvenir des sensations que cela procurait d'articuler correctement les mots. Enfin, alors que le duc s'apprêtait à le congédier, il ouvrit les lèvres et déclara :

— Je suis votre fils.

Il entendit sa nurse pousser un soupir de soulagement, et une émotion qu'il n'avait jamais vue éclaira le regard de son père. De la fierté. Ou plus exactement, la promesse d'une authentique fierté paternelle, qui ne demandait qu'à éclore. Une bouffée d'espoir lui gonfla aussitôt la poitrine.

— Je suis votre fils ! répéta-t-il avec plus d'assurance. Et je ne suis pas m…

Tout d'un coup, sa gorge se noua. Une vague de panique l'étreignit.

Tu peux le faire. *Tu peux le faire !*

Il s'étranglait, sa langue ne lui obéissait plus. Déjà, son père commençait à froncer les sourcils d'un air contrarié.

— Je ne suis pas mo-mo-mo…

— Rentrez chez vous, dit le duc d'une voix blanche. Il n'y a pas de place ici pour vous.

Simon ressentit le rejet de son père jusque dans sa chair. Une douleur sourde l'envahit avant de refermer son étau de glace autour de son cœur. Tandis qu'une puissante vague de haine coulait dans ses veines, si amère qu'il en avait les larmes aux yeux, il se fit une promesse solennelle.

Il ne pouvait être le fils que désirait son père ? Très bien. Alors il en serait l'*exact opposé*.

1

Les Bridgerton sont de loin la famille la plus prolifique parmi les échelons supérieurs de la société. Un tel déploiement d'énergie de la part du vicomte et de la vicomtesse forcerait l'admiration, n'était la banalité du choix des prénoms de leurs héritiers. Anthony, Benedict, Colin, Daphné, Éloïse, Francesca, Gregory et Hyacinthe. Le sens de l'ordre est certes souhaitable en toute chose, mais on pourrait attendre de géniteurs intelligents qu'ils sachent garder leurs enfants dans le droit chemin sans les classer obligatoirement dans l'ordre alphabétique.

En outre, le spectacle de la vicomtesse et de ses huit rejetons réunis dans une seule pièce suffit à vous faire croire que vous voyez double, ou triple, ou pire. Jamais votre dévouée chroniqueuse n'a vu fratrie dotée d'une pareille ressemblance physique ! Nous ne saurions dire ce qu'il en est de leurs yeux, n'ayant pas pris le temps de les examiner de près, mais tous les huit possèdent les mêmes traits et la même épaisse chevelure châtaine aux reflets acajou. On ne peut que plaindre la vicomtesse, en quête d'unions avantageuses pour sa progéniture, de ne pas avoir mis au monde un seul enfant pourvu d'une nuance capillaire plus élégante. Au demeurant, il y a des avantages à une telle constance dans l'apparence physique des membres d'un clan : nul ne peut mettre en doute leur légitimité.

De vous à moi, ami lecteur, votre dévouée chroniqueuse aimerait qu'il en aille de même dans toutes les grandes familles...

LA CHRONIQUE MONDAINE DE LADY WHISTLEDOWN, 26 avril 1813

— Oooh ! s'écria Violet Bridgerton.

D'un geste rageur, elle froissa la feuille entre ses mains et la projeta à travers l'élégant salon. Sa fille Daphné, évitant prudemment tout commentaire, feignit d'être absorbée par sa broderie.

— Avez-vous lu ce qu'elle écrit ? demanda Violet. L'avez-vous lu ?

Daphné regarda la boule de papier, qui avait roulé sous une table basse en acajou.

— Je n'en ai pas eu le temps avant que vous l'ayez... achevée, maman.

— Eh bien, jetez-y donc un coup d'œil ! gémit Violet en levant les bras au plafond d'un geste théâtral. Vous verrez comment *cette femme* nous calomnie.

Sans se départir de son calme, Daphné posa son ouvrage et se pencha sous la table. Elle lissa la feuille de papier sur ses genoux et lut les quelques lignes consacrées à sa famille. Puis elle redressa la tête, un peu surprise.

— Ce n'est pas si méchant, maman. À vrai dire, ce sont presque des louanges, comparé à ce qu'elle a écrit à propos des Featherington la semaine dernière.

— Comment voulez-vous que je vous trouve un mari, si cette femme s'amuse à salir notre nom ?

Daphné s'efforça de respirer calmement. Après deux saisons à Londres, la simple mention du mot « mari » faisait naître sous ses tempes une douloureuse migraine. Un époux ? Elle en voulait un, de tout son cœur, et elle n'exigeait même pas un véritable mariage d'amour, simplement un conjoint envers qui elle éprouverait un peu d'affection.

Jusqu'à présent, quatre prétendants avaient demandé sa main, mais lorsqu'elle avait songé à ce que serait le reste de ses jours à leurs côtés, elle n'avait pas eu le courage d'accepter. Elle connaissait un certain nombre de jeunes hommes qui auraient pu, à ses yeux, faire des maris convenables, mais hélas ! aucun d'entre eux ne semblait ressentir les mêmes sentiments à son égard. Oh, ils l'aimaient bien. Tout le monde l'aimait bien. On la trouvait enjouée, chaleureuse et vive d'esprit, et il ne serait venu à personne l'idée de la juger repoussante. Cependant, aucun homme n'était fasciné par sa beauté, aucun ne demeurait muet de stupeur en sa présence, aucun n'écrivait de vers en son honneur.

La gent masculine, songeait-elle avec désespoir, ne s'intéressait qu'aux femmes impossibles, et oubliait de faire la cour à une jeune fille comme elle. Les hommes lui vouaient une grande affection, du moins le prétendaient-ils, parce qu'il était facile d'engager la conversation avec elle, et qu'elle semblait toujours comprendre ce qu'ils ressentaient. Comme l'avait dit l'un de ceux dont elle avait pensé qu'il pourrait faire un mari acceptable :

— Bon sang, Daph', vous n'êtes vraiment pas comme les autres femmes. Vous êtes positivement normale !

Ce qu'elle aurait réussi à prendre comme un compliment si celui-ci ne s'était pas ensuite mis en tête de séduire la nouvelle beauté blonde à la mode...

Baissant les yeux, Daphné s'aperçut que son poing était serré. Puis elle les releva et vit que sa mère la regardait, attendant manifestement sa réponse. Elle éclaircit sa voix :

— Croyez-moi, ce n'est pas la plume de lady Whistledown qui m'empêche de trouver un mari.

— Cela fait deux ans, Daphné !

— Et lady Whistledown ne publie ses chroniques que depuis trois mois. Je ne vois pas en quoi nous pourrions la blâmer.

— Je blâme qui je veux, marmonna Violet.

Daphné serra le poing à s'en griffer les paumes pour s'interdire de répliquer. Elle savait que sa mère ne voulait que son bonheur et l'aimait de tout son cœur – un amour qu'elle lui rendait d'ailleurs au centuple. En vérité, jusqu'à ce que Daphné atteigne l'âge de convoler, Violet avait été la meilleure des mères. Elle l'était toujours… du moins lorsqu'elle ne se lamentait pas d'avoir trois autres filles à marier après elle.

D'un geste élégant, Violet pressa une main sur sa poitrine.

— Elle ternit la réputation de votre lignée.

— Pas exactement, répondit Daphné avec une prudente diplomatie.

Il n'était jamais bon de contredire sa mère de façon trop directe.

— En définitive, tout ce qu'elle affirme, c'est qu'il ne peut y avoir le moindre doute sur notre légitimité, et que la plupart des grandes familles de la haute société ne peuvent en dire autant.

— Voilà une question qu'elle ne devrait même pas aborder, répliqua Violet avec un reniflement hautain.

— Maman, elle publie un journal à scandale. Il est inévitable qu'elle parle de ces choses-là.

— De toute façon, ce n'est pas une vraie personne, rétorqua Violet d'un ton amer.

Elle posa les poings sur ses hanches encore minces, puis secoua un doigt furieux devant elle.

— Whistledown, à d'autres ! Je n'ai jamais entendu parler des Whistledown. Qui que soit cette dépravée, je doute fort qu'elle soit l'une des nôtres. Comme si une personne de qualité pouvait écrire de telles infamies !

— Bien sûr, elle est des nôtres, répondit Daphné, amusée. Si elle n'était pas de la bonne société, comment pourrait-elle être aussi bien informée ? Qui pensiez-vous qu'elle était ? Je ne sais quelle espionne, épiant aux fenêtres et écoutant aux portes ?

— Je n'aime pas votre ton, Daphné Bridgerton, grommela Violet en fronçant les sourcils.

Daphné retint un sourire. « Je n'aime pas votre ton » était la réponse habituelle de Violet lorsque l'un de ses enfants avait le dernier mot dans une controverse.

Pourtant, elle ne résista pas au plaisir de taquiner sa mère.

— Je ne serais pas surprise, ajouta-t-elle en inclinant la tête, si cette lady Whistledown s'avérait être l'une de vos amies.

— Tenez votre langue, Daphné. Aucune de mes proches ne s'abaisserait de la sorte.

— Très bien, concéda la jeune femme. Ce n'est pas une de vos amies. Mais je suis persuadée qu'il s'agit de quelqu'un que nous connaissons. Quelqu'un n'appartenant pas à notre milieu ne pourrait avoir accès aux informations qu'elle divulgue.

Violet croisa les bras d'un geste résolu.

— Je donnerais tout pour la mettre hors d'état de nuire une bonne fois pour toutes.

— Dans ce cas, ne put s'empêcher de répliquer Daphné, commencez par ne pas la soutenir en achetant son journal.

— À quoi bon ? Tout le monde le lit ! Cela n'aurait d'autre résultat que de me faire passer pour une ignorante lorsqu'on échangerait en riant ses derniers commérages.

Rien n'était plus vrai, admit Daphné en son for intérieur. La bonne société londonienne vouait un véritable culte à *La Chronique mondaine de lady Whistledown.* Le mystérieux journal – un simple recto verso – avait été déposé sur le seuil des plus grandes demeures de la ville trois mois auparavant. Pendant deux semaines, il avait été livré d'office chaque lundi, mercredi et vendredi. Puis, au matin du troisième lundi, les majordomes avaient attendu en vain les livreurs du *Whistledown,* avant de découvrir que ceux-ci ne faisaient plus cadeau de la feuille à sensation mais la vendaient au prix exorbitant de cinq pence l'exemplaire.

Daphné ne pouvait qu'admirer l'habileté de la prétendue lady Whistledown. Quand celle-ci avait commencé à commercialiser son journal, toute l'aristocratie était prête à payer le prix fort pour avoir sa dose de ragots. On vidait docilement ses poches tandis que, quelque part dans l'ombre, l'indiscrète s'enrichissait de jour en jour.

Pendant que Violet arpentait la pièce en maudissant « l'odieuse insulte » infligée à leur nom, Daphné, s'étant assurée que sa mère ne prêtait plus attention à elle, baissa discrètement les yeux afin de parcourir le reste de la chronique. Le *Whistledown,* comme on l'appelait désormais, offrait un curieux cocktail de commentaires personnels, d'actualité mondaine et de franches insultes, parfois relevé d'un compliment inattendu. Sa principale différence avec les autres feuilles du même genre était que l'auteur écrivait en entier le nom des personnes citées, au lieu de les dissimuler derrière une prudente abréviation. Ici, pas de lord S*** ou de lady G*** : lorsqu'elle entendait parler de quelqu'un, lady Whistledown rédigeait son patronyme en toutes lettres. Tout ce beau monde en était scandalisé, mais on continuait de s'arracher le journal.

Cette dernière édition était du *Whistledown* tout craché, songea Daphné. À part les quelques lignes au sujet des Bridgerton, qui ne constituaient rien de plus qu'une juste description de la famille, l'auteur livrait son compte rendu d'un bal donné la veille au soir. Daphné n'y avait pas assisté, car c'était l'anniversaire de sa sœur cadette. Chez les Bridgerton, on ne plaisantait pas avec de telles célébrations, et dans une famille comptant huit enfants, les occasions ne manquaient pas.

— Vous lisez ce torchon ! accusa Violet.

Daphné leva les yeux, refusant d'éprouver la moindre culpabilité.

— Le numéro d'aujourd'hui est plutôt intéressant. Il paraît que Cecil Tumbley a bu une quantité invraisemblable de champagne, hier soir.

— Ah oui ? demanda Violet d'un air faussement désintéressé.

— Hum, hum… Il y a aussi un bon résumé du bal des Middlethorpe. Elle rapporte qui a discuté avec qui, ce que portait chacune…

— J'imagine qu'elle ne résiste pas au plaisir de donner son avis sur le sujet, l'interrompit Violet.

Daphné ne put retenir un sourire espiègle.

— Allons, maman. Vous savez que le pourpre n'a jamais flatté Mme Featherington !

Violet parut avoir du mal à garder son sérieux. Daphné la vit se mordre les lèvres, comme si elle éprouvait les plus vives difficultés à conserver l'expression de dignité qui sied à une vicomtesse et mère de famille. Deux secondes plus tard, Violet était assise à côté d'elle sur le sofa, les yeux brillants de curiosité.

— Laissez-moi voir cela ! s'écria-t-elle en lui arrachant le journal des mains. Que s'est-il passé d'autre ? Avons-nous manqué quelque chose ?

— Franchement, maman, lorsque lady Whistledown vous raconte un événement, vous n'avez plus besoin d'y assister.

D'un geste, elle désigna la chronique.

— C'est presque aussi amusant que d'y être vraiment… Peut-être même plus. Je suis persuadée que nous avons mieux dîné à la maison qu'à ce bal. Et rendez-moi mon journal.

Elle tira d'un coup sec sur la feuille, laissant un coin de papier déchiré entre les doigts de sa mère.

— Daphné !

Celle-ci afficha un air faussement indigné.

— J'étais en train de le lire.

— Très bien, très bien…

— Tenez, écoutez ceci.

Tandis que sa mère s'adossait au sofa, elle lut à voix haute :

— « Le jeune libertin autrefois connu sous le nom de lord Clyvedon s'est finalement décidé à honorer Londres de sa présence. Bien qu'il n'ait pas encore daigné faire une apparition à une réception officielle, le nouveau duc de Hastings a été aperçu à plusieurs reprises au White et une fois à Tattersall. »

Elle marqua une pause pour reprendre son souffle.

—« Après un séjour à l'étranger de six années, est-ce un hasard si Sa Seigneurie ne revient qu'après le décès de son père ? »

Daphné leva les yeux de sa lecture.

— Bonté divine, elle n'y va pas par quatre chemins ! Au fait, Clyvedon n'est-il pas un ami d'Anthony ?

— Hastings, rectifia machinalement sa mère. Oui, il me semble qu'Anthony et lui étaient en bons termes à Oxford. Et aussi à Eton, je crois.

Daphné la vit froncer les sourcils, alors que son regard bleu se faisait pensif.

— C'était un vrai démon, si ma mémoire est bonne. Toujours en conflit avec son père, mais apparemment très brillant. Je crois bien qu'Anthony m'a dit qu'il était le major de sa promotion en mathématiques. Je ne peux pas en dire autant, ajouta-t-elle d'un air tendrement sévère, d'un seul de *mes* enfants.

— Allons, allons, maman, la taquina Daphné. Moi aussi, je serais première à Oxford, si les jeunes filles y étaient admises.

Sa mère émit un petit reniflement ironique.

— J'ai corrigé vos devoirs d'arithmétique lorsque votre gouvernante était souffrante, Daphné.

— D'accord. Alors, en histoire, dans ce cas, répliqua la jeune femme.

Baissant les yeux vers le journal qu'elle tenait entre ses mains, elle laissa son regard errer sur le nom du nouveau duc.

— Intéressant… murmura-t-elle.

Sa mère lui décocha un regard acéré.

— Ce monsieur n'est pas une fréquentation convenable pour une jeune fille de votre âge.

— C'est drôle comme « mon âge » peut varier de bien trop jeune pour rencontrer les amis d'Anthony, à bien trop vieux pour espérer encore un bon mariage.

— Daphné Bridgerton, je n'aime pas du tout votre…

— … ton, je sais, mais vous m'aimez tout de même.

Le visage de sa mère s'éclaira d'un grand sourire tandis qu'elle passait son bras autour des épaules de Daphné.

— Au nom du Ciel, je vous adore.

Daphné déposa un rapide baiser sur sa joue.

— C'est la malédiction de la maternité. Vous nous aimez toujours, même quand nous vous contrarions.

Violet laissa échapper un soupir.

— Tout le mal que je vous souhaite, c'est d'avoir un jour des enfants…

— … comme moi. Cela aussi, je le sais.

Daphné esquissa un sourire nostalgique et appuya sa tête contre l'épaule de sa mère. Celle-ci pouvait se montrer extraordinairement indiscrète, au contraire de feu son père, qui avait toujours été plus intéressé par sa meute de chiens et ses parties de chasse que par la vie mondaine. Mais leur union avait été pleine d'amour, de chaleur, de rires… et d'enfants.

— Je crois qu'il pourrait m'arriver bien pire que de suivre votre exemple, maman, murmura-t-elle.

— Ma chérie ! s'écria celle-ci d'une voix vibrante d'émotion. Vous ne pourriez rien me dire de plus gentil.

Daphné enroula une mèche acajou autour de son doigt et, passant de la tendresse à l'espièglerie :

— Je ne demande pas mieux, répondit-elle, que de marcher dans vos pas en ce qui concerne le mariage et les enfants, maman… tant qu'on ne me force pas à en avoir *huit* !

Au même instant, Simon Basset, nouveau duc de Hastings et sujet de conversation des Bridgerton mère et fille, était assis au White en compagnie d'un ami… lequel n'était autre qu'Anthony Bridgerton, frère aîné de Daphné.

Tous deux ne passaient pas inaperçus, avec leur stature athlétique, leur haute taille et leur superbe chevelure. Cependant, si les iris d'Anthony étaient de la même nuance marron que ceux de sa sœur, ceux de Simon étaient d'un bleu glacier, étrangement pénétrants.

C'étaient ces yeux, entre autres caractéristiques, qui lui avaient valu son charisme exceptionnel. Devant ce regard clair et sans détour, les hommes perdaient de leur superbe et les femmes étaient parcourues de frissons.

Anthony, en revanche, ne se laissait pas impressionner. Tous deux se connaissaient depuis des années, et l'aîné des Bridgerton répondait par un éclat de rire lorsque Simon, haussant un sourcil aristocratique, dardait sur lui un œil polaire.

— Vous oubliez que je vous ai vu la tête dans un pot de chambre, lui avait-il un jour rappelé. Depuis, j'ai toujours du mal à vous prendre au sérieux.

À quoi Simon avait rétorqué :

— En effet, mais si je ne m'abuse, vous étiez celui qui tenait cet odorant récipient.

— L'un des grands moments de ma vie, n'en doutez pas. Vous avez eu votre revanche la nuit suivante, quand j'ai trouvé une dizaine d'anguilles dans mon lit.

Simon sourit au souvenir de l'incident et de leur conversation à ce sujet. Anthony était le meilleur des amis, de ceux que l'on aime avoir à ses côtés dans les mauvaises passes. Il était la première personne que Simon avait contactée à son retour en Angleterre.

— C'est bon de vous retrouver, Clyvedon, dit Anthony une fois qu'ils furent installés à leur table au White. Oh ! Je suppose que vous allez insister pour que je vous appelle Hastings, à présent.

— Pas du tout. Hastings restera toujours mon père. Il ne répondait jamais à un autre nom.

Simon marqua un silence, songeur.

— Je porterai son titre, puisqu'il le faut, mais jamais son nom.

— Puisqu'il le faut ? répéta Anthony, surpris. La plupart des hommes ne prendraient pas ce ton résigné à la perspective d'hériter d'un duché !

Simon passa une main dans ses cheveux. Il savait qu'il aurait dû se réjouir du privilège d'être né Basset et montrer une fierté sans bornes pour sa glorieuse ascendance, mais en vérité, tout ceci lui était insupportable. Après avoir consacré sa vie à décevoir avec obstination les attentes paternelles, il n'y aurait rien eu de plus ridicule que de prétendre désormais jouer le rôle que l'on attendait de lui !

— Ce nom est un sacré fardeau, si vous voulez mon avis, maugréa-t-il.

— Vous feriez mieux de vous y habituer, répliqua Anthony avec pragmatisme, parce que c'est ainsi que tout le monde vous appellera, dorénavant.

Simon en était bien conscient, mais il doutait de ses capacités à porter son titre.

— Quoi qu'il en soit, ajouta son ami avec tact, comprenant que le sujet était sensible pour lui, je suis ravi de vous retrouver. On va enfin me laisser tranquille, la prochaine fois que j'escorterai ma sœur à un bal.

Simon s'adossa à son siège en croisant ses longues jambes musclées, un pied sur l'autre.

— Voilà une réflexion qui pique ma curiosité.

Anthony haussa un sourcil, amusé.

— Dois-je comprendre que vous me demandez d'être plus clair ?

— Et comment !

— Je devrais vous laisser découvrir la cruelle réalité par vous-même, mais ma bonté naturelle me l'interdit.

Simon laissa échapper un rire.

— Comment faut-il interpréter cela, de la part de l'homme qui m'a mis la tête dans un pot de chambre ?

Anthony chassa ce souvenir d'un geste de la main.

— J'étais jeune.

— Alors qu'à présent, vous êtes un parangon de sagesse et de respect des convenances ?

— Absolument, rétorqua Anthony d'un ton vertueux.

— Alors expliquez-moi, demanda Simon, en quoi ma présence est supposée rendre votre existence plus paisible ?

— J'imagine que vous comptez prendre votre place dans la société ?

— Vous faites erreur.

— Tiens ? J'avais cru comprendre que vous envisagiez d'assister au bal de lady Danbury cette semaine ?

— Uniquement parce que j'ai un faible pour cette vieille dame. Elle dit ce qu'elle pense et...

Troublé, Simon battit des cils.

— Et... ? l'encouragea Anthony.

Simon secoua la tête.

— Rien... Disons qu'elle s'est toujours montrée bienveillante envers moi, quand j'étais gosse. J'ai passé pas mal de vacances chez elle en compagnie de Riverdale – son neveu, vous savez ?

Anthony approuva d'un hochement de tête.

— Je vois. Donc, vous n'avez aucune intention d'entrer dans la société. Votre détermination force l'admiration, mais permettez-moi de vous avertir : vous aurez beau fuir les événements mondains, *elles* sauront bien vous retrouver.

Simon, qui venait de porter à ses lèvres son verre de porto, manqua s'étrangler à ces mots. Après une violente quinte de toux, il s'enquit :

— *Elles ?* De qui diable parlez-vous ?

Il vit son ami frémir.

— Les mères, répondit celui-ci d'une voix pleine d'effroi.

— N'en ayant pas eu moi-même, je crains de ne pas saisir votre sous-entendu.

— Les mères de la bonne société, innocent ! Ces dragons cracheurs de feu dotés, Dieu nous protège, de filles en âge de se marier ! Vous pourrez toujours prendre la fuite, jamais vous ne pourrez leur échapper. Et je dois vous prévenir : la mienne est la plus redoutable de toutes.

— Bonté divine ! Moi qui croyais que rien n'était plus dangereux que la jungle africaine…

Anthony décocha à son ami un regard faussement désolé.

— Où que vous alliez, elles vous traqueront sans pitié. Et une fois qu'elles vous auront mis le grappin dessus, vous serez pris au piège d'une conversation avec une jeune fille éthérée en robe blanche incapable de parler d'autre chose que du temps qu'il fait, de son invitation au prochain bal du club Almack, ou des rubans pour ses cheveux.

Simon esquissa un sourire.

— Dois-je comprendre que pendant que j'étais à l'étranger, vous êtes devenu un bon parti ?

— Bien contre mon gré, notez-le. Si cela ne tenait qu'à moi, je fuirais comme la peste les événements mondains. Seulement, ma sœur est entrée dans le monde l'an dernier, et je suis contraint de l'escorter de temps à autre.

— Vous parlez de Daphné ?

Anthony lui jeta un regard surpris.

— Vous seriez-vous déjà rencontrés ?

— Non, mais je me souviens des lettres qu'elle vous adressait à l'école, et je sais qu'étant la quatrième, elle doit avoir un D pour initiale, donc…

— Je vois, l'interrompit Anthony avec un soupir de lassitude. La célèbre méthode Bridgerton pour prénommer les enfants : la garantie absolue que personne n'oubliera votre rang dans la famille !

Simon éclata de rire.

— En tout cas, elle est infaillible.

— Oh, mais j'y pense ! s'exclama Anthony en se penchant sur la table. J'ai promis à ma mère d'aller dîner à Bridgerton House cette semaine. Venez avec moi !

Simon le regarda, méfiant.

— Ne venez-vous pas de me mettre en garde contre les mères de la bonne société et leurs débutantes à marier ?

Anthony rit à son tour.

— Je ferai la leçon à ma mère, et pour Daph', soyez sans crainte. Elle est l'exception qui confirme la règle ; vous allez l'adorer.

Simon fronça les sourcils. Anthony jouait-il les entremetteurs ? Il n'aurait su le dire.

Comme si celui-ci avait lu dans ses pensées, il sourit.

— Juste Ciel, vous ne croyez tout de même pas que j'essaie de vous caser avec Daph' ?

Simon ne répondit pas.

— Je vous rassure, vous n'êtes pas du tout assortis. Vous êtes bien trop ténébreux pour son goût.

Simon estima que c'était là une étrange remarque, mais il s'abstint de tout commentaire.

— Elle n'a reçu aucune demande ?

— Si, quelques-unes.

Anthony avala d'un trait le reste de son verre et laissa échapper un soupir de satisfaction.

— Je l'ai autorisée à les refuser toutes.

— Comme c'est magnanime de votre part !

Son ami esquissa un geste évasif.

— Je suppose que c'est trop demander que de contracter un mariage d'amour, de nos jours, mais je ne vois pas pourquoi elle n'aurait pas le droit d'être heureuse auprès de son époux. Nous avons reçu des propositions d'un homme qui avait l'âge d'être son père, d'un autre qui avait l'âge d'être le frère cadet de son père, d'un troisième qui était trop collet monté pour supporter notre tribu, et cette semaine, ma foi, ça a été le pompon !

— Que s'est-il passé ? questionna Simon, intrigué.

Anthony se frotta les tempes d'un geste las.

— Il était tout à fait fréquentable, notez, mais vraiment trop lent d'esprit. Vous pourriez croire qu'après nos années d'insouciance, j'ai perdu toute compassion…

— Vraiment ? rétorqua Simon, faussement choqué. Où allez-vous chercher cela ?

Anthony le fusilla du regard.

— Je vous assure que je n'ai pris aucun plaisir à briser le cœur de ce malheureux.

— Vous ? Vous voulez dire, *Daphné* ?

— Oui, mais c'est moi qui ai dû lui annoncer la mauvaise nouvelle.

— Je connais peu d'hommes qui laisseraient à leur sœur une telle liberté quant au choix de son époux, déclara calmement Simon.

Anthony haussa les épaules, façon peut-être de dire qu'il n'imaginait pas traiter Daphné autrement.

— Elle a toujours été un ange pour moi. Je lui dois bien cela.

— Même si cela signifie que vous devez l'accompagner aux bals d'Almack ? ironisa Simon.

— Oui, grommela Anthony.

— J'aimerais vous réconforter en vous disant que votre calvaire sera bientôt fini, mais vous avez… voyons, trois autres sœurs à marier ?

À ces mots, il vit Anthony se tasser un peu plus sur son siège.

— Éloïse doit faire son entrée dans le monde dans deux ans, et Francesca la saison suivante, mais j'aurai un peu de répit avant que Hyacinthe atteigne l'âge fatidique.

Simon émit un petit rire moqueur.

— Voilà des responsabilités que je ne vous envie pas.

Cependant, alors qu'il prononçait ces mots, son cœur se serra. Comment était-ce, de ne pas être seul au monde ? Il n'envisageait certes pas de fonder une famille, mais il lui vint à l'idée que s'il en avait eu une, autrefois, sa vie aurait été différente…

— Alors c'est entendu, vous viendrez dîner avec nous ? demanda Anthony en se levant. En toute simplicité, soyez sans crainte. Lorsque nous sommes entre nous, pas de formalités !

Simon avait déjà un emploi du temps fort chargé pour les jours à venir mais, oubliant soudain qu'il devait de toute urgence mettre de l'ordre dans ses affaires, il s'entendit répondre :

— Avec plaisir.

— Parfait. De toute façon, je vous verrai à la sauterie de Danbury.

Simon frissonna.

— Pas si sûr. J'ai l'intention de ne pas y rester plus d'une demi-heure.

— Parce que vous vous imaginez, s'enquit Anthony d'un ton stupéfait, que vous allez entrer, présenter vos respects à lady Danbury et repartir aussi vite ?

Simon hocha la tête avec résolution.

Son ami lui répondit par un éclat de rire incrédule qui n'avait rien de rassurant.

2

Le nouveau duc de Hastings est un personnage des plus mystérieux. Bien que, de notoriété publique, il n'ait pas été en bons termes avec son père, même votre dévouée chroniqueuse n'a pas découvert la raison de leur brouille.

LA CHRONIQUE MONDAINE DE LADY WHISTLEDOWN, 26 avril 1813

Quelques jours plus tard, cette même semaine, Daphné se trouvait au bal de lady Danbury. Elle s'était réfugiée dans un coin de la vaste salle, à l'écart de la foule, et cela lui convenait fort bien.

En temps normal, elle aurait été ravie de participer à la fête. Elle aimait la danse tout autant que n'importe quelle autre jeune fille, mais son frère Anthony l'avait informée quelques instants plus tôt que Nigel Berbrooke était venu le trouver deux jours auparavant pour solliciter sa main. Une fois de plus. Anthony avait bien sûr refusé – une fois de plus ! – mais Daphné ne pouvait chasser la désagréable impression que son prétendant ne se lasserait pas de sitôt. Deux demandes en deux jours, ce n'était pas la marque d'un homme qui accepte aisément la défaite...

Elle l'aperçut de l'autre côté de la piste de danse, jetant des regards curieux autour de lui. Instinctivement, elle recula encore dans l'ombre.

Comment se comporter avec ce malheureux ? Elle n'en avait aucune idée. Certes, il ne brillait pas par son intelligence, mais il n'avait pas un mauvais fond. Elle avait beau savoir qu'elle devait décourager ses sentiments envers elle, elle trouvait plus simple de prendre la tangente et de fuir à son approche.

Elle envisageait une retraite peu glorieuse vers les vestiaires des dames lorsqu'une voix familière résonna tout près.

— Eh bien, Daphné, que fais-tu donc ici, loin de tout le monde ?

Levant les yeux, elle vit son frère aîné s'approcher d'elle.

— Anthony ! s'exclama-t-elle, ne sachant si elle devait se réjouir de le retrouver ou craindre qu'il ne se mêle de ses affaires. Je ne savais pas que tu devais assister à cette soirée.

— Maman, dit-il d'un air sombre.

Ce simple mot suffit.

— Oh, fit Daphné avec un hochement de tête compatissant.

— Elle a dressé une liste de fiancées possibles.

Anthony lui lança un regard désespéré.

— Nous l'aimons tout de même, n'est-ce pas ?

— De tout notre cœur, Anthony, répondit-elle en réprimant un éclat de rire.

— Cette folie lui passera, maugréa le jeune homme. Il le faut ! Je ne vois pas ce qui lui a pris… C'était une femme tout à fait raisonnable, jusqu'à ce que tu sois en âge de te marier.

— Moi ? s'écria Daphné. Veux-tu dire que tout cela est de *ma* faute ? Je te rappelle que tu as huit ans de plus que moi !

— Oui, mais cette étrange fièvre matrimoniale s'est emparée d'elle précisément lorsque tu es entrée dans le monde.

Daphné fit la moue.

— Tu excuseras mon manque de compassion. Moi, j'ai reçu ma liste voilà déjà un an.

— Vraiment ?

— Bien sûr, et il y a quelque temps, elle m'a menacée de me présenter un mari possible par semaine. Elle me harcèle pour que je convole en justes noces, à un point que tu ne peux même pas imaginer. Si les célibataires sont un mystère, les vieilles filles, elles, sont tout simplement pathétiques… et au cas où tu ne l'aurais pas remarqué, je suis du sexe féminin.

Anthony laissa échapper un rire grave.

— Je suis ton frère, Daph'. Je ne prête aucune attention à ce genre de détails.

Il lui jeta un coup d'œil un peu embarrassé.

— L'as-tu apportée ?

— Ma liste ? s'écria Daphné. Tu n'y penses pas !

Le sourire d'Anthony s'élargit.

— Moi, si.

Daphné émit un petit cri de surprise.

— Tu n'as pas fait une chose pareille !

— Bien sûr que si. Pour le seul plaisir de provoquer maman. Je sortirai mon monocle de ma poche pour la parcourir devant elle et…

— Tu n'as pas de monocle.

Il lui sourit – de ce sourire espiègle au charme ravageur qui était la spécialité des frères Bridgerton.

— J'en ai acheté un pour l'occasion.

— Anthony, tu es impossible ! Elle va t'étrangler… et ensuite, elle trouvera le moyen de *me* rendre responsable du meurtre.

— J'y compte bien.

Daphné le frappa à l'épaule, lui arrachant une protestation qui leur attira des regards intrigués de la part de leurs plus proches voisins.

— Joli coup droit, gémit-il en se frottant le bras.

— Avec quatre frères, c'est une question de survie. Et maintenant, montre-moi cette liste.

— Alors que tu viens de me brutaliser ?

Daphné roula des yeux impatients et pencha la tête de côté d'un air autoritaire.

— Après tout, pourquoi pas ?

Anthony sortit de la poche de sa veste un feuillet plié qu'il lui tendit.

— J'attends ton avis. Je suppose que tu auras toutes sortes de remarques désobligeantes à faire !

Dépliant le papier, Daphné parcourut du regard l'élégante calligraphie de sa mère. La vicomtesse Bridgerton avait inscrit le nom de huit débutantes – toutes d'excellente extraction, et plus fortunées les unes que les autres.

— Exactement ce que je pensais… murmura-t-elle.

— Est-ce aussi effrayant que je le crains ?

— Pire. Philipa Featherington est d'une stupidité affligeante.

— Et les autres ?

Daphné jeta un regard navré à son frère.

— De toute façon, tu n'avais pas l'intention de te fiancer cette année, n'est-ce pas ?

Elle vit son frère frémir.

— Et toi, s'enquit-il, comment est ta liste ?

— Plus du tout à jour, fort heureusement. Sur les cinq, trois se sont mariés l'an passé. Maman me reproche encore de les avoir laissés filer.

Le frère et la sœur laissèrent échapper un soupir de lassitude. À croire que rien ne viendrait détourner Violet Bridgerton de la mission qu'elle s'était assignée : traîner ses huit enfants devant l'autel, les uns après les autres ! Anthony, son fils aîné, et Daphné, la première de ses filles, supportaient l'essentiel de la pression maternelle, mais la jeune femme n'aurait pas été surprise de voir la vicomtesse fiancer sa benjamine tout juste âgée de dix ans, Hyacinthe, si une offre intéressante se présentait.

— Bonté divine, on dirait que vous revenez d'un enterrement. Pourquoi vous cachez-vous ici, dans l'ombre ?

Encore une voix familière !

— Benedict ? s'écria Daphné. Maman a réussi à te convaincre d'assister au bal, toi aussi ?

Le nouvel arrivant acquiesça d'un air grave.

— Oui, mais le temps des cajoleries est bien terminé ; maintenant, elle emploie la culpabilisation ! Elle m'a dit à trois reprises cette semaine qu'il me reviendrait la charge d'assurer l'avenir de la lignée Bridgerton si Anthony ne faisait pas un effort.

Ce dernier émit un marmonnement.

— Je suppose que cela explique votre prudente retraite dans l'angle le plus sombre de la salle, poursuivit Benedict. Vous fuyez maman !

— À vrai dire, répliqua Anthony, j'ai vu Daph' rôder dans l'ombre et…

— Rôder ? répéta Benedict, faussement outré.

Daphné laissa échapper un soupir d'agacement.

— Je me cachais de Nigel Berbrooke, expliqua-t-elle. J'ai laissé maman en compagnie de lady Jersey ; elle devrait me laisser tranquille un moment, mais Nigel…

— … ressemble plus à un singe qu'à un homme, déclara Benedict.

— Eh bien, je ne l'aurais pas dit exactement de cette façon, répondit Daphné en s'efforçant de faire preuve d'esprit charitable, mais le fait est qu'il n'est pas un modèle d'intelligence. Je préfère l'éviter plutôt que le blesser. Le problème, maintenant que vous m'avez retrouvée, c'est qu'il ne va plus tarder à me remarquer.

— Ah ? fit Anthony, en toute innocence.

Daphné lança un coup d'œil éloquent à ses deux frères. Aussi grands et larges d'épaules l'un que l'autre, ils étaient dotés du même regard noisette et de la même somptueuse chevelure auburn, de l'exacte nuance de la sienne. Comment s'étonner qu'ils ne puissent apparaître en société sans qu'aussitôt une nuée de jeunes filles surexcitées se forme dans leur sillage ?

Or, là où se trouvait une nuée de jeunes filles surexcitées, Nigel Berbrooke n'était généralement pas loin.

Daphné pouvait déjà voir des têtes se tourner dans leur direction, des mères pousser leur fille à marier vers les frères Bridgerton, opportunément seuls – ou, du moins, sans autre compagnie que celle de leur sœur.

— Je savais que j'aurais dû me cacher dans les vestiaires pour dames, maugréa la jeune femme.

— Quelle est donc cette feuille que tu tiens entre tes mains, Daph' ? s'enquit alors Benedict.

Sans réfléchir, elle lui tendit la liste des possibles fiancées d'Anthony. Ce dernier, entendant l'éclat de rire sonore de son frère, croisa les bras.

— Ris donc, inconscient ! La semaine prochaine, c'est toi qui recevras ce genre de littérature…

— Je n'en doute pas, acquiesça Benedict. C'est un miracle que Colin…

Daphné le vit hausser les sourcils, une lueur d'amusement au fond des yeux.

— Quand on parle du loup ! reprit-il avec flegme.

Un troisième frère Bridgerton se joignit à leur petit groupe.

— Colin ! s'écria Daphné en se jetant à son cou. Comme je suis contente de te revoir !

— Tu remarqueras que nous n'avons pas reçu un accueil aussi enthousiaste, fit observer Anthony à Benedict.

— Vous, je vous vois tous les jours. Voilà un an que Colin était parti !

Après l'avoir serré une nouvelle fois contre elle, Daphné recula d'un pas.

— Nous ne t'attendions pas avant la semaine prochaine ! s'exclama-t-elle.

Colin esquissa un imperceptible haussement d'épaules qui s'accordait à merveille à son petit sourire en coin.

— Paris devenait ennuyeux.

— Je vois, répliqua Daphné d'un ton entendu. Tu n'as plus un sou en poche.

Dans un éclat de rire, Colin leva les mains en signe de reddition.

— Je plaide coupable !

Anthony s'approcha de son frère pour lui donner l'accolade.

— C'est bon de te revoir, mon vieux. Tout de même, avec les fonds que je t'ai envoyés, tu aurais pu vivre encore au moins…

— Pitié ! gémit Colin d'une voix vibrante d'hilarité. Demain, tu pourras m'accabler autant que tu le voudras, mais pour l'instant, j'aimerais juste passer une bonne soirée en compagnie de ma famille bien-aimée.

Benedict rit.

— Tu dois être complètement ruiné, pour nous vouer soudain une telle affection !

Puis, s'approchant afin de lui donner à son tour une chaleureuse accolade :

— Content de te retrouver.

Colin, le plus insouciant de la fratrie, esquissa un sourire radieux qui fit briller ses yeux verts.

— Et moi, je suis ravi d'être de retour, bien que le temps ici soit loin d'être aussi beau que sur le continent, et les femmes incapables de rivaliser avec les beautés que j'y ai…

D'un vigoureux pincement au bras, Daphné le fit taire.

— Tu oublies que tu es en compagnie d'une dame, mal élevé ! protesta-t-elle d'un ton qui contredisait ses paroles.

De tous ses frères et sœurs, Colin était le plus proche d'elle. Avec seulement dix-huit mois d'écart, ils avaient longtemps été inséparables… surtout pour jouer de mauvais tours. Colin avait été un épouvantable garnement et Daphné, enfant, se faisait une joie de lui prêter main-forte.

— Maman sait-elle que tu es rentré ? demanda-t-elle.

Il secoua la tête.

— J'ai trouvé la maison vide à mon arrivée, et…

— Normal, l'interrompit-elle, maman a envoyé les petits se coucher tôt, ce soir.

— Comme je n'avais pas envie de vous attendre en me tournant les pouces, Humboldt m'a dit où je pourrais vous trouver… et me voilà !

Daphné lui adressa un sourire radieux.

— Tu as bien fait de nous rejoindre.

— Au fait, où est maman ? demanda Colin en parcourant l'assistance du regard.

Aussi grand que les autres Bridgerton, il dépassait la foule d'une bonne tête.

— En face, dans un angle de la salle, en compagnie de lady Jersey.

Daphné vit son frère frissonner.

— Je crois que je vais attendre un peu. Je n'ai aucune envie d'être brûlé vif par ce dragon.

— À propos de dragon… dit Benedict en tournant les yeux vers sa gauche sans bouger la tête.

Suivant son regard, Daphné aperçut lady Danbury qui se dirigeait vers eux avec lenteur. Celle-ci devait s'appuyer sur une canne, mais Daphné ne put réprimer un mouvement craintif. L'esprit caustique de la vieille dame était bien connu de toute l'aristocratie londonienne. Daphné l'avait toujours soupçonnée de cacher une âme sensible derrière ses manières acerbes, mais la seule perspective d'une discussion avec la redoutable lady Danbury l'emplissait d'effroi.

— Bon sang, pas moyen de lui échapper ! murmura l'un de ses frères.

Elle le fit taire et adressa un sourire hésitant à leur hôtesse. Celle-ci arqua les sourcils puis, s'immobilisant à quelques pas du petit groupe, aboya :

— Inutile de feindre de ne pas m'avoir vue !

Elle ponctua ces paroles d'un coup de canne si assourdissant que Daphné, dans un sursaut nerveux, recula d'un pas… écrasant le pied de son frère.

— Aïe ! gémit Benedict.

Constatant que ses trois aînés semblaient avoir perdu l'usage de la parole – à l'exception de Benedict, mais dont le cri de douleur pouvait difficilement prétendre au titre de brillante repartie –, Daphné bredouilla, étranglée par l'embarras :

— Je suis désolée de vous avoir donné cette impression, madame, car je…

— Pas vous, la coupa lady Danbury.

Elle agita sa canne devant elle, en un trait horizontal dont l'extrémité frôla dangereusement l'abdomen de Colin.

— Eux.

Un chœur de salutations empressées s'éleva du trio. Parcourant les frères de Daphné d'un regard aussi bref qu'indifférent, lady Danbury poursuivit :

— M. Berbrooke est à votre recherche.

Il sembla à Daphné que son visage se vidait de son sang.

— Vraiment ? demanda-t-elle d'une voix blanche.

La vieille dame hocha la tête.

— À votre place, miss Bridgerton, je lui enlèverais tout espoir sans tarder.

— Lui avez-vous dit où j'étais ?

Un sourire de conspiratrice étira les lèvres de lady Danbury.

— Vous me plaisez, jeune fille. Non, je ne lui ai rien dit.

— C'est bien aimable à vous, madame, répondit Daphné avec gratitude.

— Ce serait un péché contre l'intelligence de vous marier à cet âne bâté, poursuivit la digne lady, et Dieu sait que l'aristocratie ne peut se permettre de gâcher le peu d'esprit dont elle dispose.

— Je… Merci, bafouilla Daphné.

— Quant à vous, mes gaillards…

D'un geste vif, elle agita sa canne vers les frères de la jeune femme.

— … je réserve mon jugement. En ce qui vous concerne, dit-elle à Anthony, j'ai un a priori favorable, puisque vous avez eu la bonne idée d'éconduire Berbrooke. Pour les autres… hum !

Sur ce, elle s'éloigna.

— Comment, « hum » ? s'offusqua Benedict. C'est tout ce qu'elle trouve à dire au sujet de mon intelligence ?

Daphné lui adressa un sourire condescendant.

— Elle m'aime bien, *moi*.

— Tu lui plais, rectifia Benedict, maussade.

— En tout cas, c'est plutôt généreux de sa part de te mettre en garde contre Berbrooke, admit Anthony.

Daphné approuva d'un hochement de tête.

— Maintenant que j'ai salué notre hôtesse, je suppose que je peux me sauver.

Elle leva vers Anthony un regard implorant.

— Si Nigel me cherche…

— Je m'occuperai de lui, promit-il avec douceur. Ne t'inquiète pas.

— Merci !

Sur un dernier sourire à ses frères, elle quitta la salle de bal.

Alors qu'il foulait d'un pas tranquille le dallage de marbre du hall de lady Danbury, Simon s'aperçut qu'il était d'une surprenante bonne humeur. Ce qui était d'autant plus remarquable, songea-t-il avec un sourire, qu'il s'apprêtait à assister à un événement mondain, au risque d'être la victime de toutes les horreurs que lui avait décrites Anthony un peu plus tôt.

Toutefois, il se consolait à la perspective qu'une telle épreuve n'était pas près de se renouveler. Comme il l'avait dit à Bridgerton, il ne venait à ce bal que par pure amitié envers lady Danbury qui, malgré ses façons un peu rudes, s'était toujours montrée bienveillante envers lui lorsqu'il était enfant.

Ses excellentes dispositions d'esprit, comprit-il, venaient simplement du fait qu'il était heureux d'être de retour en Angleterre.

Ses voyages à travers le monde ne l'avaient pas déçu, bien au contraire ! Il avait longuement visité l'Europe, franchi les flots bleus de la Méditerranée, puis était allé explorer les mystères de l'Afrique du Nord. De là, il s'était rendu en Terre sainte. Puis, ses informateurs lui ayant confirmé que l'heure du retour au pays n'avait pas encore sonné, il avait traversé l'Atlantique et passé quelque temps dans les Caraïbes. À ce stade de son périple, il avait envisagé de pousser jusqu'en Amérique, mais la toute jeune nation s'était alors avisée de déclarer la guerre à la Grande-Bretagne, et Simon avait renoncé à son projet.

C'est précisément ce moment que le vieux duc, malade depuis plusieurs années, avait choisi pour mourir.

La vie vous jouait parfois de ces tours... Simon n'aurait pas échangé ses années de vagabondage contre tout l'or du monde. Six années, cela vous laissait le temps de mûrir, de réfléchir, d'apprendre ce que c'était que d'être un homme. Et pourtant, la seule raison pour laquelle Simon, alors âgé de vingt-deux ans, avait quitté l'Angleterre était la soudaine volte-face de son père, qui contre toute attente avait fini par l'accepter.

Simon, lui, n'avait jamais accepté son père. Aussi avait-il fait ses bagages et quitté le pays, préférant l'exil aux hypocrites protestations d'affection du vieil aristocrate.

Tout avait commencé lorsque Simon était parti d'Oxford. Au tout début, son père s'était opposé à ce qu'il entreprenne des études. Simon avait un jour vu une lettre adressée à son tuteur, dans laquelle il était stipulé que le duc refusait de laisser son crétin de fils salir le nom des Basset à Eton. Simon n'était pas seulement têtu : il était aussi assoiffé de connaissances. Il s'était fait conduire à Eton et était allé frapper à la porte du directeur pour l'informer de son arrivée.

Cela avait été le plus grand coup de bluff de sa vie, mais il avait réussi à convaincre le brave homme qu'il y avait eu un malentendu. Tout était de la faute de l'école, et il n'était pas responsable du fait que l'administration ait égaré son inscription et ses droits de scolarité. Il avait imité de son mieux les mimiques de son père, arquant les sourcils avec arrogance, relevant le menton d'un air de défi, toisant sa victime d'un regard dédaigneux – en un mot, se comportant comme si le monde lui appartenait.

Et pendant tout ce temps il avait tremblé, terrifié à l'idée que sa diction se brouille, que ses mots se mêlent, que « Je suis lord Clyvedon et je suis ici pour étudier » ne devienne entre ses lèvres : « Je suis l-lord Clyvedon et je s-s-s... je s-s-s... »

Rien de cela n'était arrivé. Le directeur, qui avait vu défiler chez lui toute la jeunesse dorée du pays, avait immédiatement reconnu en Simon un authentique Basset, l'avait inscrit en toute hâte et sans poser de questions. Il avait fallu plusieurs mois au vieux duc, fort occupé par ailleurs, pour être informé de la nouvelle situation de son fils et de son déménagement à Eton. À cette époque, Simon s'était parfaitement habitué à l'école, et cela eût fait mauvais effet de le rappeler à la maison sans raison apparente.

Or, le vieil Hastings n'aimait pas donner de lui une désagréable impression.

Simon s'était souvent demandé pourquoi son père n'avait pas choisi ce moment-là pour se rapprocher de lui. Depuis qu'il était à Eton, son bégaiement n'était plus qu'un lointain souvenir. D'ailleurs, s'il avait été incapable de poursuivre ses études, le directeur n'aurait pas manqué d'en informer le vieux duc. Il arrivait à l'occasion que sa langue fourche, mais Simon avait mis au point de solides parades destinées à masquer ses hésitations : une quinte de toux, ou encore une gorgée de thé si, par chance, il était à table.

Le duc ne lui avait jamais envoyé une seule lettre. Simon supposa qu'il s'était si bien accoutumé à l'ignorer qu'il se moquait éperdument, désormais, qu'il fût ou non la honte de la famille.

Après Eton, Simon était tout naturellement allé à Oxford, où il s'était taillé une réputation de forte tête. Il ne méritait pas plus ce qualificatif, en vérité, que n'importe lequel des jeunes gens qui l'entouraient, mais son caractère entier et sans complaisance avait contribué à lui donner cette image.

Simon n'aurait su dire comment cela était arrivé, mais au fil du temps, il avait remarqué que ses camarades recherchaient son approbation. Certes, il était excellent élève et doté d'une constitution athlétique, mais il comprit rapidement que sa popularité était surtout à mettre sur le compte de son attitude. Parce qu'il ne parlait que lorsque cela était nécessaire, on le trouvait arrogant, comme doit l'être un futur duc. Parce qu'il préférait ne s'entourer que des rares amis en qui il avait toute confiance, on le jugeait terriblement sélectif dans le choix de ses fréquentations, comme doit l'être un futur duc.

Simon n'était pas bavard, mais quand il parlait, c'était d'une façon spirituelle et percutante, avec cette pointe d'ironie mordante qui frappe les esprits et impose le respect. Là encore, puisqu'il ne jacassait pas à tort et à travers comme tant de jeunes aristocrates, on prêtait plus de poids à ses rares déclarations.

On lui trouvait « une confiance en soi inébranlable » et « la beauté du diable » ; on le considérait comme « le parfait exemple de virilité et d'élégance ». Les hommes lui demandaient son avis sur toutes sortes de questions… et les femmes se pâmaient devant lui.

Simon regardait tout cela avec une certaine incrédulité, mais il savourait ces marques d'admiration. Il prenait de bonne grâce ce qu'on lui offrait, vivait avec insouciance sa vie de jeune homme, et appréciait sans réserve la compagnie des veuves et autres danseuses qui recherchaient son attention, d'autant plus ravi par la perspective que son père ne pourrait que désapprouver ces aventures.

Seulement, le vieux duc ne désapprouva pas autant qu'il l'avait espéré. Comme Simon ne l'apprit que plus tard, le duc de Hastings avait commencé à s'intéresser aux progrès de son fils unique. Il avait demandé un compte rendu de ses résultats à Oxford et loué les services d'un sergent de police afin d'être tenu informé des activités extrascolaires de son fils. Et finalement, il avait cessé de s'attendre à trouver, dans chaque lettre, la preuve de la stupidité de son héritier.

Il serait difficile de dire avec précision quand s'était opéré le miracle, mais un jour, le duc avait admis que Simon se débrouillait fort bien dans la vie.

Hastings en avait été gonflé de fierté. Comme toujours, le sang avait parlé. Il aurait dû savoir qu'un Basset ne pouvait pas être un imbécile !

Après avoir fini major de sa promotion en mathématiques, Simon avait quitté Oxford pour s'établir à Londres, tout comme ses amis. N'ayant aucune envie de résider auprès de son père, il avait trouvé une garçonnière en ville. Lorsqu'il avait commencé à sortir dans le monde, un nombre croissant de gens avaient pris ses silences éloquents pour de l'arrogance, et son cercle d'amis très restreint pour du snobisme.

Sa réputation fut scellée quand le Beau Brummell, arbitre incontesté de l'élégance vestimentaire et du bon goût, lui avait posé une question assez subtile au sujet de la dernière mode. Brummell s'était exprimé d'un ton condescendant, dans l'espoir manifeste de mettre le jeune lord dans l'embarras. C'était de notoriété publique, il n'aimait rien tant que ridiculiser la fine fleur de l'Angleterre. Feignant d'attacher de l'importance à l'avis de Simon, il avait terminé sa phrase par un « N'êtes-vous pas de mon avis ? » aux inflexions nonchalantes.

Un silence religieux était tombé sur le petit groupe qui assistait à la scène. Simon, qui se fichait éperdument de la manière dont le Beau Brummell nouait sa cravate, s'était contenté de tourner vers lui un œil polaire avant de répondre d'un laconique « Non ».

Pas d'explication, pas de justification. Un « Non » brut et définitif.

Puis il avait quitté la pièce.

Vingt-quatre heures plus tard, par un de ces renversements de situation dont la vie a le secret, Simon était le nouveau héros de la bonne société. Le jeune homme éprouvait la plus grande indifférence envers Brummell et ses décrets en matière vestimentaire ; s'il n'avait pas craint de buter sur ses mots, il aurait sans doute formulé une réponse plus élaborée. En l'occurrence, la sobriété avait payé. La sentence lapidaire de Simon s'était avérée infiniment plus percutante qu'un long et brillant discours.

La réputation du jeune Hastings, dont on s'accordait à louer la vivacité d'esprit et le charme insolent, était inévitablement parvenue jusqu'aux oreilles du duc. Bien que celui-ci ne cherchât pas à le rencontrer, Simon en entendit assez, au hasard des conversations, pour comprendre que ses relations avec son père approchaient d'un tournant décisif. Le duc, qui avait éclaté de rire en apprenant l'épisode Brummell, avait déclaré d'un ton suffisant :

— Naturellement. C'est un Basset.

Jusqu'au jour où ils étaient tombés nez à nez dans un bal, à Londres.

Et où, sous le regard de son père, Simon avait perdu tous ses moyens.

Oh, ce n'avait pas été faute d'essayer d'être à la hauteur ! Seulement, personne ne possédait comme le vieux duc le don d'anéantir sa volonté. Face à cet étranger qui lui ressemblait tant avec quelques années de plus, Simon s'était figé, paralysé par l'émotion, muet de stupeur.

Il lui avait soudain semblé que sa langue avait triplé de volume, que ses lèvres ne lui obéissaient plus… et que son bégaiement s'était en quelque sorte emparé de sa personne entière, lui donnant la désagréable impression de ne pas être à sa place dans sa propre peau.

Mettant à profit l'absence de réaction de Simon, le duc lui avait donné une accolade assortie d'un « Mon fils ! » vibrant de sincérité.

Le lendemain, Simon avait quitté l'Angleterre.

Il avait compris qu'il ne pourrait échapper à son père qu'à ce prix, et il refusait de se comporter en fils aimant après avoir été renié pendant des années.

En outre, il était fatigué de l'oisiveté de sa vie londonienne. Malgré sa réputation d'insouciance, Simon n'avait pas le tempérament d'un authentique débauché. Il avait goûté les joies de la nuit tout autant que le petit cercle de jeunes aristocrates qui l'entourait, mais après trois ans à Oxford et une saison à Londres, la ronde sans fin des fêtes et des aventures était devenue une pénible routine.

Voilà comment il était parti.

À présent, il était de retour, et ravi de l'être. Que c'était apaisant de rentrer au pays ! Le printemps anglais était un baume pour son âme... Sans compter qu'après six ans de pérégrinations en solitaire, c'était sacrément bon de retrouver ses amis.

À pas de loup, il s'engagea dans un couloir qui menait vers la salle de bal. Il n'avait pas voulu se faire annoncer, de peur d'attirer l'attention sur lui. Sa conversation avec Bridgerton l'avait conforté dans sa résolution de se tenir à l'écart des mondanités londoniennes.

Simon n'avait pas la moindre intention de se marier. N'étant pas à la recherche d'une épouse, il n'avait donc aucune raison de hanter les salons de l'aristocratie.

S'il faisait ce soir une entorse à cette règle d'or, c'était par pure loyauté envers lady Danbury. Il n'avait pas oublié les bontés dont celle-ci l'avait entouré dans son enfance, et il avait un faible pour cette vieille dame aux manières directes. Cela eût été fort incorrect de ne pas répondre à son invitation, d'autant qu'elle avait ajouté sur le carton de vélin quelques lignes de sa main, dans lesquelles elle se réjouissait de son retour au bercail.

Simon, en familier de l'hôtel particulier, était entré par une porte de service. Si tout se déroulait comme prévu, il pourrait se glisser en toute discrétion dans la salle de bal, présenter ses hommages à la maîtresse de maison et s'éclipser aussitôt.

Alors qu'il s'apprêtait à bifurquer dans un autre couloir, il pila net en entendant des voix.

Il étouffa un soupir d'agacement. Il avait interrompu un rendez-vous galant ! Bon sang, comment poursuivre son chemin sans se faire remarquer ? Si l'on découvrait sa présence, il imaginait déjà la scène... Le mélodrame, les regards embarrassés, l'agitation sans fin ! Le plus sage était de se fondre dans l'ombre et d'attendre que les amants s'éloignent.

Toutefois, alors qu'il reculait d'un pas léger, il perçut un mot qui retint son attention.

— Non.

Comment, « non » ? La jeune femme avait-elle été entraînée contre son gré dans les couloirs déserts ? Simon n'éprouvait aucune envie particulière de jouer les héros, mais il ne pouvait laisser quelqu'un manquer de respect à une dame. Il tendit l'oreille, indécis. Après tout, il avait peut-être mal entendu.

— Nigel, dit alors la voix féminine, il ne fallait pas me suivre jusqu'ici.

— Mais je vous aime ! protesta un jeune homme d'un ton vibrant de passion. Tout ce que je veux, c'est vous épouser.

Simon faillit laisser échapper un soupir navré. Le pauvre garçon était si éperdument épris que c'en était pathétique !

— Nigel, reprit la jeune femme, remarquablement douce et patiente, mon frère vous a déjà expliqué que je ne me marierai pas avec vous. En revanche, j'espère que nous resterons bons amis.

— Votre frère n'a rien compris.

— Je vous assure que si.

— Peste ! Si vous me refusez, qui voudra de moi ?

Simon sursauta. C'était bien la proposition de mariage la moins romantique que l'on puisse imaginer !

Apparemment, c'était aussi l'avis de la demoiselle, car elle répondit, d'un ton où perçait un brin d'agacement :

— Écoutez, il y a des dizaines de jeunes filles en ce moment dans la salle de bal de lady Danbury. Je suis certaine que vous en trouverez une qui sera ravie de vous épouser.

Depuis sa cachette, Simon tendit le cou, juste assez pour avoir un aperçu de la scène. L'inconnue se tenait dans l'ombre, mais son prétendant était clairement visible : avec son visage dépité et ses épaules affaissées, il offrait un bien triste spectacle. Le pauvre garçon secoua la tête.

— Non, bougonna-t-il. Elles ne veulent pas de moi. Elles… elles…

Simon tressaillit en l'entendant buter sur les mots. Sa détresse manifeste était certes plus touchante que ce léger bégaiement, mais Simon savait ce que c'était que de ne pas pouvoir prononcer une phrase à cause d'une trop vive émotion.

— Aucune n'est aussi bonne que vous, dit finalement le malheureux. Vous êtes la seule à me sourire.

— Oh, Nigel ! s'écria la jeune fille dans un soupir désolé. Je suis sûre que ce n'est pas vrai.

Elle mentait par pure bonté d'âme, c'était évident, comprit Simon. En l'entendant soupirer de nouveau, il se dit qu'elle n'avait nullement besoin de son aide. Elle semblait avoir la situation en main, et bien que Simon ne pût s'empêcher d'éprouver une vague compassion envers le pauvre Nigel, il ne pouvait rien pour celui-ci non plus.

En outre, il commençait à avoir la désagréable impression de se comporter comme le pire des voyeurs.

Il recula sans bruit vers une porte qui, il le savait, donnait sur la bibliothèque. Un autre accès, au fond de cette pièce, ouvrait sur le jardin d'hiver, par lequel il pourrait s'introduire dans la salle de bal. Cela ne serait pas aussi discret que de passer par l'arrière, comme il l'avait prévu, mais au moins cela épargnerait à l'infortuné Nigel l'humiliation supplémentaire d'être surpris dans cette situation pitoyable.

Alors qu'il était sur le point de s'éclipser, il entendit la jeune fille pousser un cri.

— Vous devez m'épouser ! tonna Nigel. Il le faut ! Jamais je ne trouverai une autre...

— Nigel, arrêtez !

Simon pivota sur lui-même, alarmé. Apparemment, il allait tout de même devoir intervenir !

Il revint dans le couloir à grandes enjambées en se composant la sévère expression qui convient à un homme de son rang. Toutefois, la phrase qu'il venait mentalement de répéter, « Je crois que cette demoiselle vous a demandé de la laisser tranquille », mourut sur ses lèvres. À la réflexion, son destin n'était pas de jouer les héros, ce soir ! Avant qu'il ait eu le temps de comprendre ce qui se passait, il vit une silhouette féminine replier le bras, poing fermé, puis assener un coup d'une surprenante vigueur sur la mâchoire de l'importun.

Ce dernier battit l'air de ses mains, avant de tomber à la renverse. Éberlué, Simon regarda la jeune fille se jeter à son chevet.

— Oh, non ! gémit-elle. Nigel ? Vous allez bien ? Je n'avais pas l'intention de frapper aussi fort.

Ce fut malgré lui : Simon laissa échapper un joyeux éclat de rire.

Surprise, l'inconnue leva la tête.

Simon crut alors que son cœur s'arrêtait de battre. Jusqu'à présent, elle était restée dans l'ombre, aussi n'avait-il aperçu d'elle qu'une luxuriante chevelure aux reflets acajou. À présent qu'elle se tournait vers lui, il découvrit ses grands yeux sombres étirés vers les tempes et ses lèvres au modelé pulpeux, les plus sensuelles qu'il eût jamais vues. S'il ne répondait pas aux canons habituels de la beauté, son visage félin – pommettes larges et petit menton fin – rayonnait d'une séduction si puissante qu'il en eut le souffle coupé.

Ses sourcils, fournis mais délicatement arqués, se froncèrent en une expression de contrariété. Manifestement furieuse, elle demanda :

— Qui diable êtes-vous donc ?

3

L'auteur de ces lignes s'est laissé dire que Nigel Berbrooke aurait été vu chez le bijoutier Moreton, effectuant l'acquisition d'un solitaire monté en bague. Y aurait-il une future Mme Berbrooke derrière cela ?

LA CHRONIQUE MONDAINE DE LADY WHISTLEDOWN, 28 avril 1813

Décidément, songea Daphné, ce bal n'était qu'une succession de catastrophes. D'abord, elle avait été contrainte de passer la soirée dans le recoin le plus sombre de la salle – une gageure, étant donné la passion que lady Danbury vouait aux éclairages, certes esthétiques mais désespérément efficaces – puis elle avait buté sur le pied de Philipa Featherington en tentant une retraite discrète, et cette dernière, toujours aussi écervelée, s'était écriée d'une voix haut perchée :

— Daphné Bridgerton ! Vous ne vous êtes pas fait mal ?

Cela avait bien entendu attiré l'attention de Nigel Berbrooke, qui avait aussitôt tourné la tête vers elle avant de fendre la foule dans sa direction. Daphné avait espéré qu'elle pourrait le distancer et se réfugier dans le vestiaire des dames avant qu'il l'ait rattrapée, mais Nigel l'avait accostée dans le couloir et s'était répandu en protestations énamourées des plus embarrassantes.

Et comme si cela ne suffisait pas, voilà que cet étranger à la beauté éblouissante et à l'assurance déconcertante jaillissait de l'ombre tel un diable hors de sa boîte, après avoir assisté à cette pénible scène. Comble de l'humiliation, il riait !

Il se moquait d'elle, c'était évident, songea Daphné en le considérant avec un mélange d'agacement et de curiosité. Il devait être nouveau à Londres car elle ne l'avait jamais vu. Sa mère avait veillé à ce qu'elle soit présentée à tous les célibataires de la bonne société – ou, à défaut, qu'elle les connaisse de vue. Certes, l'homme qui se tenait devant elle était peut-être marié, ce qui expliquerait qu'il ne figure pas sur la liste de Violet Bridgerton, mais Daphné comprit instinctivement qu'il ne pouvait être en ville depuis bien longtemps. Elle aurait entendu parler de lui !

Ses traits purs étaient l'image même de la perfection. En comparaison, les plus beaux apollons de Michel-Ange paraissaient soudain ternes ! Ses yeux rayonnaient d'un extraordinaire éclat, si bleu, si intense qu'ils semblaient luire dans le noir. Ses cheveux étaient d'un brun sombre et lustré, et il était aussi grand que ses frères, ce qui était assez rare.

Cet inconnu, se dit Daphné avec une pointe d'amertume, était assez séduisant pour faire oublier définitivement aux nuées de jeunes filles surexcitées les frères Bridgerton.

Pourquoi cette idée la contrariait-elle autant ? Elle n'aurait su le dire. Peut-être parce qu'elle savait qu'un homme comme lui ne s'intéressait pas à une femme comme elle. Peut-être parce qu'elle se sentait parfaitement ridicule, à quatre pattes sur le sol, sous son regard superbe et hautain. Peut-être tout simplement parce qu'il riait comme devant le plus drôle des spectacles...

Quoi qu'il en soit, c'est avec une irritation inhabituelle qu'elle lui demanda, fronçant les sourcils :

— Qui diable êtes-vous donc ?

Simon n'aurait su dire pour quelle raison il ne répondit pas à sa question en toute franchise. Sur une impulsion, il déclara :

— J'avais l'intention de voler à votre secours, mais visiblement, vous n'avez nul besoin de mon aide.

— Oh ! s'écria la jeune fille, radoucie.

Elle se mordit les lèvres, pensive.

— Eh bien, je suppose que je dois vous remercier. Quel dommage que vous ne vous soyez pas manifesté dix secondes plus tôt ! J'aurais préféré ne pas avoir à le frapper.

Simon jeta un coup d'œil au malheureux, toujours étendu sur le sol. Un superbe bleu auréolait déjà sa joue, et il gémissait :

— Laffy, oh, Laffy... je vous aime tant !

— Je présume que vous êtes Laffy ? questionna Simon en se tournant de nouveau vers elle.

L'inconnue était décidément très attirante... d'autant plus que sous cet angle, son décolleté prenait une profondeur délicieusement provocante !

Elle lui adressa un regard noir, dont il déduisit non seulement qu'elle ne goûtait pas la subtilité de son humour, mais aussi qu'elle n'avait pas remarqué que ses yeux s'attardaient sur une partie de son anatomie autre que son visage.

— Qu'allons-nous faire de lui ? demanda-t-elle.

— « Nous » ? répéta-t-il.

Elle fronça de plus belle ses jolis sourcils.

— Ne vous êtes-vous pas présenté comme mon sauveur ?

— Si, admit Simon.

Il posa ses mains sur ses hanches, songeur.

— Dois-je le traîner jusque sur le trottoir ?

— Certainement pas ! s'écria-t-elle. Il pleut des cordes, ce soir !

— Chère mademoiselle Laffy, répliqua Simon, peu soucieux du ton condescendant qu'il adoptait, ne pensez-vous pas que votre sollicitude est déplacée ? Cet homme vous a agressée !

— N'exagérons rien. Il m'a seulement… eh bien… Bon, si vous voulez, disons qu'il m'a agressée, mais jamais il ne m'aurait fait de mal.

Simon la regarda sans cacher son étonnement. En vérité, les femmes étaient les créatures les plus contradictoires qui soient !

— Comment pouvez-vous en être si sûre ?

Il l'observa tandis qu'elle choisissait ses mots avec soin.

— Nigel est… tout à fait dénué de malice, dit-elle avec lenteur. Sa seule faute est de s'être… mépris sur mes intentions.

— Vous êtes plus généreuse que moi, dans ce cas.

Elle laissa échapper un soupir – une longue et douce expiration dont Simon perçut l'écho dans toutes les fibres de son être.

— Nigel n'est pas mauvais, déclara-t-elle avec calme. Il manque seulement de discernement. Il aura confondu mon attitude aimable avec un sentiment plus tendre.

Simon ne put s'empêcher de ressentir une pointe d'admiration pour cette jeune fille. La plupart des femmes qu'il connaissait auraient été folles de rage dans la même situation, mais cette ravissante inconnue ne s'était pas laissé impressionner, et elle faisait maintenant preuve d'une générosité d'esprit tout à fait confondante. Comment pouvait-elle prendre la défense de ce nigaud de Nigel ? Cela dépassait l'entendement !

S'étant redressée, elle épousseta la soie vert céladon de ses jupes. Ses cheveux avaient été coiffés de sorte qu'une longue mèche auburn retombe sur son épaule, avant de rouler en lourdes boucles sur sa gorge blanche. Simon savait qu'il aurait dû l'écouter – elle s'était mise à babiller de choses et d'autres, semblable en cela à toutes les femmes – mais il ne parvenait pas à détacher son attention de cette mèche aux reflets fauves qui caressait son cou de cygne, telle une coulée de miel sur sa peau laiteuse. Il éprouvait soudain une folle envie de s'approcher pour effleurer de ses lèvres la naissance de son décolleté.

Il n'avait jamais badiné avec une innocente jeune fille jusqu'à présent, mais sa réputation de débauché était solidement établie. Qu'y avait-il de mal ? Il n'avait pas l'intention de la violenter ! Tout ce qu'il voulait, c'était un baiser… Un seul petit baiser. Oh, comme l'idée était tentante ! Il devenait fou rien que d'y penser.

— Monsieur… Monsieur ?

À contrecœur, il s'arracha à la contemplation de sa gorge et ramena son regard sur son visage… lequel était charmant, malgré ses traits contractés par l'impatience.

— Vous m'écoutez ?

— Bien sûr, mentit-il.

— Je ne crois pas.

— C'est vrai, admit-il.

Un gémissement d'irritation jaillit de ses lèvres délicatement ourlées.

— Dans ce cas, pourquoi avez-vous dit « Bien sûr » ?

Simon esquissa un geste évasif.

— Il m'a semblé que c'était ce que vous vouliez entendre.

Plus fasciné qu'il ne souhaitait le montrer, il regarda sa poitrine se soulever dans un soupir furieux. Puis elle marmonna quelques paroles qu'il ne distingua pas, mais dont il n'aurait pas juré qu'elles étaient flatteuses à son égard. Finalement, d'un ton si guindé que c'en était presque amusant, elle déclara :

— Si vous ne désirez pas m'aider, je préférerais que vous vous en alliez.

Simon comprit alors qu'il était temps de cesser de se comporter comme un mufle.

— Veuillez accepter toutes mes excuses. Je me ferai une joie de vous rendre service.

Manifestement soulagée, elle se tourna vers Nigel, toujours étendu sur le dallage de marbre, proférant des propos incohérents. Il suivit son regard et durant quelques instants, ils demeurèrent immobiles, observant l'homme inconscient, jusqu'à ce qu'elle murmure :

— Je ne l'ai pourtant pas frappé si fort...

— Il est peut-être ivre ? suggéra Simon.

Une expression dubitative se peignit sur ses traits.

— Vous croyez ? Il sentait effectivement l'alcool, mais je ne l'ai jamais vu se soûler.

N'ayant rien à ajouter sur ce chapitre, Simon demanda :

— Bien, que voulez-vous faire ?

— J'imagine que nous pourrions tout simplement le laisser ici ? proposa-t-elle d'un air hésitant.

Simon songea que c'était là une excellente idée, mais de toute évidence, elle souhaitait que l'imbécile fût traité avec plus d'égards... et, sapristi, il éprouvait une inexplicable envie de lui plaire !

— Voilà comment nous allons procéder, dit-il d'un ton résolu. Je vais faire venir mon attelage...

— Parfait ! s'exclama-t-elle. Je n'avais vraiment pas le cœur de l'abandonner ici. Cela aurait été cruel.

Simon trouvait au contraire que cela aurait été généreux envers ce lourdaud de Nigel, qui l'avait tout de même pratiquement agressée, mais il garda son opinion pour lui et continua d'exposer son plan.

— Vous m'attendrez dans la bibliothèque jusqu'à mon retour.

— Dans la... ?

— Dans la bibliothèque, répéta-t-il avec fermeté. Avec la porte fermée. À moins que vous ne teniez à ce que l'on vous voie à côté du corps de Nigel, si d'aventure quelqu'un passait dans le couloir ?

— Son corps ? Bonté divine, monsieur, vous n'êtes pas obligé de parler de lui comme si je l'avais assassiné !

— Comme je le disais, poursuivit-il en ignorant sa remarque, vous resterez dans la bibliothèque. Dès que je reviendrai, nous transporterons Nigel jusque dans mon attelage.

— Comment allons-nous faire ?

L'inconnu lui décocha un petit sourire en coin au charme ravageur.

— Alors là, je n'en ai pas la moindre idée, répondit-il.

Elle tressaillit. Pourquoi fallait-il, juste au moment où elle commençait à se dire que son prétendu sauveur n'était qu'un prétentieux bellâtre, que celui-ci change de registre ? Voilà que soudain il lui adressait l'un de ces sourires enjôleurs de petit garçon qui faisaient fondre le cœur des femmes à dix miles à la ronde !

Il était pratiquement impossible de rester fâchée contre un homme qui vous souriait ainsi. Ayant grandi entre quatre frères qui, depuis le berceau, maîtrisaient à la perfection ce numéro de charme, Daphné s'était toujours crue à l'abri de ces basses manœuvres.

Elle s'était trompée. Son cœur battait la chamade, le souffle lui manquait, ses jambes se dérobaient sous elle…

— Nigel, murmura-t-elle dans l'espoir de détourner son attention de l'inconnu. Il faut que je m'occupe de Nigel…

S'agenouillant de nouveau au chevet de ce dernier, elle le secoua par l'épaule sans douceur.

— Nigel ? Nigel ! Allons, revenez à vous !

— Daphné, bêla-t-il. Oh, Daphné…

Elle constata du coin de l'œil que l'inconnu sursautait à ces mots.

— Daphné ? Il a bien dit Daphné ?

Elle se redressa, décontenancée par sa question, et par la lueur de surprise qui venait de s'allumer dans ses iris bleu glacier.

— Oui.

— Vous vous appelez Daphné ? insista-t-il.

À la réflexion, elle commençait à se demander s'il avait toute sa raison.

— Oui, répéta-t-elle.

— Pas Daphné *Bridgerton* ? gémit-il.

Simon vit une expression intriguée se peindre sur les traits de la jeune fille.

— Elle-même.

Il recula d'un pas, mal à l'aise. Comment n'avait-il pas encore compris ? Cette luxuriante chevelure acajou, la fameuse crinière Bridgerton ! Ce petit nez droit au profil caractéristique... ces pommettes hautes... Enfer, sa belle inconnue n'était autre que la *sœur* d'Anthony !

Enfer... et damnation.

Il y avait des lois entre amis, aussi sacrées que les Dix Commandements, dont la plus importante était celle-ci : « Tu ne convoiteras pas la sœur de ton meilleur ami. »

Tandis qu'il la scrutait d'un regard interdit, et sans doute passablement ridicule, elle posa ses mains sur ses hanches :

— Et vous ? *Qui* êtes-vous ?

— Simon Basset, grommela-t-il.

— Le duc ?

Il acquiesça d'un hochement de tête maussade.

— Oh, non !

Simon s'aperçut qu'elle devenait livide.

— Vous n'allez pas vous évanouir, n'est-ce pas ? demanda-t-il, vaguement alarmé.

Il ne voyait pas pourquoi elle aurait perdu connaissance, mais Anthony – son frère ! – avait consacré la moitié d'un après-midi à le mettre en garde contre les réactions parfois excessives des demoiselles à marier en présence d'un duc célibataire. Certes, Anthony – son frère, nom de nom ! – avait bien précisé qu'en la matière, Daphné était l'exception qui confirme la règle, mais elle était tout de même diablement pâle, tout d'un coup.

— N'est-ce pas ? insista-t-il, inquiet de ne pas l'entendre répondre. Vous n'allez pas vous évanouir ?

Elle parut fort contrariée qu'il eût seulement envisagé une telle possibilité.

— Bien sûr que non !

— Tant mieux.

— Seulement...

— Oui ? s'enquit Simon, méfiant.

— Eh bien... commença-t-elle en soulignant ses paroles d'un délicat haussement d'épaules. On m'a mise en garde contre vous.

Simon réprima un geste d'impatience.

— Qui ?

Elle le regarda comme s'il était le roi des imbéciles.

— Tout le monde.

— Alors là, chère m...

Il pressentit que ses paroles allaient s'étrangler dans sa gorge. Prenant les devants, il inspira profondément afin de retrouver le contrôle de son élocution. Simon était passé maître dans l'art de contenir ses rares accès de bégaiement : tout ce qu'elle verrait, c'est un homme irrité cherchant à garder son calme... et vu le tour qu'avait pris leur conversation, cela n'aurait rien d'étonnant.

— Chère miss Bridgerton, reprit-il d'un ton plus monocorde, j'ai beaucoup de mal à croire cela.

Elle arqua les sourcils, manifestement peu convaincue, et Simon eut la désagréable impression qu'elle se moquait de lui.

— Croyez-le ou non, répliqua-t-elle avec légèreté, mais c'était dans le journal aujourd'hui.

— Quel journal ?

— Dans le *Whistledown*, voyons ! rétorqua-t-elle, comme si cela expliquait tout.

— Le *Whistle* quoi ?

Il fallut quelques instants à Daphné pour se souvenir que l'homme en face d'elle venait tout juste d'arriver à Londres.

— Au fait, vous n'en avez peut-être pas encore entendu parler ?

Elle ne put réprimer un sourire amusé.

— Voyez-vous cela !

Franchissant d'un pas la distance qui les séparait, le duc serra les mâchoires en une attitude menaçante.

— Miss Bridgerton, je dois vous informer que je suis à deux doigts de vous étrangler. Ayez, je vous prie, l'obligeance de répondre à ma question.

— Il s'agit d'un journal mondain, expliqua-t-elle en reculant en hâte. Rien de plus. Il est assez léger, en vérité, mais tout le monde se l'arrache.

D'un haussement de sourcils, il l'invita à poursuivre.

— L'édition de lundi signalait votre retour en Angleterre, ajouta-t-elle précipitamment.

— Soyez plus précise.

Il fronça les sourcils d'un air menaçant.

— Qu'y disait-on…

À présent, ses yeux avaient pris un éclat assassin.

— … *exactement* ?

— Oh, pas grand-chose… hum… *exactement*, répondit Daphné, évasive.

Elle tenta de reculer encore, mais ses talons touchaient déjà le mur. Si elle continuait, elle allait se retrouver sur la pointe des pieds. Hastings semblait vibrer de rage contenue, et elle se demanda si elle ne ferait pas mieux de prendre la fuite en le laissant se débrouiller avec Nigel. Ils étaient parfaitement assortis, tous les deux – aussi fous l'un que l'autre, chacun dans son genre !

— Je vous écoute, miss Bridgerton, insista le duc d'une voix aux inflexions impatientes.

Daphné décida de se montrer bonne joueuse. Après tout, il était en ville depuis peu, aussi n'avait-il pas eu le temps de s'habituer à cette petite révolution qu'était le *Whistledown*. Comment aurait-elle pu le blâmer d'être contrarié en apprenant que l'on avait parlé de lui dans ce journal ? Elle-même, la première fois que cela lui était arrivé, en avait conçu une certaine gêne.

— Inutile de vous fâcher, dit-elle, essayant sans grand succès de mettre un peu de compassion dans sa voix. Lady Whistledown a juste affirmé que vous étiez un épouvantable libertin, ce que vous ne songerez certainement pas à récuser, car je sais depuis longtemps que les hommes *adorent* passer pour des débauchés.

Elle marqua une pause afin de lui laisser le temps de protester, mais il n'en fit rien.

— En outre, reprit-elle, ma mère, dont je suppose que vous avez dû à un moment ou à un autre faire la connaissance avant de partir courir le monde, a confirmé ces affirmations.

— Ah oui ?

Daphné hocha la tête.

— Et maman m'a formellement interdit d'être vue en votre compagnie.

— Tiens donc ? fit Simon.

Il y avait dans sa voix, dans la façon dont ses yeux, toujours fixés sur elle, s'étaient soudain voilés d'une émotion qu'elle n'aurait su nommer, quelque chose qui la mettait extrêmement mal à l'aise, et elle eut bien du mal à ne pas détourner le regard.

Pas question de lui laisser voir combien il la troublait ! songea-t-elle en regardant ses lèvres s'étirer en un sourire amusé.

— Arrêtez-moi si j'ai mal compris… Madame votre mère vous a dit que j'étais un homme de mauvaise vie, et qu'en aucun cas vous ne deviez être aperçue en ma compagnie ?

Confuse, elle acquiesça d'un mouvement de tête.

— Dans ce cas…

Il laissa planer un silence théâtral, avant de poursuivre :

— … que dirait maman, à votre avis, de cette petite scène ?

Daphné battit des cils sans comprendre.

— Je vous demande pardon ?

— À moins de compter Nigel, dit-il en désignant d'un geste ce dernier qui gisait toujours sur le sol, inconscient, personne ne vous a vue en ma présence, mais...

Une fois de plus, Simon laissa sa phrase en suspens. C'était si réjouissant d'observer le jeu des émotions qui passaient sur le visage de miss Bridgerton, qu'il ne résistait pas à la tentation de faire durer le plaisir !

Il en convenait, la plupart des sentiments qu'elle éprouvait étaient, peu ou prou, des variations sur le même thème – un certain agacement, mêlé de désarroi – mais cela n'en rendait ce petit jeu que plus divertissant.

— Mais ? l'invita-t-elle à terminer, les dents serrées.

Simon se pencha vers elle, ne laissant entre eux que l'espace d'une main.

— Mais, reprit-il avec une lenteur calculée, conscient qu'elle pouvait percevoir la chaleur de son souffle sur sa peau, nous sommes cependant seuls, vous et moi. Absolument seuls.

— Il y a Nigel, répliqua-t-elle.

Simon décocha un bref coup d'œil à celui-ci.

— Je ne le trouve pas vraiment présent, murmura-t-il. Et vous ?

Ravi de son petit effet, il la vit baisser les yeux vers Nigel, déconcertée. À présent, elle avait compris que son infortuné prétendant ne pourrait rien pour elle si lui, Simon, décidait de se montrer entreprenant... Non pas qu'il eût l'intention de lui faire des avances ! Il n'oubliait pas qu'elle était la sœur d'Anthony. Certes, il devait se le remémorer à intervalles réguliers, mais quoi qu'il en soit, il ne risquait pas de l'oublier définitivement.

Simon le savait, il était grand temps de mettre un terme à ce petit jeu. Il était peu probable qu'elle en parle à Anthony. Elle préférerait sans doute garder pour elle leur rencontre, pour la méditer avec une vertueuse indignation… teintée – osait-il l'espérer ? – d'une touche de secrète excitation.

Cependant, il avait beau savoir qu'il aurait dû s'interdire de lui conter fleurette et s'atteler plutôt à la tâche de traîner cet idiot de Nigel hors de l'hôtel particulier, il ne put résister à la tentation d'une dernière pique. Peut-être pour la voir une fois de plus esquisser cette adorable moue, signe chez elle d'un profond trouble, ou bien entrouvrir ses jolies lèvres comme elle le faisait lorsqu'elle était choquée ? Il ne pouvait que le constater : miss Bridgerton possédait le don d'éveiller ses instincts les plus diaboliques – des instincts sur lesquels il n'avait pas le moindre contrôle…

Ce fut plus fort que lui. Il se pencha vers elle, paupières mi-closes en une expression qu'il savait irrésistible pour la gent féminine, et ajouta :

— Je crois savoir ce que dirait la vicomtesse Bridgerton de tout ceci.

Une expression de perplexité se peignit sur son visage, mais la jeune femme parut se ressaisir.

— Ah oui ?

Simon hocha lentement la tête, avant d'effleurer son menton du bout de l'index.

— Elle vous dirait d'avoir très, très peur de moi.

Il y eut un moment de silence complet. Daphné ouvrit de grands yeux, se mordit les lèvres comme pour contenir un petit cri d'effroi, redressa les épaules… et éclata de rire.

L'impertinente !

— Oh ! s'écria-t-elle entre deux hoquets. Que vous êtes drôle !

Simon ne voyait vraiment pas ce qu'il y avait de si amusant.

— Excusez-moi, poursuivit-elle en s'essuyant les yeux. Je suis désolée, mais vous ne devriez pas être aussi théâtral ; ça ne vous va pas du tout.

Simon ne sut que répondre, furieux de voir cette gamine se moquer aussi ouvertement de lui. Il y avait quelques avantages à être considéré comme un homme dangereux – se faire respecter des jeunes filles un peu trop espiègles en était un, et non le moindre.

— Bon, d'accord, cela vous va très bien, reprit-elle en souriant. Vous aviez l'air terriblement inquiétant. Et très séduisant, bien entendu.

Il ne répondit pas. Bientôt, une expression perplexe passa sur le visage de la jeune femme.

— C'était bien votre intention, n'est-ce pas ?

Comme il gardait le silence, elle ajouta :

— Oui, cela va de soi. Rassurez-vous, avec n'importe quelle autre femme, vous auriez réussi.

— Et pourquoi pas avec vous ? demanda-t-il, sa curiosité piquée.

— J'ai quatre frères, répliqua-t-elle comme si cela expliquait tout. Je suis totalement imperméable à votre petit numéro.

— Ah oui ?

Elle lui tapota l'avant-bras d'un geste consolateur.

— Oui, mais c'était bien tenté. Entre nous, je suis flattée que vous me jugiez digne d'un tel déploiement de charme. Vous êtes effroyablement aristocratique.

Elle lui adressa un large sourire, presque dénué de malice.

— Ou dois-je dire « aristocratiquement effrayant » ?

Simon se frotta la mâchoire d'un geste pensif.

— On ne vous a jamais dit que vous étiez une exaspérante jeune personne, miss Bridgerton ?

— La plupart des gens me trouvent bienveillante et généreuse.

— La plupart des gens sont des imbéciles, rétorqua Simon.

Elle pencha la tête de côté, comme pour peser ces paroles. Puis elle posa son regard vers Nigel et laissa échapper un soupir las.

— C'est terrible, mais j'ai bien peur d'être d'accord avec vous.

Simon réprima un sourire.

— Qu'est-ce qui est terrible ? Le fait d'être d'accord avec moi, ou celui de constater que la plupart des gens sont des imbéciles ?

— Les deux... dit-elle en lui décochant un sourire lumineux.

Lorsqu'elle le regardait ainsi, il perdait le fil de ses idées.

— ... mais surtout le premier, précisa-t-elle.

Simon laissa éclater son hilarité. Depuis combien de temps n'avait-il pas ri d'aussi bon cœur ? Il lui arrivait souvent de sourire, parfois d'émettre un petit rire sec, mais une telle explosion de joie n'était pas une habitude chez lui.

— Si *vous* êtes bienveillante et généreuse, miss Bridgerton, le monde est rempli de dangers ! s'écria-t-il en s'essuyant les yeux.

— Assurément. Du moins, c'est ce que dit maman.

— Comment se fait-il que je ne parvienne pas à me remémorer votre mère ? murmura-t-il. Elle a l'air d'être un sacré personnage !

Daphné parut surprise.

— Vous ne vous souvenez pas d'elle ?

Il secoua la tête.

— Dans ce cas, vous ne la connaissez pas, reprit-elle.

— Vous ressemble-t-elle ?

— Voilà une curieuse question !

— Non, je ne crois pas, mentit Simon.

Daphné avait raison, c'était bel et bien une curieuse question, et il n'aurait su dire pourquoi il l'avait posée.

— Il paraît que vous vous ressemblez beaucoup, chez les Bridgerton, ajouta-t-il pour se justifier.

Une imperceptible ride de contrariété barra son front.

— En effet, mais ma mère est blonde et elle a les yeux bleus. Nous avons tous hérité de la couleur de cheveux de notre père. Il paraît que j'ai le sourire de ma mère, toutefois.

Un silence gêné tomba entre eux, et Daphné se mit à danser d'un pied sur l'autre, ne sachant que dire.

C'est alors que Nigel, faisant preuve pour la première fois de sa vie d'un remarquable à-propos, se mit sur son séant.

— Daphné ? appela-t-il, comme si sa vision était trouble. Daphné, est-ce vous ?

— Bonté divine, grommela Hastings, vous êtes sûre que vous n'y êtes pas allée un peu fort ?

— Assez pour le faire tomber, mais rien de plus, je vous assure !

— Oh, Daphné... gémit Nigel.

Le duc s'agenouilla près de lui, avant de reculer en toussant.

— Est-il ivre ? l'interrogea Daphné.

— Il a dû siffler un flacon de whisky entier, sans doute pour trouver le courage de vous faire sa proposition, répondit le duc en se redressant.

— Si on m'avait dit que j'étais aussi effrayante ! murmura Daphné en songeant à tous les hommes qui louaient son tempérament amical et enjoué. C'est incroyable !

Simon la regarda comme si elle avait perdu l'esprit, puis marmonna :

— Ce n'est pas moi qui dirai le contraire.

Daphné ignora sa remarque.

— Nous devrions peut-être mettre votre plan en application ? suggéra-t-elle.

Les mains sur les hanches, Simon évalua la situation. Nigel était en train d'essayer de se relever, mais selon toute probabilité, ses chances d'y parvenir à brève échéance étaient minces. Il avait toutefois retrouvé un peu de lucidité, probablement assez pour devenir gênant, et indubitablement assez pour faire du bruit... une tâche à laquelle il venait justement de s'atteler avec énergie.

— Oh, Duffy ! brailla-t-il. Je vous aime, Daffry !

Il se mit à genoux, puis avança vers Daphné en décrivant des zigzags, ce qui le faisait ressembler à un pèlerin ivre essayant de suivre le chemin de croix.

— Épousez-moi, Duffnee. Il le faut !

— Allons, mon vieux, du nerf, gronda Simon en le prenant par le col. Vous vous donnez en spectacle.

Puis, se tournant vers Daphné :

— Je vais devoir l'emmener dehors, à présent. Nous ne pouvons pas le laisser ici ; il pourrait se mettre à beugler comme un veau et…

— Si vous voulez mon avis, il a déjà commencé, fit remarquer Daphné.

Simon ne put retenir un sourire. Daphné Bridgerton était peut-être une jeune fille à marier – en d'autres termes, un désastre potentiel à fuir de toute urgence – mais elle était d'une excellente compagnie.

Aussi surprenant que cela puisse paraître, elle était le genre de personne qu'il aurait sans doute appelée un ami si elle avait été un homme.

Cela dit, puisqu'elle n'en était manifestement pas un – la réaction de son corps en faisait foi – Simon décida qu'il était dans leur intérêt commun de mettre un terme aussi rapide que possible à cette situation inconvenante. Outre que la réputation de la jeune femme risquait de subir un sérieux revers s'ils venaient à être découverts en tête à tête, Simon n'aurait pas juré qu'il possédait assez d'empire sur lui-même pour se comporter longtemps en parfait gentleman.

Et cela le mettait diablement mal à l'aise. Pour lui, rien n'était plus important que de conserver le contrôle de lui-même. Sans cela, jamais il n'aurait résisté à son père, et jamais il ne serait entré à Oxford.

Sans maîtrise de soi, songea-t-il avec amertume, il s'exprimerait comme un arriéré mental.

— Moi, je l'emmène dehors, dit-il soudain. Vous, vous retournez avec les autres.

Fronçant les sourcils d'un air contrarié, la jeune femme regarda par-dessus son épaule, vers le couloir qui menait à la salle de bal.

— Ah ? Je croyais que vous vouliez que j'aille dans la bibliothèque ?

— C'était quand nous avions l'intention de le laisser ici pendant que j'appellerais mon attelage. Ce n'est plus possible, à présent qu'il est réveillé.

D'un hochement de tête, elle indiqua qu'elle comprenait.

— Êtes-vous sûr que vous allez y arriver ? Il est assez grand.

— Je suis plus grand que lui.

Elle le considéra, pensive. Hastings était mince mais de solide constitution, doté de larges épaules et de cuisses musclées – Daphné savait qu'elle n'était pas supposée remarquer de tels détails, mais vraiment, était-ce *sa* faute si la dernière mode masculine exigeait des hauts-de-chausse aussi moulants ? En outre, il émanait de sa virile personne un je-ne-sais-quoi de dangereux qui laissait deviner une force et une puissance solidement contenues.

Tout compte fait, il n'aurait aucun mal à entraîner Nigel hors de l'hôtel particulier.

— Très bien, dit-elle. Merci. C'est très gentil à vous de m'aider.

— Je ne suis pas gentil, marmonna Simon.

— Ah non ? murmura-t-elle, amusée. Comme c'est curieux ! J'aurais pourtant juré que c'était le cas, mais là encore, j'ai appris que les hommes…

— Vous me paraissez bien experte en la matière, l'interrompit Hastings d'un ton acerbe, avant d'émettre un grognement d'effort en remettant Nigel sur ses pieds.

À peine d'aplomb, ce dernier s'élança vers Daphné en gémissant son prénom, mais Hastings, solidement campé sur ses jambes, le retint d'une main ferme.

La jeune femme recula d'un pas.

— Vous semblez oublier que j'ai quatre frères. On ne peut rêver meilleure éducation, je suppose.

Elle ne sut jamais s'il avait l'intention de lui répondre, car Nigel choisit cet instant précis pour retrouver son énergie – à défaut de son équilibre – et se libérer de la poigne de Hastings. Tout en émettant d'incompréhensibles borborygmes, il se jeta vers Daphné.

Si celle-ci n'avait pas été presque adossée au mur, elle aurait été renversée. Sous le choc, elle heurta la paroi avec une telle force qu'elle en eut le souffle coupé.

— Oh, pour l'amour du Ciel ! s'impatienta le duc d'un ton de suprême dégoût.

Ayant écarté Nigel de Daphné, il se tourna vers celle-ci.

— J'ai une furieuse envie de lui faire tâter de mon poing !

— Faites donc, répliqua-t-elle en cherchant sa respiration.

Elle avait sincèrement tenté de se montrer charitable envers son prétendant éconduit, mais celui-ci avait franchi les bornes ! Elle entendit le duc murmurer un « À votre service » résolu, puis elle le vit assener un coup d'une formidable puissance sur la mâchoire de Nigel.

Qui retomba sur le sol comme une pierre.

Daphné considéra l'homme étendu à terre, indifférente.

— Cette fois, je pense qu'il n'est pas près de se réveiller.

Le duc ouvrit et ferma son poing d'un air satisfait.

— C'est aussi mon avis.

— Merci, dit-elle en levant les yeux vers lui.

— Tout le plaisir a été pour moi, répliqua-t-il en désignant Nigel d'un coup d'œil.

— Que faisons-nous, à présent ?

— Nous nous replions sur le plan initial : laisser cet imbécile ici pendant que vous attendez dans la bibliothèque. Je préférerais ne pas avoir à le traîner jusqu'à l'extérieur, tant que je n'aurai pas mon attelage devant la porte.

Daphné hocha sagement la tête.

— Avez-vous besoin d'aide pour vous occuper de lui, ou dois-je aller tout de suite dans la bibliothèque ?

Hastings demeura silencieux quelques instants. Elle le vit pencher la tête d'un côté, puis de l'autre, comme pour mieux apprécier l'exacte position de Nigel sur le sol.

— Ma foi, j'apprécierais volontiers un petit coup de main.

— Vraiment ? demanda Daphné, surprise. J'aurais juré que vous refuseriez.

Ces paroles arrachèrent au duc un regard supérieur, un brin ironique.

— C'est pour cette raison que vous m'avez posé la question ?

— Pas du tout ! s'offusqua Daphné. Je ne suis pas stupide au point de proposer mon aide si je n'ai pas l'intention de la donner. J'allais seulement vous faire remarquer que les hommes, selon mon expérience…

— Vous avez beaucoup d'expérience, grommela Hastings.

— Plaît-il ?

— Veuillez m'excuser. Vous *pensez* que vous avez beaucoup d'expérience.

Daphné lui jeta un regard noir.

— Qui êtes-vous pour en juger ?

— Non, ce n'est pas exactement cela, enchaîna-t-il, ignorant totalement sa remarque. Je dirais plutôt que *je* pense que vous pensez que vous avez beaucoup d'expérience.

— Oh ! Vous… vous…

En matière de répliques, celle-ci était particulièrement peu percutante, mais ce fut tout ce que Daphné parvint à répondre. La colère lui faisait perdre sa présence d'esprit.

Et elle était très, très en colère.

Manifestement imperméable à son humeur, le duc esquissa un haussement d'épaules.

— Chère miss Bridgerton…

— Si vous m'appelez encore une fois comme cela, je vous jure que je hurle.

— Vous n'en ferez rien, rétorqua-t-il avec un sourire suave. Cela attirerait du monde, et si vous vous en souvenez, vous ne voulez pas être vue en ma compagnie.

— Je crois que je vais courir le risque, dit-elle, les dents serrées.

— Vraiment ? s'enquit le duc en croisant négligemment les bras sur sa large poitrine. J'aimerais bien voir cela.

Daphné leva les bras au plafond dans un geste de frustration.

— Oubliez tout ceci. Oubliez-moi. Oubliez cette soirée. Je m'en vais.

Elle fit un pas de côté pour s'éloigner, mais Hastings la rappela.

— Je croyais que vous deviez m'aider ?

Allons bon, elle avait oublié sa promesse ! Daphné pivota lentement sur ses talons.

— Mais bien sûr, avec plaisir ! s'entendit-elle répondre à contrecœur.

— Si vous ne vouliez pas m'aider, il ne fallait pas…

— Je vous l'ai dit et je le ferai, l'interrompit-elle.

Elle le vit sourire, manifestement ravi de son petit jeu.

— Voilà comment nous allons procéder, expliqua-t-il. Je vais le remettre sur ses pieds et passer son bras droit autour de mes épaules. Vous vous placerez sur sa gauche pour le soutenir.

Daphné obéit en maugréant contre ses manières despotiques, mais elle n'osa protester à haute voix. Après tout, malgré son attitude détestable, le duc de Hastings était en train de lui éviter un scandale plus embarrassant que tout… à l'exception de ce qui se passerait si on les surprenait en cet instant précis.

— J'ai une meilleure idée, dit-elle soudain. Laissons-le ici.

Hastings tourna brusquement la tête vers elle. Si elle en jugeait au regard furieux qu'il dardait sur elle, il l'aurait volontiers envoyée à travers une fenêtre – de préférence fermée.

— J'avais cru comprendre, répondit-il d'une voix exaspérée, que vous ne supportiez pas l'idée de le savoir étendu à même le sol ?

— C'était avant qu'il me cogne contre le mur.

— Vous auriez pu m'en informer avant que je m'épuise à le remettre sur ses pieds !

Daphné rougit. Elle détestait l'idée que les femmes n'étaient, aux yeux des hommes, que des créatures capricieuses et versatiles, et elle détestait encore plus ressembler à cette caricature.

— Fort bien, soupira le duc.

Et, sans plus de formalités, il laissa Nigel tomber sur le sol.

Manquant être entraînée par le poids de ce dernier, Daphné émit un petit cri de surprise.

— Pouvons-nous y aller, à présent ? s'enquit le duc avec une patience exagérée.

Elle acquiesça, indécise, tout en observant Nigel.

— Il ne doit pas être très confortable… fit-elle observer.

Le duc lui décocha un long regard pensif.

— Vous vous inquiétez de son bien-être ? demanda-t-il d'une voix onctueuse.

Indécise, elle fit non de la tête, puis oui, puis non de nouveau.

— Je devrais peut-être… c'est-à-dire que… Là, donnez-moi une seconde.

S'étant agenouillée, elle remit les jambes de Nigel bien droit, de façon qu'il repose à plat sur le dos.

— Il ne mérite pas d'être ramené chez lui à bord de votre attelage, expliqua-t-elle en rabattant les pans du manteau de Nigel, mais ce serait cruel de le laisser dans cette position. Voilà, j'ai terminé.

Elle se leva et regarda autour d'elle.

Juste à temps pour apercevoir le duc qui s'éloignait à grands pas, en maugréant quelque chose à son sujet, autre chose à propos des femmes en général, et encore autre chose qu'elle ne comprit pas.

Ce qui était sans doute préférable. Daphné n'aurait pas juré qu'il s'agissait d'un compliment.

4

Londres fourmille actuellement de mères ambitieuses. Au bal de lady Worth la semaine dernière, votre dévouée chroniqueuse n'a pas compté moins de onze célibataires endurcis se cachant dans l'ombre ou prenant la fuite, une ou plusieurs mères ambitieuses sur leurs talons.

Il est difficile de trancher qui, en vérité, est la pire de la meute, mais aux yeux de votre dévouée chroniqueuse, seule une paille sépare les deux outsiders, lady Bridgerton et Mme Featherington, avec un léger avantage pour la seconde. Rappelons qu'il y a actuellement trois demoiselles Featherington sur le marché, tandis que la vicomtesse n'a pour l'instant qu'une fille à marier.

Nous recommandons toutefois aux personnes soucieuses de leur sécurité de se tenir à l'écart du dernier carré de célibataires endurcis lorsque les sœurs Bridgerton E, F et H feront leur entrée dans le monde. Lady Bridgerton ne regardera pas de chaque côté quand elle traversera la salle de bal, ses trois filles dans son sillage. Que le Ciel nous vienne en aide si elle porte ce soir-là des bottines à bouts métalliques !

La Chronique mondaine de lady Whistledown, 28 avril 1813

Décidément, songea Simon, ce bal n'était qu'une succession de catastrophes. Il ne l'aurait jamais cru sur le moment, mais sa déconcertante rencontre avec Daphné Bridgerton en avait constitué, en vérité, le moment le plus agréable. Certes, il avait été horrifié de s'apercevoir qu'il avait désiré, ne fût-ce qu'un instant, la jeune sœur de son meilleur ami. Certes, les grotesques tentatives de séduction de Nigel Berbrooke avaient offensé le libertin aux manières raffinées qu'il était. Certes, l'imprévisible Daphné l'avait agacé au-delà de toute expression, avec son incapacité à décider si elle devait traiter son prétendant comme l'ennemi public numéro un ou comme son ami le plus cher.

Et cependant rien, absolument rien de tout cela ne pouvait se comparer au calvaire qu'il avait enduré par la suite.

Son fameux projet dont il avait été si fier – se faufiler dans la salle de bal, présenter ses respects à lady Danbury et s'éclipser incognito – était tombé à l'eau. Il n'avait pas effectué deux pas qu'il avait été reconnu par un camarade d'Oxford, lequel venait par ailleurs, comme Simon l'avait constaté avec effroi, de convoler en justes noces. Son épouse, tout à fait charmante au demeurant, était malheureusement dotée de hautes aspirations sociales, et s'était mis en tête d'être la marraine du nouveau duc de Hastings à l'occasion de son retour dans le monde. Simon, jusqu'alors persuadé d'être si fatigué des mondanités qu'il en était devenu cynique, avait été forcé de constater qu'il n'était pas assez blasé pour oser offenser la nouvelle épouse de son ami.

Voilà comment, deux heures plus tard, il avait été présenté à toutes les jeunes filles à marier, à toutes les mères des jeunes filles à marier et, bien entendu, à toutes les sœurs aînées déjà mariées des jeunes filles à marier. Il n'aurait su dire quelle catégorie était la pire. Les filles à marier étaient d'un ennui mortel, leurs mères, d'une ambition redoutable, et leurs sœurs… ma foi, leurs sœurs étaient d'une telle impudeur qu'il avait parfois eu l'impression d'être entré par mégarde dans une maison close. Six d'entre elles s'arrangèrent pour glisser dans la conversation des remarques plus que suggestives, deux lui firent remettre un billet l'invitant à leur rendre visite dans leur boudoir, et l'une passa même la main le long de sa cuisse.

À la réflexion, Daphné Bridgerton commençait à lui apparaître comme une jeune fille délicieusement agréable.

À propos, où se trouvait-elle ? Il lui avait semblé apercevoir sa silhouette environ une heure auparavant, encadrée de ses trois frères aux impressionnantes carrures – Simon ne les trouvait pas si impressionnants pris individuellement, mais il aurait fallu être complètement idiot pour les provoquer en groupe.

Elle paraissait avoir disparu. Résultat, elle était sans doute la seule jeune fille à marier de ce bal à qui il n'avait pas été présenté !

Lorsqu'il l'avait quittée dans le couloir, il ne s'était guère inquiété : elle ne risquait plus rien de la part de Nigel Berbrooke. Il avait assommé celui-ci d'un solide coup de poing à la mâchoire, et ne doutait pas qu'il resterait inconscient de longues minutes… voire un peu plus, étant donné la quantité d'alcool qu'il avait avalé plus tôt dans la soirée. Quant à Daphné, même si elle avait fait preuve d'une ridicule bonté d'âme envers ce grotesque prétendant, elle n'était pas assez sotte pour s'attarder dans le corridor jusqu'au réveil de ce dernier.

Simon pivota vers l'angle de la vaste salle où s'était réuni le clan Bridgerton, qui semblait s'amuser follement. Les trois frères avaient été accostés par autant de jeunes filles et de mères que lui-même, mais l'adage selon lequel l'union fait la force se vérifiait, car les candidates au mariage, avait remarqué Simon, passaient en moyenne deux fois moins de temps avec eux qu'en sa propre compagnie.

Il leur décocha un coup d'œil furieux.

Anthony, dans une posture nonchalante, le dos au mur, croisa son regard et lui adressa un sourire ironique, avant de lever son verre de porto dans sa direction. Puis, d'un geste imperceptible de la tête, il lui indiqua sa gauche. Tournant la tête dans cette direction, Simon vit qu'il était cerné par une femme et sa progéniture de sexe féminin, un trio de demoiselles engoncées dans d'invraisemblables « pièces montées » dégoulinantes de fronces, de volants et de dentelles.

Il songea à Daphné, dans sa robe vert pâle aux lignes pures. Daphné, avec son regard franc et son sourire chaleureux…

— Lord Hastings ! le héla la mère d'une voix haut perchée. Lord Hastings !

Simon cligna des yeux en réprimant un mouvement de recul. La famille « pièces montées » l'entourait de si près qu'Anthony et ses frères avaient disparu de son champ de vision.

— Monsieur, c'est un tel honneur de faire votre connaissance !

Simon hocha la tête avec une politesse glaciale, incapable de parler. Le quatuor infernal le serrait à le toucher, et l'air commençait à lui manquer.

— C'est Georgiana Huxley qui nous recommande à vous, reprit la matrone. Elle m'a suggéré de vous présenter mes filles.

Simon ne savait pas qui était cette Georgiana Huxley, mais il éprouvait une furieuse envie de l'étrangler.

— En temps normal, je ne suis pas aussi audacieuse, minauda la mère, mais votre cher papa et le mien étaient de grands amis.

Il tressaillit.

— C'était un homme extraordinaire, poursuivit-elle d'une voix qui vrillait les tympans de Simon. Si conscient de ses devoirs et de son rang ! Quel merveilleux père il a dû être…

— Cela m'aura échappé, alors, rétorqua-t-il.

— Oh !

Son interlocutrice émit une petite toux gênée.

— Oui, bien entendu...

Simon garda le silence, dans l'espoir qu'une attitude ouvertement glaciale l'inciterait à prendre congé au plus vite. Sapristi, où était Anthony? C'était déjà une épreuve d'être regardé par toutes ces dames comme un étalon de prix, mais devoir subir les inepties de cette matrone sur les qualités paternelles du vieil Hastings, c'était plus qu'il n'en pouvait supporter.

— Lord Hastings?

S'exhortant à la patience, Simon baissa les yeux vers elle. Après tout, elle ne pensait sans doute, en louant son père, qu'à se montrer agréable.

— Je voulais seulement vous rappeler que nous avons été présentés voici quelques années, lorsque vous étiez encore lord Clyvedon.

— Bien sûr, acquiesça Simon tout en cherchant dans la muraille de froufrous une faille par où s'échapper.

— Voici donc mes filles, dit la dame en désignant les trois demoiselles.

Si les deux aînées n'étaient pas trop vilaines, la cadette n'avait pas encore perdu les rondeurs de l'enfance, et on l'avait affublée d'une tenue orange qui ne la flattait guère. Elle avait l'air de se demander ce qu'elle faisait là.

— Ne sont-elles pas adorables? enchaîna la mère. Elles sont ma fierté et ma joie. Et d'un tempérament tellement facile!

Simon ne put chasser la pénible impression d'avoir déjà entendu ces paroles. Un jour où il achetait un chien.

— Monsieur, j'ai l'honneur de vous présenter Prudence, Philipa et Pénélope.

Toutes trois plongèrent dans une profonde révérence, les yeux pudiquement baissés.

— J'en ai une quatrième à la maison, Felicity, mais comme elle n'a qu'une dizaine d'années, je ne l'emmène pas dans ce genre de soirées.

Simon chercha en vain pour quelle raison elle ressentait le besoin de lui faire part d'une telle information. Puis, conservant prudemment un ton de souverain ennui – la meilleure façon, il l'avait compris de longue date, de masquer sa colère :

— Et vous êtes… ? demanda-t-il.

— Oh, toutes mes excuses ! Je suis Mme Featherington, bien entendu. Mon mari est décédé voici trois ans, mais il était le meilleur ami de votre... hum… *papa*.

Sa voix s'étrangla sur la fin de sa phrase, sans doute parce qu'elle venait de se souvenir du manque d'enthousiasme de Simon pour ce sujet.

Il acquiesça d'un bref hochement de tête.

— Prudence est une pianiste accomplie, déclara Mme Featherington avec un enjouement un peu forcé.

Interceptant l'expression douloureuse de l'instrumentiste, Simon se promit de ne jamais assister à une soirée musicale chez les Featherington.

— Et ma chère Philipa est une aquarelliste de talent.

Philipa afficha une expression radieuse.

— Et Pénélope ? s'entendit demander Simon, poussé par il ne savait quel démon.

Mme Featherington lança un regard affolé à la cadette, qui parut se tasser sur elle-même. Pénélope n'avait rien d'une beauté, et sa silhouette un peu trop enrobée n'était guère mise en valeur par la tenue qu'avait choisie sa mère, mais elle avait un regard doux.

— Pénélope ? répéta Mme Featherington d'un air perdu. Pénélope est… hum… Eh bien, c'est Pénélope !

Elle ponctua sa réponse d'un sourire contraint.

Pénélope semblait n'avoir qu'une envie : plonger sous le plus proche tapis. Simon décida que s'il était obligé de danser, c'est elle qu'il choisirait.

— Madame Featherington ! tonna une voix impérieuse qui ne pouvait être que celle de lady Danbury. Seriez-vous en train d'importuner Hastings ?

Simon fut tenté de répondre par l'affirmative, mais il se souvint de l'expression mortifiée de Pénélope Featherington et répliqua dans un murmure poli :

— Absolument pas !

La vieille dame arqua un sourcil dubitatif et, approchant lentement sa tête de la sienne, chuchota :

— Menteur.

Puis elle se tourna vers Mme Featherington, dont la mine s'était décomposée. Mme Featherington ne dit rien. Lady Danbury ne dit rien. Enfin, la première marmonna quelque chose au sujet d'une cousine qu'elle devait absolument rejoindre, fit signe à ses filles de la suivre et décampa.

Simon croisa les bras sur sa poitrine, incapable de contenir son hilarité.

— Ce n'était guère charitable de votre part.

— Bah ! Elle a une cervelle d'oiseau, et ses filles aussi, à l'exception peut-être du vilain petit canard.

Lady Danbury secoua la tête d'un air réprobateur.

— Si seulement on ne l'habillait pas dans cette couleur…

Simon sourit.

— Vous n'apprendrez jamais la diplomatie, n'est-ce pas ?

— Jamais. Où serait le plaisir ?

Il la vit s'efforcer en vain d'arborer une expression sévère.

— Quant à vous, poursuivit-elle, vous êtes un épouvantable garnement. Vous auriez pu commencer par venir saluer votre hôtesse.

— Vous étiez si bien gardée par vos admirateurs que je n'ai pas osé approcher.

— Vous ne vous en tirerez pas toujours par des pirouettes.

Simon ne répondit pas, ne sachant comment interpréter ces paroles. Il la soupçonnait depuis longtemps de connaître son secret, mais il n'en avait jamais eu la certitude.

— Tiens, voici votre ami Bridgerton.

Du regard, Simon suivit la direction qu'elle venait d'indiquer d'un coup de menton. Anthony les rejoignit d'un pas nonchalant.

Aussitôt, lady Danbury lui murmura :

— Monsieur, vous n'êtes qu'un lâche.

Il cligna des yeux, manifestement déconcerté.

— Veuillez m'excuser ?

— Vous auriez dû venir sauver votre camarade des griffes des dames Featherington depuis une éternité !

— Pour me priver d'un spectacle aussi divertissant ? Pas question !

— Hum ! fit leur hôtesse.

Sans un mot de plus, elle s'éloigna.

— Drôle de personnage, commenta Anthony. Je ne serais pas surpris qu'elle soit cette maudite Whistledown.

— La fameuse chroniqueuse mondaine ?

Anthony hocha la tête, puis il entraîna Simon dans un angle de la pièce, de l'autre côté d'une immense plante en pot derrière laquelle ses frères avaient trouvé refuge. Tandis qu'ils marchaient, Anthony déclara d'un air ironique :

— Je vous ai vu parler avec une cohorte de jeunes filles tout à fait convenables.

Pour toute réponse, Simon proféra un juron qui arracha à son ami un joyeux éclat de rire.

— Vous ne pouvez pas prétendre que je ne vous ai pas prévenu !

— Ne me demandez pas d'admettre que vous puissiez avoir raison sur quelque sujet que ce soit, je trouve cela bien trop humiliant.

L'hilarité d'Anthony redoubla.

— Je vais vous présenter moi-même à toutes les demoiselles de la soirée, cela vous apprendra à être aimable.

— Alors attendez-vous à une mort lente et cruelle, le menaça Simon.

— Que choisirez-vous, l'épée ou le pistolet ?

— Le poison, c'est tout ce que vous méritez.

— Peste ! gémit Anthony.

Ils venaient de rejoindre deux autres frères du clan Bridgerton, comme en témoignaient leur chevelure aux reflets cuivrés, leur imposante stature et leur visage aux traits bien dessinés. Simon nota que l'un avait les yeux verts, et l'autre de la même nuance marron qu'Anthony. À ce détail près, dans le faible éclairage qui régnait en cet endroit, les trois hommes offraient une spectaculaire ressemblance.

— Vous vous souvenez de mes frères, n'est-ce pas ? demanda Anthony. Benedict et Colin. Vous avez fait la connaissance du premier à Eton ; c'est celui qui nous a suivis comme un petit chien pendant trois mois après son arrivée.

— C'est faux ! protesta l'intéressé sans grande conviction.

— En revanche, poursuivit Anthony, imperturbable, je ne sais pas si vous avez rencontré le second. Il est trop jeune pour avoir déjà croisé votre chemin.

— Enchanté ! s'exclama Colin chaleureusement.

Remarquant l'éclat espiègle au fond de ses yeux verts, Simon ne put retenir un sourire.

— Anthony m'a dit de telles horreurs sur vous, ajouta le jeune homme d'un air gourmand, que j'en suis certain : nous allons être les meilleurs amis du monde !

Anthony leva les yeux au plafond.

— Comme vous le comprendrez sans peine, ma mère est persuadée que si elle devient folle, Colin en sera le premier responsable.

— Et je m'en fais gloire, déclara ce dernier.

— Dans son malheur, elle a connu un bref répit, car Colin rentre d'un long périple sur le continent.

— Ce soir même, précisa l'intéressé.

Avec son sourire de gamin ravi d'avoir joué un bon tour, il rayonnait d'une joie de vivre si insolente et juvénile que Simon songea qu'il ne devait guère être plus âgé que Daphné.

— Moi aussi, dit-il, je reviens de voyage.

— À la différence que vous avez arpenté le globe, me suis-je laissé dire ? Je me ferais une joie d'écouter le récit de vos aventures, un de ces jours.

— Tout le plaisir sera pour moi, acquiesça poliment Simon.

— Vous n'auriez pas vu Daphné ? s'enquit Benedict. C'est la seule Bridgerton présente à ne pas être courtisée.

Simon se demandait comment répondre à cette question lorsque Colin émit un ricanement sarcastique.

— Oh, mais elle l'est ! Elle n'a pas l'air de s'en réjouir outre mesure, mais elle l'est.

Suivant son regard vers l'autre côté de la pièce, Simon aperçut la jeune fille près d'une dame qui devait être sa mère. Colin était en dessous de la vérité : il émanait d'elle une impression de désespoir absolu.

Puis il se souvint qu'elle était l'une de ces fameuses débutantes que leurs mères exhibaient comme à la foire. Elle lui avait paru d'une nature trop sensée et d'un caractère trop naturel pour être l'une de ces redoutables créatures, mais le fait était là : elle était bel et bien une jeune fille à marier. Elle aussi se trouvait prise au piège d'une interminable séance de présentations. Un exercice qu'elle paraissait détester autant que lui-même, nota Simon. D'une certaine façon, cela lui remontait un peu le moral.

— L'un de nous devrait peut-être aller à sa rescousse, dit Benedict sans grande conviction.

— Non, rétorqua Colin. Il n'y a pas dix minutes que mère l'a entraînée là-bas avec Macclesfield.

— Macclesfield ? répéta Simon.

— Le comte, vous savez ? expliqua Benedict. Le fils de Castleford.

— Dix minutes ? répéta Anthony. Pauvre Macclesfield.

Simon lui décocha un regard intrigué.

— Daphné n'est pas aussi pénible que cela ! ajouta précipitamment Anthony. Seulement, quand mère s'est mis en tête de... de...

— Mettre le grappin ? suggéra Colin.

— … sur un gentleman, enchaîna Anthony avec un hochement de tête reconnaissant vers son frère, elle est capable de se montrer… eh bien…

— Impitoyable, compléta Colin à sa place.

Anthony esquissa un faible sourire.

— Oui, c'est le mot.

Simon se tourna vers le trio. De fait, Daphné semblait au comble du désespoir, le dénommé Macclesfield jetait autour de lui des regards éperdus – sans doute en quête de la plus proche issue de secours – et les yeux de lady Bridgerton luisaient d'un éclat si résolu que Simon ne put réprimer un élan de compassion pour l'infortuné jeune homme.

— Nous devrions aller au secours de Daphné, déclara Anthony.

— Absolument, répondit Benedict.

— Et de Macclesfield, précisa Anthony.

— Bien entendu, renchérit son frère.

Ils ne semblaient guère pressés de passer à l'action, songea Simon.

— Paroles, paroles ! ricana Colin.

— Je ne te vois pas non plus voler à sa rescousse, rétorqua Anthony.

— Certes, mais moi, je n'ai jamais dit que j'irais. Toi, en revanche…

— Enfin, quel est le problème ? les interrompit Simon.

Trois regards coupables se tournèrent vers lui.

— Nous *devrions* aller au secours de Daphné, répéta Anthony.

— Absolument, fit Benedict en écho.

— Ce que mes frères n'ont pas le courage d'avouer, intervint Colin, c'est que mère les terrorise.

— C'est vrai, admit Anthony d'un air impuissant.

— Je l'admets volontiers, ajouta Benedict.

Simon n'avait jamais vu un spectacle aussi incongru. Ces trois gaillards étaient les frères Bridgerton, tout de même ! Grands, superbes, athlétiques, convoités par toutes les demoiselles du royaume d'Angleterre… et peureux comme une portée de chiots devant un petit bout de femme.

D'accord, celle-ci était *leur mère*. Simon supposait que cela était une circonstance atténuante. Tout de même…

— Si je vais prêter main-forte à Daph', expliqua Anthony, je risque de tomber entre les griffes de mère, et là, c'en sera fait de moi !

À l'idée de voir Anthony promené d'une demoiselle à une autre par la vicomtesse Bridgerton, Simon fut pris d'un irrésistible fou rire.

— Maintenant, vous comprenez pourquoi je fuis ces mondanités comme la peste, reprit son ami d'un ton grave. Je suis assailli sur tous les fronts. Si ces demoiselles et leurs mamans ne me trouvent pas, ma chère mère se chargera de me mettre sur leur chemin.

— Au fait ! s'exclama Benedict. Pourquoi n'iriez-vous pas à son secours, Hastings ?

Simon lança un coup d'œil en direction de lady Bridgerton – qui tenait à présent d'une poigne de fer l'avant-bras de Macclesfield – et décida qu'il préférait porter à jamais le sceau de l'infamie.

— N'ayant jamais eu l'honneur de faire la connaissance de madame votre mère, improvisa-t-il, je crains que ce soit inconvenant.

— Je ne vois pas en quoi, rétorqua Anthony. Vous êtes un duc.

— Et alors ?

— Et alors ? répéta Anthony. Mère est prête à pardonner bien des choses, si cela peut lui permettre de présenter Daphné à un duc.

— Je vous préviens, s'emporta Simon, je ne suis pas un agneau que vous pourrez sacrifier sur l'autel des ambitions maternelles !

— Je croyais que vous aviez passé du temps en Terre sainte ? fit mine de s'étonner Colin.

Simon l'ignora.

— En outre, votre sœur m'a dit...

Comme un seul homme, les trois Bridgerton tournèrent la tête vers lui. Malédiction ! songea Simon. Il s'était trahi !

— Vous avez rencontré Daphné ? s'enquit Anthony, d'un ton trop mielleux au goût de Simon.

Sans lui laisser le temps de répondre, Benedict s'approcha imperceptiblement de lui.

— Pourquoi ne pas nous l'avoir dit ?

— C'est vrai, enchaîna Colin, arborant pour la première fois une expression sérieuse. Pourquoi ?

Simon les considéra l'un après l'autre. Il comprenait mieux à présent pourquoi Daphné n'avait toujours pas de mari. Ses trois gardes du corps avaient de quoi effrayer tous ses prétendants, à l'exception du plus déterminé... ou du plus stupide.

Comme Nigel Berbrooke, par exemple.

— Oh, répondit-il, je l'ai croisée dans le couloir en arrivant. Il m'a paru...

Il parcourut les trois frères d'un regard éloquent.

— ... si évident qu'elle était votre sœur, que j'ai pris la liberté de me présenter.

Anthony se tourna vers Benedict.

— Ce devait être quand elle fuyait Berbrooke.

Benedict se tourna vers Colin.

— Au fait, où est-il passé, celui-ci ?

Colin haussa les épaules.

— Pas la moindre idée. Sans doute parti soigner son cœur brisé.

Ou plutôt sa mâchoire, rectifia Simon en son for intérieur.

— Eh bien, tout est clair, à présent, déclara Anthony.

Il avait perdu son air de grand frère menaçant pour redevenir le compagnon de fêtes et le meilleur ami de toujours.

— Sauf, dit Benedict d'un ton soupçonneux, pourquoi il n'en a pas parlé avant.

— Encore aurait-il fallu que j'en aie l'occasion ! maugréa Simon, réprimant une furieuse envie de lever les bras au plafond. Au cas où vous ne l'auriez pas remarqué, Anthony, vous avez un nombre extravagant de frères et sœurs, et cela prend un temps fou d'être présenté à tous.

— Nous ne sommes que deux, fit remarquer Colin.

— Je rentre chez moi, bougonna Simon. Vous perdez l'esprit, les uns comme les autres.

Benedict, qui avait paru le plus méfiant des trois, esquissa soudain un sourire.

— Vous n'avez pas de sœur ?

— Non, grâce à Dieu !

— Eh bien, si un jour vous avez une fille, vous comprendrez.

Simon était à peu près certain que cela n'arriverait jamais, mais il ne répondit pas.

— Cela peut être éprouvant, renchérit Anthony.

— Bien que Daph' soit plus facile que les autres, rectifia Benedict. En fait, elle n'a pas tant de prétendants que cela.

Simon ne voyait vraiment pas pour quelle raison.

— Je ne sais pas pourquoi, répliqua Anthony, fort à propos. C'est une fille tout à fait charmante.

Simon comprit que ce n'était pas le moment d'avouer qu'il avait été à deux doigts de la plaquer contre le mur pour presser ses lèvres sur les siennes et l'embrasser à perdre haleine. Au demeurant, s'il ne s'était pas aperçu qu'elle était une Bridgerton, il ne s'en serait pas privé.

— Daph' est la meilleure des sœurs, décréta Benedict.

Colin hocha la tête.

— Vraiment une chic fille. Une excellente camarade.

Il y eut un silence un peu tendu, puis Simon reprit la parole.

— Eh bien, excellente camarade ou non, je n'irai pas là-bas pour lui porter secours, car elle a été très claire : votre mère lui a formellement interdit d'être vue en ma présence.

— Mère a dit cela ? s'étonna Colin. Vous devez vraiment avoir une réputation infernale !

— En grande partie imméritée, précisa Simon, sans savoir pourquoi il ressentait le besoin de se défendre.

— Quel dommage… murmura Colin. Moi qui voulais vous demander de m'enseigner vos secrets de libertin !

Simon prédisait à ce jeune homme une longue vie de mécréant.

— Je suis sûr que mère changera d'avis si on sait l'y encourager, déclara Anthony en le poussant en avant d'une main ferme au creux des reins. En route !

Simon n'avait pas d'autre choix que de se diriger vers Daphné… à moins de déclencher un esclandre, mais il avait appris depuis longtemps que cela ne lui réussissait pas. D'ailleurs, à la place d'Anthony, il aurait probablement agi de la même façon.

Sans compter qu'après une ou deux heures parmi les sœurs Featherington et leurs semblables, la compagnie de Daphné lui paraissait tout à fait supportable.

— Mère ? appela Anthony d'une voix enjouée, alors qu'ils rejoignaient la vicomtesse. Je ne vous ai pas vue de la soirée !

Simon vit le regard bleu de lady Bridgerton s'éclairer à l'approche du jeune homme. Mère ambitieuse ou non, cette femme adorait manifestement ses enfants.

— Anthony ! s'écria-t-elle. Je suis contente de vous voir. Daphné et moi discutions avec lord Macclesfield.

— Oui, je vois, fit Anthony en décochant à ce dernier un regard compatissant.

Simon croisa le regard de Daphné et lui adressa un imperceptible salut de la tête, auquel elle répondit avec une intelligente discrétion.

— À qui ai-je l'honneur ? s'enquit la vicomtesse en posant les yeux sur Simon.

— Au nouveau duc de Hastings, dit Anthony. Souvenez-vous, j'étais avec lui à Eton et Oxford.

— Bien entendu, répliqua-t-elle d'un ton poli.

Macclesfield, qui avait conservé un silence prudent, prit prétexte du premier trou dans la conversation pour s'exclamer :

— Oh ! Je crois que je vois mon père !

Anthony lui lança un regard de connivence.

— Eh bien, qu'attendez-vous pour le rejoindre ?

Le jeune comte ne se le fit pas dire deux fois.

— Je croyais qu'il détestait son père ? murmura lady Bridgerton, perplexe.

— Il le hait positivement, confirma Daphné.

Simon étouffa un rire. La jeune fille arqua les sourcils, comme pour le défier de répondre à cela.

— Quoi qu'il en soit, il a une effroyable réputation, déclara lady Bridgerton.

— Bienvenue au club, marmonna Simon.

En voyant Daphné ouvrir des yeux ronds de stupeur, ce fut lui qui, haussant les sourcils, la mit au défi de commenter ses paroles.

Elle n'en fit rien, bien sûr, mais en interceptant le regard acéré que la vicomtesse posait sur lui, il comprit que celle-ci n'avait pas encore décidé si son nouveau titre de duc compensait ou non sa renommée de libertin.

— Je ne crois pas avoir eu l'occasion de vous rencontrer avant mon départ pour l'étranger, madame, déclara Simon d'une voix charmeuse, mais je suis ravi de rattraper cette lacune ce soir.

— Moi de même, répondit lady Bridgerton.

Puis, désignant Daphné :

— Ma fille, Daphné.

Simon prit la main gantée de celle-ci pour y déposer un baiser d'une scrupuleuse retenue.

— Je suis ravi de faire officiellement votre connaissance, miss Bridgerton.

— Officiellement ? répéta lady Bridgerton.

Daphné s'apprêta à intervenir, mais Simon ne lui en laissa pas le temps.

— Je viens d'expliquer à vos fils comment nous nous sommes *brièvement* croisés un peu plus tôt dans la soirée.

La vicomtesse tourna la tête vers sa fille.

— Vous avez été présentée au duc ce soir ? Et vous ne m'en avez rien dit ?

Daphné esquissa un faible sourire.

— Nous étions en train de parler avec le comte de Macclesfield. Et avant, avec lord Westborough. Et avant, avec…

— C'est bon, Daphné, l'interrompit sa mère.

Simon retint un éclat de rire qui aurait été d'une impardonnable impolitesse.

Voyant lady Bridgerton lui adresser un large sourire – il comprenait à présent de qui Daphné tenait le sien ! – il devina que la vicomtesse avait pris sa décision. La mauvaise réputation de Simon n'était pas un obstacle incontournable.

C'est alors qu'il remarqua une étrange lueur au fond de ses yeux bleus, tandis que son regard passait alternativement de Daphné à lui-même.

Puis un sourire de conspiratrice éclaira soudain son visage.

Une brusque envie de fuir s'empara de lui.

— Désolé, vieux, murmura à son oreille Anthony, qui s'était discrètement penché vers lui.

— Je pourrais bien être tenté de vous tuer, grinça Simon entre ses dents.

Le regard glacé de Daphné indiquait clairement qu'elle avait intercepté leur échange et ne l'appréciait pas du tout.

Lady Bridgerton, elle, paraissait aux anges, et son esprit semblait déjà s'activer aux préparatifs d'un fastueux mariage.

Puis Simon la vit froncer les sourcils en apercevant quelque chose derrière Anthony et lui. Elle parut si contrariée que les trois jeunes gens se retournèrent en même temps.

Mme Featherington fendait la foule dans leur direction, Prudence et Philipa dans son sillage. Pénélope, en revanche, avait disparu.

Aux grands maux, les grands remèdes ! songea Simon.

— Miss Bridgerton, demanda-t-il en pivotant vers celle-ci d'un geste rapide, voulez-vous danser ?

5

Étiez-vous au bal de lady Danbury, hier soir ? Si ce n'est pas le cas, tant pis pour vous ! Vous avez manqué le plus beau coup de théâtre de la saison. Comme ont pu le constater les invités, et tout particulièrement votre dévouée chroniqueuse, miss Bridgerton semble avoir capté l'intérêt du duc de Hastings, tout juste revenu en Angleterre.

On imagine fort bien le soulagement de lady Bridgerton. Quelle humiliation si son aînée avait continué de faire tapisserie une saison de plus ! Surtout lorsqu'on sait que la vicomtesse a encore trois autres filles à caser… Oh, quelle horreur !

La Chronique mondaine de lady Whistledown, 30 avril 1813

Daphné n'avait aucun moyen de refuser.

Tout d'abord, sa mère dardait sur elle un regard impérieux qui semblait la mettre au défi de désobéir.

Ensuite, c'était manifeste, Hastings n'avait donné à Anthony qu'un récit très succinct de leur rencontre dans le couloir. Refuser son invitation à danser n'aurait fait qu'éveiller inutilement les soupçons.

Sans parler du fait que Daphné n'éprouvait aucun désir particulier de goûter aux joies de la conversation avec le clan Featherington.

Et puis, elle ressentait l'ombre du début d'un commencement d'une légère *envie* de danser avec le duc.

Bien entendu, l'arrogant personnage ne lui laissa même pas le temps d'accepter son invitation. Avant qu'elle ait pu prononcer un modeste « J'en serais ravie », ou même un bref « Oui », il l'avait déjà entraînée vers la piste de danse.

L'orchestre n'ayant pas fini d'émettre cette cacophonie que produisent les musiciens lorsqu'ils accordent leurs instruments, ils durent patienter quelques instants avant d'entamer leur danse.

— Dieu merci, vous n'avez pas refusé ! s'exclama le duc avec chaleur.

— Quand aurais-je pu le faire ?

Il lui sourit, ce qui arracha à Daphné un froncement de sourcils.

— Vous ne m'avez pas non plus laissé le temps d'accepter, au cas où vous ne l'auriez pas remarqué.

Le duc lui jeta un regard interrogateur.

— Dois-je de nouveau vous poser la question ?

— Non, bien entendu, répondit-elle, un brin agacée. Ce serait assez puéril de ma part, ne trouvez-vous pas ? De plus, cela nous ferait remarquer, et je pense que ni vous ni moi n'en avons envie.

Inclinant la tête de côté, il la parcourut d'un regard aussi bref qu'intense, et Daphné eut l'impression qu'il venait en un éclair de la classer sous la rubrique « Tout juste acceptable ». L'expérience était des plus déstabilisantes.

Au même instant, un silence s'établit, et l'orchestre attaqua les premières notes d'une valse.

— Les jeunes filles doivent-elles encore demander une permission pour danser ? questionna le duc.

Daphné ne put retenir un sourire.

— Combien de temps êtes-vous donc resté à l'étranger ?

— Cinq ans, et vous n'avez pas répondu à ma question.

— La réponse est oui.

— Vous a-t-on autorisée à accepter mon invitation ?

Il semblait vraiment craindre de voir échouer sa tentative de fuite ! songea-t-elle, amusée.

— Bien entendu.

— Parfait !

Alors, la prenant dans ses bras, il l'entraîna dans le flot des danseurs aux tenues élégantes.

Ils avaient effectué un tour complet de la piste quand Daphné s'enquit :

— Je vous ai vu parler avec mes frères. Que leur avez-vous dit de notre rencontre, exactement ?

Hastings se contenta de sourire.

— Qu'y a-t-il ? demanda-t-elle, méfiante.

— Je m'émerveille seulement de votre retenue.

— Plaît-il ?

Il esquissa un haussement d'épaules.

— Il me semble que la patience n'est pas votre vertu première, mais vous avez attendu plus de trois minutes pour aborder cette question.

Une soudaine brûlure envahit les joues de Daphné. Le duc était un danseur accompli, et elle avait savouré cette valse avec tant de plaisir qu'en réalité, elle avait totalement oublié de lui faire la conversation.

— Pour votre gouverne, reprit-il, lui épargnant le souci de trouver une réponse appropriée, sachez que je leur ai seulement avoué vous avoir croisée dans le couloir. J'ai immédiatement compris, à la couleur de vos cheveux, que vous étiez une Bridgerton et je me suis présenté à vous.

— Vous pensez qu'ils vous ont cru ?

— Oui, répondit-il avec douceur. Il me semble bien.

— Non que nous ayons quoi que ce soit à cacher, s'empressa-t-elle d'ajouter.

— Certes non.

— S'il y a quelqu'un à blâmer dans cette histoire, ce ne peut être que Nigel.

— Absolument.

Elle se mordit la lèvre, hésitante.

— Croyez-vous qu'il soit toujours dans le couloir ?

— Je n'ai pas l'intention d'aller vérifier.

Il y eut un silence un peu gênant, puis Daphné reprit :

— Il y a une éternité que vous n'avez pas assisté à un bal à Londres, n'est-ce pas ? Nous avons dû faire un sacré comité d'accueil, Nigel et moi…

— Vous, oui. Lui, non.

Elle sourit poliment devant ce compliment.

— À part ce malheureux épisode, appréciez-vous cette soirée ?

Le duc éclata de rire.

— Non.

— Ah ? fit Daphné, plus intriguée qu'elle ne voulait le montrer. Voilà qui est intéressant.

— Vous riez de mon supplice ? Rappelez-moi de ne jamais vous appeler à l'aide si un jour je tombais malade.

— Je vous en prie, répliqua-t-elle, ironique. Ce n'était pas aussi terrible que cela.

— Oh, que si !

— Cela ne peut pas avoir été pire que ce que j'ai enduré.

— Il faut reconnaître que vous aviez l'air franchement malheureuse, entre votre mère et Macclesfield.

— Comme c'est charitable de votre part de le faire remarquer, maugréa-t-elle.

— Cela dit, j'affirme que ma soirée a été bien plus éprouvante que la vôtre.

Daphné éclata d'un rire cristallin qui alla droit au cœur de Simon.

— Nous faisons un bien triste couple, alors ! commenta la jeune femme. Nous pourrions peut-être imaginer un autre sujet de conversation que nos malheurs respectifs ?

Il ne répondit pas.

Elle ne trouva rien à ajouter.

— Ma foi, dit-il finalement, je manque d'inspiration.

Elle rit de nouveau, avec plus de gaieté cette fois-ci, et Simon, une fois de plus, ne put résister au charme de son sourire.

— Je renonce, soupira-t-elle. À cause de quoi votre soirée a-t-elle pris un tour aussi pénible ?

— De quoi… ou de *qui* !

— De qui ? répéta-t-elle en levant la tête vers lui. Tout ceci devient absolument passionnant !

— Je peux vous proposer toute une liste d'adjectifs pour qualifier les « qui » que j'ai rencontrés ce soir, mais « passionnant » n'en fera pas partie.

— Allons, le gronda-t-elle avec gentillesse, ne soyez pas impoli. Je vous ai vu discuter avec mes frères, tout de même.

Il hocha galamment la tête et accentua un peu la pression de sa main sur sa taille, tout en l'entraînant sur la piste en de gracieuses volutes.

— Toutes mes excuses. La famille Bridgerton n'est pas concernée par mes insultes, cela va de soi.

— La famille Bridgerton vous remercie bien, répliqua-t-elle d'un ton pince-sans-rire qui arracha un sourire à Simon.

— Je n'ai pas d'autre but dans la vie que de faire le bonheur des Bridgerton.

— Voilà une vantardise que vous pourriez avoir à regretter un jour, le menaça-t-elle. Allons, soyez un peu sérieux et dites-moi ce qui vous plonge dans un tel ennui ? Si votre soirée n'a fait qu'empirer depuis votre rencontre avec Nigel, vous devez être effectivement dans une situation peu enviable.

— Comment formuler cela sans vous offenser ?

— N'y allez pas par quatre chemins, dit-elle d'un ton léger. Je vous promets de ne pas me vexer.

Simon lui décocha un sourire de triomphe.

— Et voilà une vantardise que *vous* pourriez avoir à regretter un jour.

Une délicieuse rougeur envahit ses joues, à peine perceptible dans la lueur des chandelles, mais Simon l'observait avec attention. Comme elle ne répondait pas, il poursuivit :

— Puisque vous tenez tant à le savoir, on m'a présenté toutes les jeunes filles à marier présentes ce soir.

En entendant un petit soupir ironique s'échapper de ses lèvres, Simon eut la désagréable impression qu'elle se moquait de lui.

— En outre, enchaîna-t-il, j'ai dû faire la connaissance de leurs mères.

Elle fut prise d'un fou rire. Comment osait-elle ?

— Savez-vous que c'est très vilain, la gronda-t-il, de vous esclaffer ainsi devant votre cavalier ?

— Je suis désolée, murmura-t-elle en se mordant les lèvres.

— Non, vous ne l'êtes pas.

— C'est vrai, admit-elle, mais uniquement parce que j'endure le même supplice depuis deux ans. Je ne vais pas m'apitoyer sur votre sort pour une seule malheureuse soirée.

— Pourquoi ne pas vous marier ? Cela mettrait un terme à votre calvaire.

Elle lui décocha un regard acéré.

— C'est une proposition ?

Simon crut que son cœur allait s'arrêter.

— Tout compte fait, on ne dirait pas, commenta-t-elle.

Elle laissa échapper un soupir impatient.

— Je vous en prie, monsieur, vous pouvez respirer. Je plaisantais !

Simon aurait voulu riposter par quelque cinglante repartie, mais elle l'avait tant surpris que sa voix s'étranglait dans sa gorge.

— Pour répondre à votre question, poursuivit-elle d'un ton plus nerveux, une jeune femme doit y réfléchir à deux fois avant de s'engager. Quelles sont mes options ? Il y a Nigel, bien sûr, mais vous conviendrez avec moi qu'il n'est pas un candidat sérieux.

Simon hocha la tête.

— En début d'année, il y a eu lord Chalmers.

— Chalmers ? s'exclama Simon. N'a-t-il pas...

— La soixantaine bien sonnée ? Exact. Or, comme je nourris l'ambition de fonder un jour une famille, il m'a semblé que...

— Certains hommes de son âge sont encore capables d'avoir des héritiers.

— Je préfère ne pas parier là-dessus. Sans compter que…

Une expression de dégoût passa sur son visage.

— … je ne tiens pas particulièrement à faire des enfants avec *lui*.

L'image de Daphné au lit avec le vieux Chalmers s'imposa à l'esprit de Simon. Le tableau était si révoltant qu'il en conçut une sourde colère. Contre qui ? Il n'aurait su le dire. Peut-être contre lui-même, pour avoir eu l'idée saugrenue d'imaginer une telle situation…

— Et avant lui, enchaîna Daphné, interrompant fort à propos ses sombres méditations, il y en a eu deux autres, aussi peu reluisants.

Simon la considéra, pensif.

— Vous tenez vraiment à vous marier ?

— Bien entendu, dit-elle d'un air surpris. Comme tout le monde !

— Moi, je ne le veux pas.

Un sourire condescendant éclaira son visage.

— C'est ce que vous croyez. Aucun homme n'a envie de se marier, mais ils le font tous. Vous verrez !

— Je ne verrai rien du tout, déclara Simon avec force. Je ne me marierai jamais.

Daphné regarda le duc sans cacher son étonnement. Quelque chose dans sa voix lui disait qu'il était sincère.

— Et votre titre ? demanda-t-elle.

Il esquissa un geste indifférent.

— Quel est le rapport ?

— Si vous n'avez pas d'héritier, il sera perdu. Ou bien il ira à quelque infâme cousin.

Simon arqua un sourcil, amusé.

— Qui vous a dit que mes cousins étaient infâmes ?

— Les cousins qui sont vos plus proches héritiers le sont toujours.

Elle lui décocha un regard espiègle, avant d'ajouter :

— Du moins, à en croire les détenteurs d'un titre de noblesse.

— Est-ce votre vaste expérience des hommes qui vous permet de l'affirmer ?

Elle répliqua, avec un sourire au charme ravageur :

— Bien entendu.

Simon demeura silencieux quelques instants.

— Est-ce que tout cela en vaut la peine ?

— De quoi parlez-vous ? s'enquit-elle, visiblement décontenancée.

D'un rapide geste de la main, il désigna la foule autour d'eux.

— De ceci. De cette suite sans fin de bals et de soirées mondaines. De votre mère, toujours sur vos talons comme un petit chien.

— Je doute qu'elle apprécie la comparaison.

Elle se tut, les yeux perdus dans le vague.

— Oui, répondit-elle finalement. Je suppose que cela en vaut la peine. Il le faut.

Elle revint à l'instant présent et considéra Simon de ses grands yeux marron à la franchise désarmante.

— Je veux un mari. Je veux des enfants. Cela n'a rien d'étonnant, après tout ; je suis la quatrième d'une fratrie de huit. Je ne connais que les familles nombreuses, et je ne saurais pas vivre autrement.

Simon soutint son regard. Peu à peu, il s'aperçut qu'une étrange chaleur envahissait son corps. Puis il lui sembla qu'un signal d'alarme résonnait, à la limite de sa conscience. Il désirait cette femme. Il la désirait si intensément que c'en était douloureux… mais jamais il ne pourrait la toucher. Car s'il se contentait de l'effleurer, il briserait sa réputation, ferait voler en éclats ses rêves de bonheur, et c'était un crime que Simon, libertin ou non, ne se pardonnerait pas.

Il refusait absolument toute idée de mariage et d'enfants, alors qu'elle ne voulait que cela.

Certes, il appréciait sa compagnie – il ne pouvait le nier – mais il devait la laisser intacte pour un autre que lui.

— Monsieur ? l'appela-t-elle d'un ton tranquille.

Il battit des cils en revenant à la réalité.

— Vous rêvez, ajouta-t-elle en souriant.

Simon hocha la tête.

— Je ne faisais que méditer vos paroles.

— Les approuvez-vous ?

— À vrai dire, je ne sais pas depuis combien de temps je n'avais pas discuté avec une personne aussi manifestement pleine de bon sens.

Puis, d'une voix pensive :

— C'est une excellente chose de savoir ce que l'on veut de la vie.

— Et vous, qu'en attendez-vous ?

Comment répondre à une telle question ? Simon ne pouvait pas tout dire, il en était conscient. Pourtant, cela était si simple, si facile de discuter avec cette jeune fille ! Il y avait en elle un je-ne-sais-quoi qui le mettait totalement à l'aise, malgré le brûlant désir qu'il éprouvait pour elle. La bienséance leur interdisait en théorie une conversation aussi directe alors qu'ils venaient tout juste de faire connaissance, mais leur immédiate complicité lui paraissait parfaitement naturelle.

Après un long silence, il répliqua :

— J'ai pris un certain nombre de décisions lorsque j'étais plus jeune, et j'essaie de mener ma vie selon ces principes.

Une expression d'indicible curiosité se peignit sur le visage de la jeune femme, mais sa bonne éducation la retint de l'interroger.

— Eh bien, s'exclama-t-elle avec un enjouement un peu forcé, comme nous sommes sérieux ! Moi qui croyais que tout ce qui nous intéressait, c'était de décider lequel d'entre nous passait la pire soirée !

Ils étaient tous les deux pris au piège, comprit alors Simon. Enferrés dans les conventions et les exigences de la société.

C'est alors qu'une idée lui vint.

Une idée folle, saugrenue, extrêmement séduisante… et sans doute assez dangereuse. S'il la mettait en application, songea-t-il, il devrait passer de nombreuses heures en compagnie de miss Bridgerton, au risque de plonger dans un état de désir violent et d'intense frustration. D'un autre côté, Simon était confiant : il possédait un solide contrôle sur lui-même et sur ses pulsions.

— N'apprécieriez-vous pas un peu de répit ? s'entendit-il demander.

— De répit ? répéta-t-elle, intriguée.

Tandis qu'ils virevoltaient sur l'immense parquet, elle désigna d'un regard la foule qui valsait et bavardait autour d'eux.

— Vous parlez de ceci ?

— Pas tout à fait. Vous auriez toujours à le supporter. Je faisais plutôt allusion à votre mère.

Daphné faillit s'étrangler de stupeur.

— Vous avez l'intention d'enlever maman de la société ? C'est un peu excessif, non ?

— Ce n'est pas elle, mais vous que je veux enlever.

Dans sa confusion, Daphné perdit l'équilibre, se rétablit de justesse.

— Je vous demande pardon ?

— J'avais espéré rester à l'écart de la vie mondaine à Londres, expliqua-t-il, mais je m'aperçois que cela risque de s'avérer impossible.

— À cause de votre goût immodéré pour le ratafia et la mauvaise limonade ?

— Non, répondit-il, ignorant le sarcasme. Parce que la moitié de mes camarades d'université se sont mariés pendant mon absence, et que leurs épouses semblent toutes nourrir la même obsession : organiser le plus grand bal de la saison…

— Bal que vous devrez honorer de votre présence, je suppose ?

Il eut un hochement de tête morose.

Daphné approcha ses lèvres de son oreille, comme pour lui confier un formidable secret.

— Vous êtes un duc, chuchota-t-elle. Vous pouvez dire non.

Son cavalier serra les mâchoires.

— Leurs maris sont mes amis.

Elle sourit malgré elle.

— Et vous ne voudriez pas heurter la sensibilité de ces dames.

Il lui jeta un regard sombre, manifestement gêné par le compliment.

— Ma parole, plaisanta-t-elle, vous avez l'air gentil, tout compte fait !

— Je ne suis pas gentil, rectifia Hastings d'un ton bourru.

— Peut-être, mais vous n'êtes pas méchant non plus.

Les derniers accords de la valse résonnaient déjà. Simon prit sa cavalière par le bras pour la guider hors de la piste de danse. Ils se trouvaient du côté opposé à celui de la famille de la jeune femme, ce qui leur laissait encore un peu de temps pour discuter, tout en se dirigeant à pas lents vers les Bridgerton.

— Ce que j'essayais de vous expliquer avant que vous ne fassiez si habilement dévier la conversation, c'est que je vais devoir assister à un certain nombre de mondanités à Londres.

— Cruel destin ! C'est à peine moins pire que la mort.

— Je suppose que vous y serez également conviée, poursuivit-il sans écouter ses remarques.

Elle acquiesça d'un bref hochement de tête.

— Il y a peut-être un moyen qui me permettrait de décourager l'assiduité des Featherington et consœurs, et qui en même temps vous épargnerait le harcèlement matrimonial que votre mère vous fait subir.

Elle lui lança un regard vibrant de curiosité.

— Je vous écoute ?

— Nous pourrions…

Il se pencha vers elle pour capter toute son attention.

— … former une union.

La jeune femme ne répondit rien. Absolument rien. Elle semblait se demander s'il était le pire rustre qu'elle eût jamais rencontré, ou simplement fou à lier.

— Une union de façade, précisa Simon, impatient. Enfin, quelle sorte d'homme croyez-vous que je sois ?

— Eh bien, on m'a informée de votre mauvaise réputation, et vous avez vous-même tenté de m'effrayer en jouant les libertins, tout à l'heure.

— Je n'en ai rien fait !

— Oh, que si.

Puis, le gratifiant d'une petite tape sur le bras :

— Vous êtes pardonné, précisa-t-elle. Je suis sûre que c'était plus fort que vous.

Simon ne put réprimer un mouvement de surprise.

— C'est bien la première fois qu'une femme me prend ainsi de haut.

— Il y a un début à tout, rétorqua-t-elle avec insouciance.

— Voyez-vous, j'ai d'abord cru que c'étaient vos frères qui avaient fait fuir tous vos prétendants, mais je commence à me demander si vous ne vous en êtes pas chargée vous-même.

À sa grande surprise, elle éclata de rire.

— Certainement pas. Si je n'ai pas encore trouvé d'époux, c'est parce qu'on ne voit en moi qu'une bonne camarade. Personne ne nourrit le moindre intérêt sentimental envers moi.

Puis, avec une petite grimace de dépit :

— À part Nigel.

Ayant réfléchi quelques instants à ces paroles, Simon comprit que son idée pouvait se montrer encore plus fructueuse pour elle qu'il ne l'avait envisagé de prime abord.

— Écoutez, et ne perdons pas de temps car nous sommes presque arrivés près de votre famille. Anthony a l'air prêt à se jeter sur nous d'une seconde à l'autre.

D'un même mouvement, ils tournèrent la tête dans cette direction. Bridgerton, toujours aux prises avec les dames Featherington, semblait bouillir d'impatience.

— Voici mon plan, continua-t-il d'une voix basse mais intense. Nous allons feindre d'éprouver une tendre inclination l'un pour l'autre. Dès qu'il sera évident que je ne suis plus disponible, on cessera de pousser toutes les débutantes de Londres dans mes bras.

— Ne rêvez pas, répliqua la jeune femme. On n'admettra sa défaite qu'une fois vous avoir vu au pied de l'autel, prononçant le « oui » fatidique.

Cette seule idée lui donnait la nausée.

— Absurdités ! Cela prendra peut-être un peu de temps, mais je suis sûr que je finirai par convaincre la bonne société que je n'épouserai personne.

— Sauf moi, précisa Daphné.

— Sauf vous, mais nous saurons que c'est faux.

— Bien entendu, murmura-t-elle. En toute franchise, je ne suis guère convaincue, mais si vous l'êtes…

— Je le suis.

— Fort bien. Et moi, quel est mon intérêt dans l'affaire ?

— En premier lieu, votre mère cessera de vous promener d'un candidat à l'autre si elle croit que vous avez su capter mon attention.

— Plutôt vaniteux de votre part, mais incontestable.

Simon ne releva pas la pique.

— Ensuite, poursuivit-il, les hommes sont toujours plus attirés par une femme qui excite la convoitise d'un autre.

— Ce qui signifie… ?

— Ce qui signifie tout simplement, et veuillez excuser ma *vanité,* dit-il en lui décochant un regard sardonique, que si l'on croit que j'ai l'intention de vous épouser, tous les bons partis qui ne voyaient jusqu'alors en vous qu'une aimable camarade pourraient bien être amenés à vous découvrir sous un nouveau jour.

Elle pinça les lèvres.

— Vous voulez dire que dès que vous aurez rompu, j'aurai des hordes de prétendants à mes pieds ?

— Oh, mais je vous laisserai prendre l'initiative de la rupture, répondit-il galamment.

Elle ne prit pas la peine de l'en remercier, nota-t-il.

— Il me semble que j'ai beaucoup plus à gagner que vous à cet arrangement, déclara-t-elle.

Il imprima une légère pression sur son bras.

— Alors, vous acceptez ?

Daphné tourna son regard vers Mme Featherington, qui ressemblait à un oiseau de proie, puis vers son frère, qui avait l'air positivement furieux.

— Tope là ! répliqua-t-elle avec résolution.

— Qu'ont-ils donc à se dire, depuis tout ce temps ?

Violet Bridgerton tira sur la manche de son fils aîné, incapable de détourner le regard de sa fille. Celle-ci semblait avoir éveillé l'intérêt du duc de Hastings, de retour à Londres depuis huit jours seulement, mais déjà le parti le plus recherché de l'année.

— Aucune idée, répondit Anthony en observant avec soulagement les Featherington qui venaient de les quitter pour se diriger vers leur prochaine victime. Mais on dirait que cela fait des heures qu'ils discutent.

— Pensez-vous qu'il l'apprécie ? demanda Violet avec une bouffée d'excitation. Croyez-vous que notre Daphné ait une chance d'être la prochaine duchesse de Hastings ?

Anthony réprima un gémissement où se mêlaient l'impatience et l'incrédulité.

— Mère, vous avez interdit à Daphné d'être seulement *vue* en sa compagnie, et voilà que vous pensez à les marier !

— J'ai parlé trop vite, rétorqua-t-elle en ponctuant ses paroles d'un geste insouciant de la main. D'évidence, c'est un homme de goût et d'excellente éducation.

Et comment se fait-il, je vous le demande, que vous sachiez ce que j'ai dit à Daphné ?

— Elle me l'a répété, bien sûr ! mentit Anthony.

— Hum... En tout cas, je vous fiche mon billet que Portia Featherington n'est pas près d'oublier cette soirée.

Anthony ouvrit des yeux ronds de surprise.

— Voulez-vous marier Daph' pour qu'elle connaisse le bonheur de fonder une famille, ou pour le seul plaisir de coiffer Mme Featherington au poteau dans votre course à l'autel ?

— Pour la première raison, bien entendu, répliqua la vicomtesse dans un soupir. Vos insinuations sont insultantes, savez-vous ?

Elle s'arracha un instant à la contemplation du spectacle qu'offraient Daphné et lord Hastings, le temps de localiser Portia Featherington et ses filles.

— Cela dit, je ne serai pas fâchée de voir la tête qu'elle fera lorsqu'elle apprendra que c'est Daphné qui fera le plus beau mariage de l'année.

— Mère, vous êtes un cas sans espoir !

— Détrompez-vous. Je suis peut-être sans scrupules, mais certainement pas sans espoir.

Anthony secoua la tête en marmonnant.

— Ne parlez pas dans votre barbe, le sermonna-t-elle, essentiellement pour le plaisir de l'irriter.

Puis, apercevant Daphné et le duc :

— Ah ! s'exclama-t-elle. Les voilà. Anthony, tenez-vous correctement. Daphné ! Lord Hastings !

Elle marqua un silence tandis que le couple les rejoignait.

— Eh bien, on dirait que vous avez apprécié cette valse !

— Plus que je ne saurais le dire, répondit Simon. Mademoiselle votre fille est aussi gracieuse qu'elle est jolie.

Anthony laissa échapper un reniflement sarcastique, mais Simon l'ignora.

— J'ose espérer que nous aurons bientôt le plaisir de danser de nouveau ensemble.

Le visage de Violet s'éclaira.

— Oh, mais je suis *certaine* que Daphné *adorerait* !

Comme celle-ci ne répondait pas avec l'empressement voulu, la vicomtesse insista :

— N'est-ce pas, Daphné ?

— Bien sûr, dit celle-ci d'un ton modeste.

— Je pense que votre mère ne sera pas assez permissive pour m'accorder une seconde valse avec vous, déclara Simon, très à l'aise dans son personnage de duc, mais je suppose qu'elle nous donnera l'autorisation de marcher un peu dans la salle ?

— C'est exactement ce que vous venez de faire, intervint Anthony.

Une fois de plus, Simon feignit de ne pas l'entendre.

— Bien entendu, précisa-t-il pour la vicomtesse, nous resterons toujours à portée de vue.

Entre les mains de Violet, l'éventail de soie lavande s'agita un peu plus vite.

— J'en serais ravie... je veux dire, *Daphné* en serait ravie. N'est-ce pas, Daphné ?

— Oh, tout à fait, assura celle-ci, toute innocence.

— Et moi, grinça Anthony entre ses dents, je crois que je devrais prendre une dose de laudanum, car manifestement je suis fiévreux. Que diable se passe-t-il, ici ?

— Anthony ! s'écria Violet.

Puis, se tournant vivement vers Simon :

— Ne l'écoutez pas, ajouta-t-elle.

— Oh, il y a longtemps que j'ai arrêté ! la rassura Simon.

— Daphné, proposa Anthony, je me ferai un plaisir d'être ton chaperon.

— Enfin, Anthony ! s'impatienta la vicomtesse. Ils n'en ont pas besoin puisqu'ils restent ici.

— J'insiste.

— Allons, vous deux, sauvez-vous ! s'exclama Violet en les chassant d'un geste de la main. Anthony vous rejoindra dans un instant.

Ce dernier tenta de leur emboîter le pas, mais sa mère le retint énergiquement par le poignet.

— Eh bien, à quoi jouez-vous ? le gronda-t-elle dans un murmure véhément.

— Je protège ma sœur.

— Contre le duc ? Il ne peut pas être aussi mauvais ! En vérité, il me fait un peu penser à vous.

Anthony maugréa.

— Dans ce cas, il est impératif que je la surveille.

Violet lui tapota l'épaule.

— Ne soyez pas aussi vieux jeu ! S'il tente d'entraîner votre sœur en secret vers le balcon, je vous promets que vous pourrez voler à son secours. En attendant, soyez gentil de la laisser savourer son triomphe.

Anthony considéra d'un œil maussade Simon, dont il ne voyait que le dos.

— Demain, je le tue.

— Je ne vous savais pas aussi susceptible ! On pourrait croire qu'étant votre mère, je serais au courant de ce genre de choses, surtout puisque vous êtes mon premier-né, et que par conséquent je vous connais depuis plus longtemps que mes autres enfants, mais...

— Est-ce Colin, là-bas ? l'interrompit Anthony d'une voix tendue.

Violet cligna des yeux.

— Oh, mais oui ! N'est-ce pas merveilleux qu'il soit déjà de retour ? Je n'en ai pas cru mes yeux quand je l'ai vu tout à l'heure. Je dirais même que je...

— Je ferais mieux d'aller le retrouver, dit rapidement Anthony. Il a l'air esseulé. Bonsoir, mère.

Violet regarda son fils s'éloigner au pas de course, fuyant sans doute ses sermons.

— Grand naïf, murmura-t-elle.

Aucun de ses enfants ne semblait avoir décelé ses ruses... comme par exemple se mettre à babiller à tort et à travers, afin de se débarrasser d'eux en un temps record lorsqu'elle voulait être tranquille.

Dans un soupir de satisfaction, elle continua d'observer sa fille, à présent de l'autre côté de la piste de danse, sa main élégamment passée sous le coude de son cavalier. Quel beau couple ils formaient !

En vérité, songea Violet, les yeux embués par l'émotion, sa fille ferait une superbe duchesse.

Elle laissa son regard errer en direction d'Anthony, qui se trouvait à présent exactement où elle voulait qu'il soit : hors de ses jupons. Elle s'autorisa un imperceptible sourire. Les enfants étaient si faciles à manipuler !

Puis son sourire se figea quand elle aperçut Daphné qui revenait vers elle… au bras d'un autre homme. Violet scruta l'assemblée avec attention, jusqu'à ce qu'elle localise enfin le duc de Hastings.

Dieu du ciel, pourquoi dansait-il avec Pénélope Featherington ?

6

Votre dévouée chroniqueuse s'est laissé dire que lord Hastings aurait mentionné pas moins de six fois, hier soir, qu'il n'avait pas la moindre intention de convoler en justes noces. Si son but était de décourager les mères ambitieuses, il a commis une grave erreur de jugement. Celles-ci ne verront dans ses remarques qu'un défi à relever.

Intéressante précision : ces affirmations ont été prononcées avant qu'il fasse la connaissance de la très spirituelle miss Bridgerton.

La Chronique mondaine de lady Whistledown, 30 avril 1813

Le lendemain en début d'après-midi, Simon se trouvait sur le perron de Bridgerton House, actionnant d'une main le heurtoir de cuivre, tenant dans l'autre un énorme bouquet de tulipes qui lui avait coûté une fortune. Il n'avait pas envisagé que sa petite mascarade l'occuperait pendant la journée, mais la veille, tandis qu'il traversait la salle de bal à pas lents, Daphné à son bras, celle-ci lui avait fait une remarque pleine de bon sens. S'il ne se présentait pas chez elle au plus tôt, personne, à commencer par sa mère, ne comprendrait qu'il avait jeté son dévolu sur elle.

Simon l'avait crue sur parole. La jeune femme était bien mieux informée que lui des us et coutumes en la matière. Il avait donc consciencieusement fait l'acquisition d'un bouquet de fleurs, avant de traverser Grosvenor Square pour se rendre à Bridgerton House. N'ayant jamais courtisé une demoiselle de bonne famille, il ne maîtrisait pas les subtilités du rituel.

Presque immédiatement, un majordome vint ouvrir la porte. Simon lui tendit sa carte. L'homme, un grand échassier au visage en lame de rasoir, la parcourut d'un regard rapide et hocha la tête.

— Si monsieur veut bien me suivre, murmura-t-il.

Manifestement, songea Simon, on l'attendait.

Ce à quoi *lui* ne s'attendait pas, en revanche, c'est le spectacle qui s'offrit à lui lorsqu'il fut introduit dans le salon des Bridgerton.

Daphné, telle une apparition drapée de soie bleu glacier, était assise sur le bord d'un canapé tendu de damas vert, le visage éclairé d'un sourire radieux.

La vision aurait été des plus charmantes si la jeune femme n'avait pas été entourée de cinq ou six galants, dont l'un avait poussé le zèle jusqu'à tomber à ses genoux pour lui déclamer des vers.

S'il en jugeait aux tournures fleuries qui ornaient son propos, des boutons de roses n'allaient pas tarder à éclore sur les lèvres du beau parleur !

Simon observa le tableau avec un brin d'agacement. Il posa les yeux sur Daphné, laquelle couvait d'un regard patient le poète à deux sous, et attendit qu'elle remarque son arrivée.

Elle n'en fit rien.

S'apercevant alors que sa main libre s'était refermée en un poing serré, il parcourut lentement la pièce du regard en se demandant lequel de ces messieurs allait le premier tâter de sa colère.

Daphné continuait de sourire, et toujours pas à lui.

Le poète idiot ? C'était décidé ! Simon pencha légèrement la tête pour évaluer son coup. Allait-il le frapper côté gauche, ou droit ? Puis il se ravisa. Trop violent, songea-t-il. Une pichenette sur le menton suffirait à faire tomber le bellâtre à la renverse...

— Celui-ci, enchaîna le rimailleur d'un ton grandiloquent, je l'ai écrit hier soir en votre honneur.

Simon laissa échapper un grognement. Il avait reconnu dans le dernier poème une variation assez prétentieuse d'un sonnet de Shakespeare, mais il craignait de ne pas supporter une œuvre plus personnelle.

— Tiens ? Monsieur le duc de Hastings !

Levant les yeux, il vit que Daphné avait enfin remarqué sa présence.

Il la salua d'un hochement de tête, d'un air glacial qui tranchait assez nettement avec les mines empressées de ses sigisbées.

— Miss Bridgerton.

— Quelle bonne surprise ! s'exclama-t-elle, un sourire lumineux aux lèvres.

Tout de même, il préférait cela ! Rajustant sa prise sur son bouquet, il se dirigea vers elle... pour constater que trois jeunes gens se trouvaient sur son chemin, nullement décidés à lui céder le passage. Simon toisa le premier d'un regard glacial. Aussitôt le gamin – pas plus de vingt ans, à peine assez âgé pour être appelé un *homme* – se mit à tousser sans aucune élégance, avant de détaler vers le premier siège libre.

Simon s'apprêtait à poursuivre sa progression, déterminé à appliquer la même méthode sur le second obstacle, lorsque lady Bridgerton apparut devant lui, parée d'une robe indigo et d'un sourire aussi rayonnant que celui de Daphné.

— Lord Hastings ! s'écria-t-elle. Quelle joie de vous voir ! Votre présence nous honore.

— Tout le plaisir est pour moi, murmura-t-il en prenant sa main gantée pour l'effleurer de ses lèvres. Mademoiselle votre fille est une jeune personne exceptionnelle.

Un soupir de fierté maternelle jaillit des lèvres de la vicomtesse.

— Ces fleurs sont magnifiques ! s'extasia-t-elle, de l'air de quelqu'un qui s'arrache à une douce rêverie. Elles doivent au moins venir de Hollande ! Je suis sûre qu'elles vous ont coûté horriblement cher.

— Maman ! protesta Daphné en retirant sa main de celle d'un adorateur plus audacieux que les autres. Que voulez-vous que le duc réponde à cela ?

— Lui dire combien je les ai payées ? suggéra Simon, mi-figue, mi-raisin.

— Vous n'oseriez pas.

Il se pencha vers elle et demanda, d'une voix si basse qu'elle seule pouvait l'entendre :

— Ne m'avez-vous pas rappelé hier que j'étais un duc ? Il me semblait vous avoir entendue dire que je pouvais faire tout ce qui me plaisait.

— Oui, mais pas cela, répliqua-t-elle en chassant d'un geste de la main une telle hypothèse. Vous n'êtes pas assez grossier.

— Bien entendu, il ne l'est pas ! s'exclama la vicomtesse, manifestement horrifiée que Daphné puisse seulement employer cet adjectif en présence de Simon. Pourquoi le serait-il ? À quoi faites-vous donc allusion ?

— Aux fleurs, expliqua Simon. Ou plutôt, à leur prix. Daphné estime que je ne devrais pas vous le révéler.

— Vous me le direz tout à l'heure, murmura Violet en bougeant à peine ses lèvres. Quand elle ne nous écoutera pas.

Puis, s'étant dirigée vers le sofa de damas vert où sa fille se tenait parmi ses adorateurs, elle en chassa les occupants en un temps record. Simon ne put qu'admirer la précision militaire avec laquelle elle avait opéré la manœuvre.

— Eh bien, voilà ! déclara-t-elle. N'est-ce pas mieux ainsi ? Lord Hastings, venez donc vous asseoir ici.

— Vous voulez dire, là où lord Railmont et M. Crane se trouvaient voici quelques secondes ? demanda Daphné, toute innocence.

— Exactement.

Comment la vicomtesse parvenait-elle à éliminer toute trace de sarcasme de sa voix ? Mystère !

— D'ailleurs, M. Crane doit retrouver sa mère chez Gunter à trois heures.

Daphné consulta l'horloge.

— Il n'est que deux heures, maman.

— La circulation est épouvantable, ces jours-ci. Il y a bien trop de chevaux dans les rues.

— Certes, renchérit Simon, et il n'est pas convenable pour un fils de faire attendre sa mère.

— Voilà qui est bien dit, monsieur. Soyez-en certain, c'est selon ces principes que j'ai élevé mes enfants.

— Au cas où vous en douteriez, dit Daphné, je m'en porte garante.

— Si quelqu'un est bien placé pour en parler, répliqua Violet avec un demi-sourire, c'est bien vous, ma fille. Et maintenant, si vous voulez bien m'excuser, je vais devoir vous laisser quelques instants. Monsieur Crane ? Oh, monsieur Crane ! Votre maman ne me pardonnera jamais si je ne vous mets pas à la porte tout de suite.

Elle prit le malheureux par le bras pour l'entraîner avec énergie vers la sortie, sans même lui laisser le temps de prendre congé de Daphné.

Celle-ci se tourna vers Simon, amusée.

— Je ne saurais dire si elle se montre horriblement affable ou délicieusement mal élevée.

— À moins qu'elle ne soit délicieusement affable ? suggéra Simon, sans conviction.

Elle secoua la tête.

— En aucun cas.

— L'autre alternative, bien entendu, est…

— Horriblement mal élevée, conclut la jeune femme en suivant sa mère d'un regard pétillant de joie.

La vicomtesse, qui avait pris lord Railmont par le bras, fit pivoter celui-ci vers Daphné pour qu'il puisse la saluer de loin, puis le guida sans ménagement hors de la pièce. Aussitôt, comme par magie, les autres bellâtres s'éclipsèrent en murmurant de rapides au revoir.

— Quelle efficacité ! commenta Daphné.

— Positivement redoutable, acquiesça Simon.

— Elle va revenir, n'en doutez pas.

— Dommage. Moi qui espérais vous avoir pour moi tout seul !

Daphné éclata de rire.

— Je ne m'explique pas votre affreuse réputation. Vous êtes trop bienveillant pour la mériter.

— Dire que nous autres noceurs, nous nous vantons de notre impertinence !

— L'humour des libertins se nourrit en général de cruauté.

Surpris par cette remarque, Simon la regarda avec attention. Il scruta ses grands yeux marron, sans vraiment savoir ce qu'il y cherchait. Tiens ? Ses pupilles étaient cernées d'un petit halo vert, aux riches nuances de mousse dans la lumière du printemps… C'était la première fois qu'il la voyait en plein jour, songea-t-il.

— Monsieur ?

La douce voix de la jeune femme l'arracha à sa rêverie.

— Veuillez m'excuser, dit Simon en battant des cils.

— Vous aviez l'air d'être très loin, le gronda-t-elle.

— J'y suis allé pour de bon, rétorqua-t-il en s'obligeant à détourner le regard de ses yeux, et c'est fort différent d'ici.

Daphné laissa échapper un petit rire aux sonorités cristallines.

— Oui, c'est vrai… Dire que je ne suis jamais allée plus loin que le Lancashire ! Je dois vous paraître bien provinciale.

Simon ne releva pas ces paroles.

— Veuillez excuser ma distraction. Nous parlions de mon manque d'humour, je crois ?

— Non, et vous le savez aussi bien que moi.

Elle posa ses mains sur ses hanches.

— J'étais en train de vous dire que votre sens de l'humour est nettement supérieur à celui du premier libertin venu.

Simon arqua un sourcil.

— Vous ne faites pas figurer vos frères dans cette catégorie ?

— Nuance, rectifia-t-elle. Mes frères *se prennent* pour des libertins.

— Si Anthony n'en est pas un, que doivent endurer les conquêtes des hommes qui en sont, eux !

— Il ne suffit pas pour être un libertin de séduire des cohortes de femmes, déclara Daphné d'un ton léger. Un homme qui ne sait rien faire d'autre qu'enfoncer sa langue dans la bouche de la dame et de la...

Il sembla à Simon qu'un nœud se formait dans sa gorge.

— Vous ne devriez... pas parler de... ce genre de choses, articula-t-il avec peine.

Elle haussa les épaules d'un geste insouciant.

— Vous ne devriez même pas en avoir entendu parler ! insista-t-il.

— J'ai quatre frères, répondit-elle. Enfin, trois. Gregory est trop jeune, il ne compte pas.

— Quelqu'un devrait leur apprendre à surveiller leur langage en votre présence.

Elle esquissa un nouveau geste amusé.

— La plupart du temps, ils ne remarquent même pas que je suis là !

Cela, Simon avait bien du mal à le croire !

— Allons, nous avons encore dévié de notre sujet, reprit-elle. Tout ce que je voulais dire, c'est qu'un authentique libertin ne sait rire qu'aux dépens des autres. Il lui faut une victime, car il n'imagine pas rire de lui-même. Vous, monsieur le duc, vous possédez un certain talent pour l'autodérision.

— Je ne sais pas si je dois vous remercier ou vous étrangler.

— Vous voulez m'assassiner ? Grand Dieu, pourquoi donc ?

Elle rit de nouveau, d'un rire spontané qui toucha Simon au plus profond de son être. Il s'obligea à expirer lentement, mais les sourdes pulsations de son cœur se calmèrent à peine. Si elle continuait, il ne répondait plus de rien…

Elle le regarda, lèvres entrouvertes sur la promesse d'un nouvel accès d'hilarité.

— Je crois que je vais vous étrangler, à la réflexion, la menaça Simon. Vous l'aurez bien mérité !

— Voyez-vous cela ! En vertu de quel principe ?

— Celui du respect que vous devez à un homme.

— L'équivalent du respect que *vous* devez à une femme ?

— Je… Bon sang, où est votre frère ? demanda Simon en cherchant autour de lui. Je commence à vous trouver bien hardie ; il est temps que quelqu'un vous ramène dans le droit chemin.

— Anthony ne devrait pas tarder à nous rejoindre. En fait, je suis même étonnée qu'il n'ait pas déjà fait son apparition. Il était très fâché, hier soir ; j'ai dû subir un interminable sermon sur vos péchés et vos crimes.

— Mes péchés étaient certainement exagérés.

— Et vos crimes ?

— Probablement véridiques, admit Simon, un peu penaud.

Cette réponse lui valut un nouveau sourire de miss Bridgerton.

— Eh bien, à tort ou à raison, il est persuadé que vous avez une idée derrière la tête.

— Mais *j'ai* une idée derrière la tête !

Elle leva les yeux au plafond d'un air agacé.

— Je parle d'une idée criminelle.

— J'aimerais bien ! gémit Simon à mi-voix.

— Pardon ?

— Rien, rien…

Elle fronça les sourcils.

— Il me semble que nous devrions mettre Anthony dans la confidence.

— À quoi bon ?

Daphné songea aux remontrances qu'elle avait subies la veille au soir, mais elle se contenta de répondre :

— Eh bien… je vous laisse le plaisir de découvrir cela par vous-même.

Simon haussa les sourcils, intrigué.

— Ma chère Daphné…

Elle le regarda, stupéfaite, et il ajouta :

— Vous n'avez tout de même pas l'intention de m'obliger à vous donner encore longtemps du « miss Bridgerton », j'espère ?

Il poussa un soupir théâtral.

— Après tout ce que nous avons traversé ensemble !

— Nous n'avons rien traversé du tout, monsieur le Cabotin, mais je suppose que vous pouvez néanmoins m'appeler Daphné.

— Parfait.

Puis, avec un hochement de tête condescendant :

— Et vous, vous pouvez m'appeler monsieur le duc.

Elle lui donna une tape sur le bras.

— C'est bon ! s'écria-t-il en réprimant une envie de rire. Simon, puisqu'il le faut.

— Oh, il le faut absolument, renchérit Daphné d'un air de martyre. Je consens donc à le faire.

Il se pencha vers elle, une lueur nouvelle au fond de ses prunelles bleu glacier.

— Vous consentez ? répéta-t-il dans un murmure. Je brûle d'impatience…

Daphné ne put chasser la troublante impression qu'il évoquait quelque chose de bien plus inavouable que le fait de l'appeler par son prénom. Une soudaine chaleur courut sous sa peau. Dans un réflexe, la jeune femme recula d'un pas.

— Ces tulipes sont superbes, dit-elle sans réfléchir.

Il les examina paresseusement, tout en faisant tourner le bouquet d'un geste gracieux du poignet.

— Oui, n'est-ce pas ?

— Elles me plaisent beaucoup.

— Tant mieux, mais elles ne sont pas pour vous.

Daphné ouvrit des yeux ronds de surprise.

— Elles sont pour votre mère.

Un petit cri de stupeur s'échappa des lèvres de la jeune femme.

— Vous êtes machiavélique ! Elle va littéralement fondre à vos pieds. D'un autre côté, vous prenez un risque…

— Lequel ? s'enquit Simon avec une pointe d'amusement.

— Celui de la renforcer dans sa détermination à vous mettre le grappin dessus. Vous serez tout autant pris d'assaut lors des bals qu'auparavant, et notre petit complot aura été vain.

— Impossible, répliqua-t-il. Les hordes de mères ambitieuses, c'est du passé ! Désormais, je n'en ai plus qu'une seule à supporter.

— Oui, mais laquelle ! Sa ténacité pourrait vous surprendre, l'avertit Daphné.

Puis, tournant les yeux vers la porte entrouverte :

— Elle doit vraiment vous apprécier, ajouta-t-elle, car elle nous laisse seuls bien plus longtemps que ne le voudraient les convenances.

Simon réfléchit à ces paroles et se pencha vers elle pour murmurer :

— Nous épierait-elle, derrière le battant ?

Daphné secoua la tête.

— Non, nous aurions entendu le claquement de ses chaussures dans le couloir.

Cette réponse le fit sourire, et ils échangèrent un regard amusé.

— Au fait, reprit-elle, je profite de ce qu'elle n'est pas encore de retour pour vous remercier.

— Ah ? De quoi donc ?

— Votre plan fonctionne encore mieux que prévu. Avez-vous vu le nombre de prétendants qui étaient là, tout à l'heure ?

Simon croisa les bras, au risque de laisser choir son bouquet.

— J'ai remarqué, oui.

— C'est une vraie réussite ! Jamais je n'ai reçu autant de visites en une seule journée ! Maman était folle de joie. Même Humboldt, le majordome, semblait aux anges, lui qui a toujours l'air renfrogné… Oh ! Attention, vous allez faire tomber de l'eau partout.

Par réflexe, Daphné s'approcha de lui pour redresser les fleurs. Dans son mouvement, son avant-bras effleura le devant de sa redingote. La jeune femme sursauta, surprise par la chaleur et l'impression de puissance qui émanaient de lui.

Bonté divine ! Si elle pouvait les percevoir à travers sa veste et sa chemise, que serait-ce s'il était…

Une soudaine brûlure envahit ses joues. Elle devait avoir les joues en feu.

— Je donnerais ma fortune pour connaître vos pensées, chuchota le duc, manifestement intrigué.

Par chance, la vicomtesse choisit cet instant pour réapparaître dans le salon.

— Je suis absolument confuse de vous avoir abandonnés si longtemps, dit-elle. L'un des chevaux de M. Crane a perdu un fer, et j'ai dû l'accompagner jusqu'aux écuries et trouver un lad pour réparer les dégâts.

De sa vie, jamais Daphné n'avait vu sa mère s'aventurer dans les écuries !

— Vous êtes une hôtesse exceptionnelle, déclara Simon en lui tendant les tulipes. Tenez, ces fleurs sont pour vous.

— Pour moi ?

La vicomtesse en demeura bouche bée, tandis qu'un drôle de petit soupir s'échappait de ses lèvres.

— Il me semble que…

Elle regarda Daphné, puis Simon, et de nouveau sa fille.

— Vraiment ?

— Tout à fait !

Violet battit des cils, le regard embué. Personne ne lui offrait jamais de fleurs, songea soudain Daphné. Du moins, pas depuis que son père était mort, une dizaine d'années plus tôt. Violet était tellement mère que Daphné avait oublié qu'elle était aussi femme.

— Je ne sais que dire, murmura la vicomtesse d'une voix enrouée par l'émotion.

— Essayez « Merci », chuchota Daphné à son oreille avec un sourire chaleureux.

— Oh, Daphné ! Vous êtes encore pire que vos frères ! s'écria Violet, qui n'avait jamais paru aussi jeune aux yeux de sa fille. Merci, monsieur. Elles sont superbes, mais votre attention me touche plus encore que leur beauté. Je ne suis pas près de l'oublier.

Hastings parut sur le point de dire quelque chose, mais il se contenta de hocher la tête en souriant.

En remarquant la lueur de joie intense qui éclairait le regard bleu de sa mère, Daphné comprit, un peu honteuse, que jamais aucun de ses huit enfants n'avait fait preuve d'autant de délicatesse envers elle que l'homme qui se tenait à son côté.

Puis il lui vint à l'esprit qu'il aurait fallu être la dernière des sottes pour ne pas tomber follement amoureuse de celui-ci.

Bien entendu, tout aurait été encore plus parfait s'il avait eu la bonne idée d'éprouver pour elle les mêmes tendres sentiments…

— Maman, voulez-vous que j'aille vous chercher un vase ?

— Hum ? fit Violet, trop occupée à savourer le parfum des tulipes pour écouter sa fille. Oh ! Oui, bien sûr. Demandez à Humboldt d'apporter celui de ma grand-mère, en cristal taillé.

Daphné adressa un sourire reconnaissant au duc et se dirigea vers la porte. Elle n'avait pas effectué deux pas que la haute et massive silhouette de son frère aîné s'encadrait dans la porte.

— Daphné, grommela Anthony. Je te cherchais, justement.

La jeune femme décida que la meilleure stratégie consistait à ignorer sa mauvaise humeur.

— Un instant, je te prie, dit-elle d'un ton docile. Maman m'a demandé d'aller lui chercher un vase. Le duc lui a apporté des fleurs.

— Hastings est là ?

Anthony braqua son regard par-dessus l'épaule de Daphné, vers l'intérieur du salon.

— Que venez-vous faire ici ?

— Présenter mes hommages à mademoiselle votre sœur.

Anthony entra dans la pièce d'un pas furieux.

— Je ne vous ai pas autorisé à la courtiser, maugréa-t-il.

— Moi, si, intervint Violet.

La vicomtesse tendit le bouquet sous le nez de son fils aîné et l'agita, comme pour lui barbouiller le visage de pollen.

— Ne sont-elles pas superbes ?

Anthony éternua et écarta les fleurs d'un geste impatient.

— Mère, j'essaie d'avoir une conversation avec le duc de Hastings.

Violet pivota vers ce dernier.

— Voulez-vous discuter avec mon fils ?

— Pas particulièrement.

— Très bien. Anthony, taisez-vous.

Daphné tenta, sans succès, d'étouffer d'une main le fou rire qui jaillissait de ses lèvres.

— Toi, la menaça Anthony, tiens-toi tranquille !

— Je vais chercher ce vase, marmonna-t-elle.

— En me laissant aux prises avec votre frère ? demanda Simon sans enthousiasme. Je ne préférerais pas.

Daphné leva un sourcil amusé.

— Ne me dites pas que vous n'êtes pas assez vaillant pour vous expliquer avec lui !

— Aucunement, mais il est *votre* problème, pas le mien, et…

— Que diable tramez-vous ? gronda Anthony.

— Anthony ! s'écria Violet. Je ne tolérerai pas un tel comportement dans mon salon.

Daphné étouffa un petit rire moqueur.

Simon ne fit rien d'autre qu'incliner la tête de côté pour considérer son ami d'un air intrigué.

Anthony leur lança à tous deux un regard noir, avant de se tourner vers sa mère.

— Il ne faut pas lui faire confiance. Savez-vous ce qui se passe, ici ?

— Bien entendu, répondit Violet. Monsieur le duc rend visite à votre sœur.

— Et j'apporte des fleurs à madame votre mère, ajouta Simon d'un ton affable.

En voyant le regard mauvais qu'Anthony dardait sur lui, Simon eut la nette impression que celui-ci éprouvait une folle envie de lui écraser son poing sur le visage.

Puis il s'adressa de nouveau à sa mère :

— Savez-vous exactement quelle est sa réputation ?

— Les anciens libertins font les meilleurs maris, déclara Violet.

— Ce sont des fadaises, et vous le savez.

— De toute façon, ce n'est pas un vrai libertin, corrigea Daphné.

Le coup d'œil qu'Anthony lança à sa sœur était si furieux que c'en était comique. Simon ravala de justesse un éclat de rire, aidé en cela par la certitude que la moindre manifestation d'ironie risquait fort, dans la bataille intérieure que livrait Anthony entre sa colère et sa bonne éducation, de faire pencher la balance en faveur des instincts les plus bas de celui-ci.

— Vous ignorez tout, dit Anthony d'une voix vibrante de rage contenue. Vous ignorez tout de ce qu'il a fait !

— Bah ! Rien de plus que ce que *vous* avez fait, rétorqua Violet, espiègle.

— Précisément ! tonna le jeune homme. Bon sang, je sais exactement à quoi il pense en ce moment même, et cela n'a qu'un rapport très lointain avec les sonnets fleuris et les bouquets de roses !

À ces mots, Simon s'imagina en train de déposer Daphné sur un lit de pétales de roses.

— Avec les roses, je ne dis pas… murmura-t-il.

— Je vais le tuer !

— Tuer un homme qui m'apporte des fleurs ? Vous n'y songez pas ! Et d'ailleurs, ce sont des tulipes. De Hollande, qui plus est. Alors maîtrisez-vous un peu, Anthony. Tout ceci est parfaitement déplacé.

— Cet homme n'est même pas digne de lécher les bottines de Daphné !

De nouveau, une image des plus suggestives s'imposa à l'esprit de Simon… mais cette fois, il jugea plus prudent de s'abstenir de tout commentaire.

Au demeurant, il n'était pas question de laisser ses pensées prendre un cours aussi risqué. Daphné était la sœur d'Anthony, nom de nom ! Il ne pouvait pas la séduire !

— Je refuse d'entendre plus de remarques désobligeantes à l'égard de monsieur le duc, déclara Violet. Le débat est clos.

— Mais…

— Je n'aime pas votre ton, Anthony Bridgerton !

Simon crut entendre Daphné pouffer de rire. En quoi cela était-il si drôle ?

— Si Votre Sérénissime Maternité m'y autorise, demanda Anthony d'une voix vibrante de colère, j'aimerais avoir une discussion privée avec monsieur.

— Cette fois-ci, je vais vraiment chercher ce vase, annonça Daphné avant de s'éclipser.

Violet croisa les bras d'un air de défi.

— Je ne tolérerai pas que vous maltraitiez un hôte sous mon toit.

— Vous avez ma parole que je ne lèverai pas la main sur lui.

N'ayant pas eu de mère, Simon trouvait cet échange des plus fascinants. Aux yeux de la loi, Bridgerton House n'appartenait pas à la vicomtesse, mais à son fils aîné, et Simon s'étonnait que ce dernier ne se fût pas prévalu de cet argument.

— Tout va bien, madame, la rassura-t-il. Je suis sûr qu'Anthony et moi avons beaucoup à nous dire.

— Beaucoup, approuva celui-ci, furieux.

— Ma foi, comme il vous plaira, répondit lady Bridgerton. De toute façon, vous n'en ferez qu'à votre tête. En revanche, je n'ai pas l'intention de m'en aller.

Elle prit place dans le sofa.

— Ce salon est le mien, et j'y suis fort bien. Si vous voulez engager l'un de ces échanges grotesques qui font office de conversation chez les mâles de votre espèce, libre à vous, mais pas ici.

Simon n'en croyait pas ses oreilles. Décidément, la mère de Daphné était une femme surprenante !

Voyant qu'Anthony désignait la porte d'un coup de menton, il le suivit dans le couloir.

— Mon cabinet de travail est par là.

— Vous disposez d'un bureau ici ?

— Je suis le chef de famille.

— Certes, admit Simon, mais vous habitez ailleurs.

Anthony fit halte pour darder sur lui un œil inquisiteur.

— Il ne vous aura pas échappé, je suppose, que ma position de fils aîné implique un certain nombre de responsabilités.

Simon soutint tranquillement son regard.

— Feriez-vous allusion à Daphné ?

— Précisément.

— Si ma mémoire est bonne, vous m'avez dit voici quelques jours vouloir nous présenter l'un à l'autre.

— C'était *avant* que je découvre que vous vous intéressiez à elle.

Simon garda le silence jusqu'à ce qu'Anthony le fasse entrer dans son bureau et ferme la porte derrière eux.

— J'aimerais bien savoir, s'enquit-il calmement, pour quelle raison je ne m'intéresserais pas à elle ?

— En dehors du fait que vous m'avez juré n'avoir aucunement l'intention de convoler en justes noces ? demanda Anthony d'un ton acerbe.

Un point pour lui ! songea Simon, contrarié.

— En dehors de cela, admit-il.

Anthony parut hésiter.

— Personne ne s'intéresse à Daphné. Du moins, personne à qui nous accorderions sa main.

Simon croisa les bras et s'assit négligemment sur un coin de table.

— Vous ne la tenez pas en très haute estime, on dir… ?

Avant qu'il ait eu le temps d'achever sa question, Anthony l'avait saisi à la gorge.

— Je vous interdis de manquer de respect à ma sœur !

Hélas pour lui, Simon avait appris, durant ses voyages au long cours, quelques rudiments de combat à mains nues. Deux secondes plus tard, il avait inversé leurs positions.

— J'éprouve le plus grand respect pour mademoiselle votre sœur, rétorqua-t-il d'un ton volontairement menaçant. Pour vous, en revanche…

Entendant un son étranglé jaillir des lèvres d'Anthony, Simon le libéra.

— Il se trouve, reprit-il en se frottant les mains, que Daphné m'a expliqué pour quelle raison elle n'avait attiré aucun prétendant convenable.

— Ah oui ? ricana Anthony.

— Pour ma part, je crois que vos manières de brutes, à vos frères et à vous, y sont pour beaucoup.

D'après elle, cela est dû au fait que tout le monde à Londres ne voit en elle qu'une bonne camarade, et non une figure romantique.

Anthony observa un long silence.

— Hum… marmonna-t-il.

Puis, après une nouvelle pause :

— Elle a sans doute raison, dit-il, pensif.

Sans un mot, Simon étudia son ami, absorbé dans une profonde réflexion.

— Malgré tout, je n'aime pas vous voir tourner autour d'elle.

— Bonté divine, on dirait que vous allez mordre !

À son tour, Anthony croisa les bras sur sa poitrine.

— N'oubliez pas que nous avons fait les quatre cents coups ensemble, à Oxford. Je vous ai vu à l'œuvre.

— Pour l'amour du Ciel, Bridgerton, nous avions vingt ans ! À cet âge, les hommes sont tous des ânes. Et d'ailleurs, vous savez très bien que je ne m… m…

Comprenant qu'il perdait le contrôle de son élocution, Simon feignit d'être secoué par une quinte de toux. Enfer ! Il était presque parvenu à enrayer ce maudit bégaiement, sauf lorsqu'il était très en colère. S'il se laissait déborder par ses émotions, sa diction se brouillait aussitôt. C'était aussi simple que cela.

Malheureusement, quand cela se produisait, il en était furieux, ce qui ne faisait qu'aggraver le problème. Un véritable cercle vicieux !

— Que vous arrive-t-il ? s'enquit Anthony d'un air intrigué.

— Une poussière… dans la gorge, mentit Simon.

— Voulez-vous du thé ?

Simon hocha la tête. Il n'avait pas particulièrement envie de boire du thé, mais il lui semblait que c'était ce que demanderait quelqu'un ayant réellement une poussière dans la gorge.

Anthony actionna le cordon de la sonnette, puis se tourna de nouveau vers lui.

— Vous disiez ?

Simon toussota une dernière fois, dans l'espoir que cela l'aiderait à maîtriser sa colère.

— Je vous faisais juste remarquer que, comme vous le savez mieux que quiconque, je ne mérite pas la moitié de ma réputation.

— Certes, mais je parlais de l'*autre* moitié, celle que vous méritez, et si je ne vois aucune objection à ce que vous croisiez Daphné à l'occasion, je ne vous laisserai pas la courtiser.

Incrédule, Simon regarda son ami – ou plus exactement celui en qui il avait toujours vu un ami… jusqu'à présent.

— Vous êtes donc persuadé que j'ai l'intention de la séduire comme n'importe quelle grisette ?

— J'ignore quelles sont vos intentions. Ce que je sais, en revanche, c'est que vous n'envisagez pas de vous marier… alors que Daphné, elle, ne désire que cela.

Il leva les mains en signe d'incompréhension.

— Cela me suffit pour préférer vous voir chacun d'un côté de la piste de danse.

Simon laissa échapper un long soupir. Si la réaction d'Anthony était des plus agaçantes, elle était assez logique, pour ne pas dire louable. Après tout, son ami n'avait d'autre intention que de protéger les intérêts de sa sœur. Simon avait du mal, pour sa part, à s'imaginer responsable d'une autre personne que lui-même. Toutefois, il supposait que s'il avait eu une sœur, il aurait été sacrément pointilleux sur la qualité de ses prétendants…

Il en était là de ses réflexions lorsque des coups furent frappés à la porte.

— Entrez ! répondit Anthony.

Simon s'était attendu à voir la bonne apportant le thé, mais c'est Daphné qui fit son apparition :

— Maman me dit que vous êtes tous les deux d'une humeur exécrable et que je serais mieux avisée de vous laisser tranquilles, mais je préférais m'assurer que vous n'étiez pas en train de vous entretuer.

— Pas encore, répliqua Anthony. Nous nous sommes juste un peu étranglés.

Daphné, admirable de maîtrise de soi, demeura parfaitement impassible.

— Oh. Lequel a étranglé l'autre ?

— Moi le premier, puis il m'a retourné la politesse.

— Dommage ! s'écria-t-elle. J'arrive trop tard.

Simon ne put s'empêcher de sourire.

— Daphné… commença-t-il.

Anthony sursauta.

— Vous l'appelez par son prénom ?

Puis, se tournant vers sa sœur :

— Tu lui en as donné la permission ?

— Bien entendu.

— Mais…

— Ne pensez-vous pas, intervint Simon, que le moment est venu de tout lui révéler ?

La jeune femme acquiesça d'un air grave.

— Tout à fait d'accord. Si vous vous souvenez, je l'avais bien dit !

— Comme c'est délicat de votre part de le faire remarquer, marmonna Simon.

Une expression de triomphe éclaira le visage de Daphné.

— Je n'ai pas pu résister. Avec quatre frères, on apprend vite à profiter du moment où l'on peut s'exclamer : « Je l'avais bien dit ! »

Simon regarda Daphné, puis Anthony, puis de nouveau Daphné.

— Je ne sais pas lequel de vous deux je plains le plus ! soupira-t-il.

— Allez-vous me dire ce que vous manigancez ? s'impatienta Anthony.

Puis, changeant de ton :

— Et pour répondre à votre question, c'est moi qu'il faut plaindre. Je suis un frère aimant et bienveillant, tandis qu'elle…

— Faux ! protesta Daphné.

Sans prêter attention à leur dispute, Simon se tourna vers Anthony.

— Vous voulez savoir ce que nous tramons ? Je vais tout vous dire…

7

Les hommes sont comme les moutons de Panurge. Là où l'un va, les autres suivent…

LA CHRONIQUE MONDAINE DE LADY WHISTLEDOWN, 30 avril 1813

Dans l'ensemble, songea Daphné, Anthony prenait plutôt bien la chose. Lorsque Simon acheva de lui résumer leur petit complot – non sans, elle devait l'admettre, de fréquentes interruptions de sa part –, Anthony n'avait élevé la voix que sept fois.

Soit sept fois de moins que Daphné ne l'avait craint.

Finalement, après qu'elle l'eut prié de tenir sa langue jusqu'à ce que Simon et elle aient terminé leur explication, Anthony hocha la tête, croisa les bras et garda les lèvres serrées. Son expression furieuse était proprement effrayante, mais il tint parole et s'abstint de tout commentaire.

Jusqu'à ce que Simon achève son récit par un « Et voilà toute l'histoire » qui résonna étrangement dans l'air soudain immobile.

Anthony conserva un mutisme si parfait pendant une dizaine de secondes que Daphné aurait juré qu'elle entendait le mouvement de ses propres yeux qui allaient, inquiets, d'Anthony à Simon, et inversement.

Puis son frère reprit la parole.

— Avez-vous perdu la tête ?

— Je me disais bien qu'il réagirait comme cela, marmonna Daphné.

— Êtes-vous aussi désespérément, aussi abominablement, aussi irrémédiablement fous l'un que l'autre ? enchaîna le jeune homme. Je ne sais pas lequel de vous est le plus insensé des deux !

— Vas-tu te taire ? chuchota Daphné. Maman va t'entendre.

— Mère ferait une crise cardiaque si elle apprenait à quoi tu joues, répliqua Anthony, d'un ton un peu plus bas.

— Ce qui ne se produira pas, n'est-ce pas ?

— Non, répondit Anthony, car votre petit complot prend fin à cet instant même.

Daphné croisa les bras.

— Tu ne pourras pas m'en empêcher.

D'un coup de menton, Anthony désigna Simon.

— Il me suffirait de le tuer.

— Ne sois pas ridicule !

— Il y a eu des duels pour moins que ça !

— Oui, entre crétins, précisa Daphné.

— Dans ce domaine, je ne lui disputerai pas le titre, rétorqua Anthony.

— Si je puis me permettre… commença Simon.

— C'est ton meilleur ami, fit valoir Daphné.

— C'*était,* rectifia Anthony d'une voix vibrante de rage contenue.

Daphné se tourna vers Simon, outrée.

— Et vous ne dites rien ?

Il étira ses lèvres en un sourire guindé.

— Encore faudrait-il qu'on m'en laisse l'occasion.

Anthony pivota vers lui.

— Vous allez quitter cette maison sur-le-champ.

— Avant d'avoir pu plaider ma cause ?

— Nous sommes aussi chez moi, s'emporta Daphné, et pour ma part, je désire qu'il reste.

Son frère lui lança un regard exaspéré.

— Très bien. Je vous donne deux minutes pour votre défense, pas une de plus.

Daphné jeta un coup d'œil hésitant à Simon, songeant qu'il préférerait peut-être parler à sa place, mais celui-ci, dans un haussement d'épaules fataliste, déclara :

— À vous l'honneur. Après tout, c'est *votre* frère.

Elle prit une profonde inspiration pour se donner du courage et, posant les mains sur ses hanches dans un geste machinal :

— Tout d'abord, tu dois savoir que j'ai bien plus à gagner avec ce pacte que monsieur le duc. Il prétend qu'il veut m'utiliser pour se protéger des autres jeunes femmes…

— Et de leurs mères, précisa Hastings.

— … et de leurs mères, mais entre nous, je pense qu'il se trompe. On ne cessera pas de le harceler pour la seule raison qu'on le croira épris d'une autre… surtout s'il s'agit de moi !

— Quel est le problème avec toi ? s'étonna Anthony.

Daphné s'apprêtait à répondre, mais elle se ravisa en interceptant le drôle de regard que les deux hommes échangeaient.

— Eh bien, qu'y a-t-il ? demanda-t-elle.

— Rien, marmonna Anthony d'un air penaud.

— J'ai expliqué à votre frère votre théorie sur les raisons de votre manque de prétendants, dit le duc avec gentillesse.

— Je vois…

Elle se mordit les lèvres, ne sachant si elle devait ou non s'en offusquer.

— Entre nous, ajouta-t-elle, il aurait pu s'en douter tout seul.

Pour toute réponse, le duc émit un ricanement dubitatif.

Daphné leur adressa un regard sévère.

— J'espère que ces interruptions ne seront pas comptabilisées dans mes deux minutes !

Simon esquissa un geste évasif.

— C'est lui qui tient la montre.

Daphné vit son frère serrer les doigts sur le rebord du bureau, peut-être pour les empêcher de se refermer sur le cou de Hastings.

— Et c'est lui, menaça Anthony, qui va passer à travers la fenêtre tête la première s'il ne la met pas en sourdine.

— Vous voyez, commenta Daphné sans dissimuler son agacement, je me suis toujours demandé si les hommes n'étaient pas un peu stupides. Maintenant, j'ai la réponse.

Le duc sourit.

— En tenant compte des interruptions, déclara Anthony en décochant un regard meurtrier à Hastings, il te reste une minute et demie.

— Très bien. Dans ce cas, je m'en tiendrai à un seul fait. Aujourd'hui, j'ai eu six visiteurs. Six ! Te souviens-tu de la dernière fois que cela est arrivé ?

Anthony lui jeta un regard vide.

— Moi, je ne peux pas, poursuivit-elle, pleine d'énergie. Pour la bonne raison que cela n'est *jamais* arrivé. Cet après-midi, six hommes ont gravi l'escalier de la maison, frappé à la porte, donné leur carte à Humboldt. Six bons partis m'ont apporté des fleurs, fait la conversation, et il y en a même un qui m'a déclamé des vers.

À ces mots, Simon tressaillit.

— Et sais-tu *pourquoi* ? s'emporta Daphné, élevant dangereusement la voix. Le sais-tu ?

Anthony, avec une sagesse inédite chez lui, ne répondit pas.

— Parce que ce monsieur…

De la main, elle désigna Simon.

— … a eu la bonté de feindre un certain intérêt pour ma personne hier soir au bal de lady Danbury.

Simon, jusque-là tranquillement assis sur le coin du bureau, se redressa soudain.

— Tout de même, s'exclama-t-il, je ne l'aurais pas formulé ainsi !

Elle tourna vers lui un regard parfaitement impassible.

— Et comment l'auriez-vous formulé, je vous prie ?

Il n'eut pas le temps de répliquer qu'elle enchaînait :

— Parce que je peux vous affirmer qu'aucun de ces messieurs n'avait jamais songé à m'honorer de sa visite, jusqu'à présent.

— S'ils sont aveugles à ce point, lança Simon avec calme, pourquoi vous souciez-vous qu'ils vous regardent ou non ?

La jeune femme ne répondit pas. En la voyant reculer d'un pas, Simon eut la pénible impression d'avoir commis une bourde… impression confirmée lorsqu'il la vit battre des cils.

Bon sang, elle pleurait…

Elle essuya ses yeux en toussotant, plaçant sa main devant sa bouche afin de dissimuler la manœuvre, mais Simon n'était pas dupe. Il s'était comporté comme le dernier des goujats.

— Ah, bravo ! grommela Anthony.

Il fusilla Simon du regard et posa une main protectrice sur le bras de sa sœur.

— Ne fais pas attention à lui, Daph'. C'est un âne.

— Peut-être, rétorqua-t-elle dans un hoquet, mais un âne sensible et intelligent.

Anthony laissa échapper un soupir de lassitude.

— Six visiteurs, tu as dit ?

Elle hocha la tête.

— Sept, en comptant monsieur.

— Et… commença-t-il, prudent, y en avait-il certains parmi eux que tu envisagerais d'épouser ?

Prenant conscience qu'il était en train de s'enfoncer les doigts dans les cuisses, Simon s'obligea à poser les mains sur le bureau.

Daphné acquiesça de nouveau.

— Ce sont tous des hommes avec qui j'ai eu des relations amicales. Le seul détail qui change, c'est qu'ils n'ont jamais vu en moi une candidate sérieuse pour le mariage, jusqu'à ce que monsieur le duc leur donne l'exemple. Si l'occasion m'en était offerte, je pense que je pourrais développer un attachement plus profond pour l'un d'entre eux.

— Mais... ! s'écria Simon, avant de s'interrompre.

— Oui ? s'enquit Daphné d'un air intrigué.

Simon avait failli dire que si ces messieurs ne s'étaient décidés à la remarquer que parce que lui, duc de son état, avait manifesté de l'inclination pour elle, ils étaient parfaitement stupides, et que par conséquent elle ne pouvait envisager un seul instant d'épouser l'un d'entre eux. Puis, se souvenant qu'il avait lui-même fait valoir que son intérêt pour elle lui attirerait des prétendants, il comprit qu'avancer cet argument reviendrait à couper la branche sur laquelle il était assis.

— Rien, répliqua-t-il finalement en levant la main. Cela n'a aucune importance.

Daphné attendit quelques instants, comme pour s'assurer qu'il ne changerait pas d'avis, puis elle se tourna de nouveau vers son frère.

— Dans ce cas, tu comprends la sagesse de notre plan ?

— « Sagesse » est un peu exagéré, mais...

Manifestement, Anthony avait du mal à l'admettre.

— ... je vois quels bénéfices tu penses que tu pourrais éventuellement en retirer.

— Anthony, je dois trouver un époux. Outre le fait que maman me fait une vie infernale à ce sujet, je *veux* me marier et fonder une famille. C'est même mon plus cher désir, mais jusqu'à présent, aucun parti acceptable ne s'est présenté.

Où Anthony trouvait-il la force de résister à ces grands yeux marron qui le suppliaient ? Simon n'en avait aucune idée. De fait, quelques instants plus tard, ses épaules s'affaissèrent tandis qu'il laissait échapper un soupir épuisé.

— C'est bon, déclara le jeune homme en fermant les yeux, comme s'il ne pouvait croire que c'était bien lui qui disait cela. Je vous donne mon accord, puisque vous ne me laissez pas le choix.

Daphné s'élança vers lui pour le serrer sur son cœur.

— Oh, Anthony! Je savais que tu étais le meilleur des frères!

Puis, après avoir déposé un baiser sur sa joue :

— Il arrive seulement que tu sois parfois mal inspiré, précisa-t-elle.

Anthony leva les yeux au plafond, avant de tourner le regard vers Simon.

— Vous voyez ce qu'on me fait subir? lança-t-il en secouant la tête d'un air impuissant.

En l'entendant parler de ce ton pathétique que prennent entre eux les hommes victimes d'odieuses machinations domestiques, Simon réprima un petit sourire de triomphe. Il venait de quitter son statut de vil séducteur pour retrouver celui de meilleur ami.

— Toutefois, ajouta Anthony en raffermissant sa voix, faisant reculer Daphné, je pose quelques conditions à votre diabolique entreprise.

La jeune femme se figea, attentive.

— Tout d'abord, rien de tout ceci ne doit sortir de cette pièce.

— Tu as ma parole, s'empressa d'acquiescer Daphné.

Anthony interrogea Simon du regard.

— Et la mienne aussi, promit-il.

— Mère ne s'en remettrait pas, si elle apprenait l'effroyable vérité.

— À vrai dire, murmura Simon, je pense plutôt qu'elle applaudirait notre ingéniosité, mais étant donné que vous la connaissez bien mieux que moi, je m'incline devant votre demande.

Anthony le transperça d'un regard glacial.

— En second lieu, vous ne devrez rester en tête à tête sous aucun prétexte. Aucun!

— Cela ne devrait pas être difficile, répondit Daphné, car nous n'y serions pas autorisés, même s'il me faisait réellement la cour.

Simon, qui n'avait rien oublié de leur brève – mais brûlante – rencontre dans les couloirs de lady Danbury, regrettait amèrement qu'on ne lui accorde plus aucun moment de solitude avec Daphné, mais il savait reconnaître un obstacle lorsqu'il s'en présentait un… surtout quand celui-ci s'appelait Anthony Bridgerton. Aussi se contenta-t-il de hocher la tête en signe d'assentiment.

— Troisièmement…

— Parce qu'il y a une *troisième* condition ? s'impatienta Daphné.

— Il y en aurait trente si je pouvais les trouver, grommela Anthony.

— Très bien, dit-elle de mauvaise grâce. Puisqu'il le faut…

L'espace d'un instant, Simon crut qu'Anthony allait étrangler sa sœur.

— Qu'y a-t-il de si drôle ? demanda ce dernier.

Simon prit alors conscience qu'il avait éclaté de rire.

— Rien ! s'empressa-t-il d'assurer.

— Bon, marmonna Anthony. Voici ma troisième condition. Si jamais je vous surprends, même une seule fois, dans une situation susceptible de la compromettre, si vous osez lui faire ne fût-ce qu'un baisemain sans la présence d'un chaperon, je vous arrache la tête.

Daphné battit des cils.

— N'est-ce pas un brin excessif ?

Anthony la toisa avec fermeté.

— Non.

— Oh.

— Hastings ?

Simon n'eut d'autre solution que d'acquiescer à cela également.

— Bien, maugréa Anthony. Maintenant que tout ceci est réglé…

D'un coup de menton, il désigna Simon.

— … je ne vous retiens pas.

— Anthony ! s'écria Daphné.

— Dois-je comprendre que l'invitation de ce soir ne tient plus ? s'enquit Simon.

— Exactement.

— Pas du tout ! protesta Daphné en donnant une tape sur le bras de son frère. Tu avais invité monsieur le duc à dîner ? Pourquoi ne m'en as-tu rien dit ?

— C'était il y a longtemps. Une éternité, marmonna Anthony.

— Lundi, très exactement, précisa Simon.

— Dans ce cas, vous devez rester, décréta Daphné. Maman sera ravie de vous avoir avec nous. Quant à toi…

Elle frappa son frère de plus belle.

— Arrête un peu de chercher tous les moyens possibles de lui empoisonner la vie.

Simon éclata de rire.

— Empoisonner ? Ne vous inquiétez pas pour cela, Daphné. Vous oubliez que j'ai étudié avec lui pendant une dizaine d'années. Votre frère n'a jamais rien compris aux principes de la chimie.

— Je vais le tuer, marmonna Anthony dans sa barbe. Avant la fin de la semaine, je l'aurai étranglé !

— Allons ! fit Daphné d'un ton léger. Demain, tu auras oublié tout ceci et vous irez fumer un havane au White.

— Je ne crois pas, répliqua Anthony, menaçant.

— Eh bien moi, si. Qu'en dites-vous, Simon ?

En scrutant le visage de son ami, celui-ci découvrit quelque chose de nouveau. Une lueur dans son regard. Un sérieux qu'il n'y avait jamais vu…

Lorsque, six ans plus tôt, Simon avait quitté les rivages de l'Angleterre, Anthony et lui n'étaient encore que des enfants. Oh, ils se *prenaient* pour des hommes ! Ils jouaient, faisaient la noce et se pavanaient en société, persuadés de leur propre importance…

À présent, ce n'était plus la même chose.

Ils *étaient* des hommes.

Simon avait compris que ce changement s'opérait en lui pendant ses voyages au long cours. Cela avait été une lente transformation, forgée jour après jour, au fil de chaque nouveau défi qu'il affrontait. À présent, il prenait conscience qu'il avait conservé, de retour au pays, l'image d'Anthony tel qu'il était à vingt-deux ans.

Il avait commis l'erreur de ne pas s'apercevoir que celui-ci aussi avait mûri. Qu'il portait des responsabilités que, pour sa part, il n'imaginait même pas. Qu'il avait des frères à guider, des sœurs à protéger.

Simon avait un duché, Anthony avait une famille.

La différence était de taille, et Simon ne pouvait blâmer son ami de se montrer extrêmement protecteur… pour ne pas dire franchement obtus.

— J'en dis, répondit-il enfin à Daphné, que votre frère et moi ne sommes plus ceux que nous étions il y a six ans, dans nos années d'insouciance, et qu'à mon avis, cela n'est peut-être pas une mauvaise chose.

Quelques heures plus tard, une folle effervescence s'était emparée de Bridgerton House.

Daphné, qui avait passé une robe du soir en velours émeraude dont quelqu'un lui avait dit un jour qu'elle faisait paraître ses yeux « un peu moins marron », arpentait le grand hall, cherchant en vain à calmer une Violet Bridgerton au comble de l'énervement.

— Je ne peux pas croire, s'écria celle-ci en pressant une main sur sa poitrine, qu'Anthony ait pu *oublier* de me dire qu'il avait proposé au duc de Hastings de dîner avec nous ! Je n'ai pas eu le temps de préparer quoi que ce soit !

La jeune femme parcourut le menu qu'elle tenait entre ses mains, et qui commençait par de la soupe à la tortue, proposait trois autres services, avant de s'achever par un agneau en sauce suivi, bien entendu, par un choix de quatre desserts. S'efforçant de bannir tout sarcasme de sa voix, elle répliqua :

— Il me semble que notre invité n'a aucune raison de se plaindre.

— Je l'espère, gémit Violet, mais si j'avais su qu'il venait, j'aurais ajouté du bœuf. On ne peut pas recevoir convenablement sans une pièce de bœuf !

— Il sait très bien que c'est un dîner sans façon.

Violet lui lança un regard exaspéré.

— Il n'y a pas de dîner sans façon quand un duc vous honore de sa présence !

Perplexe, Daphné regarda sa mère se tordre les mains de désespoir.

— Mère, je ne pense pas que le duc soit le genre d'homme à s'attendre à ce que nous changions du tout au tout nos habitudes à cause de lui.

— Lui, peut-être pas, mais moi, si. Il y a un certain nombre d'usages en société, Daphné, de règles de bonne conduite. En toute franchise, je m'étonne de votre calme et de votre indifférence.

— Je ne suis pas indifférente ! s'insurgea la jeune femme.

— En tout cas, vous n'avez pas l'air de vous affoler, rétorqua sa mère, soupçonneuse. Comment pouvez-vous demeurer aussi impassible ? Pour l'amour du Ciel, Daphné, cet homme envisage de vous *épouser* !

Daphné réprima de justesse un gémissement agacé.

— Il n'a jamais rien affirmé de la sorte, maman.

— Il n'en a pas besoin. Pour quelle autre raison aurait-il dansé avec vous hier soir ? La seule autre jeune fille à qui il a fait le même honneur est Pénélope Featherington, et nous savons vous et moi que cela ne pouvait être que par pure charité.

— J'aime beaucoup Pénélope, protesta Daphné.

— Moi aussi, et j'attends avec impatience le jour où sa mère comprendra qu'avec son teint, c'est un véritable crime de l'habiller en orange, mais là n'est pas la question.

— Alors où est-elle ?

— Je ne sais pas ! répliqua sa mère d'une voix presque geignarde.

Daphné secoua la tête, désolée.

— Je vais chercher Éloïse.

— Faites donc, répondit sa mère d'un air distrait. Et veillez à ce que Gregory soit d'une propreté irréprochable. Il ne se lave jamais derrière les oreilles. Et Hyacinthe… Seigneur, qu'allons-nous faire d'elle ? Le duc ne s'attend pas à trouver une gamine de dix ans à table !

— Maman ! lui reprocha Daphné avec patience. Anthony lui a dit que nous prenions le repas en famille.

— La plupart des parents ne convient pas leurs jeunes enfants à dîner avec eux, fit remarquer Violet.

— Eh bien, c'est leur problème.

Cédant à l'agacement qui montait en elle, Daphné laissa échapper un lourd soupir.

— Maman, j'en ai parlé avec le duc. Il a très bien compris qu'il ne s'agissait pas d'une occasion formelle, et il a même insisté sur le fait qu'il s'en réjouissait d'avance. N'ayant pas de famille, il n'a aucune idée de ce que peut être un repas chez les Bridgerton. C'est une expérience inédite, pour lui.

À ces mots, Violet pâlit.

— Dieu nous vienne en aide, murmura-t-elle.

— Allons, maman, je sais à quoi vous pensez. Je vous assure qu'il ne faut pas vous inquiéter ; Gregory ne s'amusera pas à écraser ses pommes de terre à la crème sur la chaise de Francesca. Je suis certaine qu'il est trop grand pour se livrer à de tels enfantillages, à présent.

— Mais… c'était la semaine dernière !

— Parfait, rétorqua Daphné du tac au tac. Dans ce cas, il n'aura pas eu le temps d'oublier sa correction.

Violet lui jeta un regard où se lisait la plus extrême perplexité.

— Très bien, reprit Daphné d'un ton nettement moins placide. Je vais lui promettre de l'assassiner s'il fait quoi que ce soit de nature à vous contrarier.

— Cela ne lui fera ni chaud ni froid, répondit sa mère. En revanche, si je le menace de vendre son cheval…

— Il ne vous croira pas.

— Exact. Je suis bien trop tendre avec lui, dit Violet en fronçant les sourcils. Toutefois, il m'écoutera si je lui dis qu'il sera privé de sa promenade quotidienne.

— Bonne idée, acquiesça Daphné.

— Alors c'est entendu. Je vais tout de suite essayer de faire entrer un peu de bon sens dans sa cervelle de moineau.

Violet s'élança, avant de faire halte pour pivoter sur elle-même.

— Éduquer des enfants, quel enfer !

Daphné se contenta de sourire. Cet enfer, sa mère ne l'aurait échangé contre aucun paradis sur terre.

D'une petite toux discrète, Violet indiqua que la conversation prenait un cours plus sérieux.

— J'espère que tout se passera bien ce soir, Daphné. Je pense que le duc de Hastings pourrait faire un excellent mari pour vous.

— Pourrait ? répéta Daphné. Je croyais que les ducs faisaient toujours de bons maris, même s'ils étaient bicéphales et bavaient en parlant… avec leurs deux bouches !

Elle ponctua sa réponse d'un joyeux éclat de rire qui arracha à sa mère un sourire indulgent.

— Vous aurez peut-être du mal à le croire, Daphné, mais je ne veux pas vous marier au premier venu. Si je vous présente à tant de bons partis, c'est seulement pour que vous ayez le plus de prétendants possible, afin de choisir le meilleur époux pour vous.

Un sourire nostalgique éclaira son visage.

— Mon vœu le plus cher est de vous voir aussi heureuse en ménage que je l'ai été avec votre père.

Et, sans laisser à sa fille le temps de répondre, elle s'éloigna…

Abandonnant Daphné à ses remords.

Peut-être cette mascarade avec le duc de Hastings n'était-elle pas une bonne idée, après tout. Violet serait au désespoir lorsqu'ils rompraient leurs prétendues fiançailles. Simon avait affirmé qu'il lui laisserait prendre l'initiative de la séparation, mais elle commençait à songer que l'inverse serait plus souhaitable. Certes, Daphné serait mortifiée d'être celle qui est quittée, mais au moins cela lui épargnerait-il les reproches et l'incompréhension de sa mère.

Car Violet la croirait folle de n'avoir pas su retenir un tel fiancé… et Daphné n'aurait plus qu'à se demander si sa mère n'avait pas raison.

Rien n'aurait pu préparer Simon à l'expérience que représentait un dîner de famille chez les Bridgerton. Autour de la table, ce n'étaient que rires et éclats de voix, à peine émaillés d'un léger incident impliquant un petit pois volant – il lui avait semblé que le petit pois en question provenait de l'extrémité de la table où se trouvait Hyacinthe, mais la benjamine des Bridgerton affichait un air si angélique qu'il avait du mal à croire qu'elle ait réellement pu viser son frère avec ce projectile.

Par chance, et bien qu'il eût décrit au-dessus de la tête de lady Bridgerton un arc parfait, le tir avait échappé à la vigilance maternelle.

Il n'avait en revanche pas échappé à Daphné, assise juste en face de Simon, s'il en jugeait à la rapidité avec laquelle elle avait couvert ses lèvres de sa serviette… sans doute pour dissimuler un éclat de rire. Car elle s'amusait follement, comme en témoignaient les petites rides autour de ses yeux.

Simon ne parla pas beaucoup pendant le repas. À dire vrai, il était plus facile d'écouter les Bridgerton que de tenter de discuter avec eux, en particulier à cause des regards mauvais que dardaient sur lui Anthony et Benedict.

Par chance, on l'avait placé à l'écart des deux frères aînés – non par distraction de la part de la maîtresse de maison, il l'aurait juré –, de sorte qu'il n'eut guère de mal à les ignorer, et qu'il put concentrer son attention sur Daphné, et sur les rapports qu'elle entretenait avec les autres membres de la famille. De temps à autre, l'un d'entre eux lui posait une question, à laquelle il répondait brièvement, avant de se réfugier dans sa posture d'observateur discret.

Jusqu'à ce que Hyacinthe, assise à droite de Daphné, le regarde droit dans les yeux :

— Vous ne parlez pas beaucoup, dites donc, lui fit-elle remarquer.

Violet faillit s'étrangler avec son vin.

— Le duc de Hastings, expliqua Daphné, est bien mieux élevé que nous autres, qui passons notre temps à nous couper la parole comme si nous avions peur qu'on ne nous entende pas.

— Je n'ai pas peur qu'on ne m'entende pas, protesta Gregory.

— Cela ne risque pas d'arriver, commenta sèchement Violet. Allons, Gregory, mangez vos petits pois.

— Mais Hyacinthe a...

— Lady Bridgerton, s'enquit Simon à haute voix, puis-je me permettre de vous demander encore un peu de ces délicieux petits pois ?

— Certainement.

Elle décocha un regard appuyé à son jeune fils.

— Voyez comme monsieur le duc mange ses petits pois, *lui*.

Gregory mangea ses petits pois.

En souriant, Simon se servit, soulagé que lady Bridgerton n'eût pas choisi un service à la russe. S'il lui avait fallu attendre qu'un serveur apporte le plat, jamais il n'aurait pu éviter que Gregory accuse Hyacinthe d'avoir lancé sur lui ses petits pois !

Tout en mangeant le contenu de son assiette, car il n'avait à présent plus d'autre choix que de la terminer, Simon observa Daphné à la dérobée. Son visage s'éclairait d'un léger sourire, et ses yeux pétillaient d'une bonne humeur contagieuse. Une agréable sensation de bien-être envahit Simon.

— Anthony, pourquoi est-ce que tu boudes ? demanda l'une des deux sœurs du milieu – peut-être Francesca, mais Simon n'aurait pu le jurer.

Celle-ci offrait avec Éloïse une ressemblance stupéfiante, jusqu'à la nuance bleu porcelaine de leur iris, la même que celle de leur mère.

— Je ne boude pas, répliqua Anthony.

Simon, qui depuis une heure essuyait les regards furieux de celui-ci, réprima une grimace.

— Tu boudes, insista Francesca – ou Éloïse.

— Si tu t'imagines que je vais discuter avec toi, tu te trompes du tout au tout, laissa tomber son frère d'un air dédaigneux.

De nouveau, Daphné rit sous cape… ou, plus exactement, sous sa serviette de table. Simon décida qu'il ne s'était pas autant amusé depuis des lustres.

— Croyez-moi ou non, déclara soudain Violet, cette soirée est l'une des plus sympathiques de l'année ! Même, ajouta-t-elle avec un regard d'avertissement en direction de Hyacinthe, si ma cadette s'entraîne au lancer de petits pois depuis tout à l'heure.

Simon se tourna vers celle-ci au moment exact où elle s'écriait :

— Vous m'avez vue ?

La vicomtesse secoua la tête d'un air navré.

— Ma chère petite, quand apprendrez-vous que votre maman sait tout ?

Simon décida que Violet Bridgerton était digne de tout son respect.

Malgré cela, elle réussit encore à le prendre au dépourvu, par une simple question enveloppée d'un sourire désarmant.

— Dites-moi, monsieur, êtes-vous occupé demain ?

Malgré la blondeur de ses cheveux et le bleu intense de ses iris, elle ressemblait tant à Daphné qu'une soudaine confusion s'empara de lui. Sans réfléchir, il bredouilla :

— N… non. Pas que je me souvienne.

— Magnifique ! s'exclama-t-elle, rayonnante. Dans ce cas, vous devez nous accompagner à Greenwich.

— À Greenwich ? répéta Simon.

— Oui, voilà déjà quelques semaines que nous projetons une sortie en famille. Nous pourrions prendre un bateau, et pourquoi pas faire un pique-nique sur les berges de la Tamise ?

Elle lui décocha un sourire radieux.

— Vous serez des nôtres, n'est-ce pas ?

— Maman, protesta Daphné, monsieur le duc est certainement très occupé.

Violet décocha à sa fille un regard si polaire que Simon n'aurait pas été surpris de la voir se transformer en statue de glace.

— Ne dites pas n'importe quoi, répliqua la vicomtesse. Il vient de m'assurer qu'il disposait de sa journée.

Puis, se tournant vers lui :

— Nous visiterons l'Observatoire royal. Ainsi, vous n'aurez pas l'impression de perdre votre temps. Il n'est pas ouvert au public, je le sais, mais mon défunt mari était un grand mécène de l'astronomie. On nous y accueillera à bras ouverts.

Simon adressa à Daphné une muette interrogation ; la jeune femme lui renvoya un regard navré, avant d'esquisser un petit geste d'impuissance.

— Avec grand plaisir, répondit-il à son hôtesse.

Celle-ci, manifestement aux anges, conclut leur échange d'une délicate tape sur son bras.

Simon éprouva l'étrange sensation qu'il venait de sceller son destin.

8

Il est parvenu aux oreilles de votre dévouée chroniqueuse que la famille Bridgerton au grand complet – additionnée d'un duc, et quel duc ! – a pris le bateau samedi matin pour Greenwich.

Nous nous sommes également laissé dire que le duc susmentionné ainsi qu'un certain membre de la famille Bridgerton sont rentrés à Londres trempés de la tête aux pieds.

La Chronique mondaine de lady Whistledown, 3 mai 1813

— Si vous vous excusez encore une fois, menaça Simon en croisant les mains derrière sa nuque, je vous fais passer par-dessus bord.

Assise sur la chaise longue voisine, Daphné lui lança un coup d'œil agacé. Ils se trouvaient sur le pont du bateau que sa mère avait loué pour la journée, afin d'emmener toute la famille, ainsi que le duc de Hastings, jusqu'à la ville de Greenwich.

— Veuillez m'excuser, répliqua-t-elle, si la politesse m'oblige à solliciter votre indulgence pour les grossières manœuvres de ma mère. J'avais cru comprendre que l'objet de notre imposture était de vous mettre à l'abri des mères cherchant à marier leur fille.

Simon s'installa plus confortablement sur son transat, tout en balayant ses objections d'un désinvolte :

— Puisque je m'amuse, où est le problème ?

De stupeur, la jeune femme en demeura bouche bée quelques instants.

— Oh, fit-elle. Eh bien… tant mieux.

Il éclata de rire.

— J'ai un faible pour les voyages en bateau, même si ce n'est que pour aller jusqu'à Greenwich. En outre, après les nombreuses années que j'ai passées à sillonner les mers, je suis assez curieux de visiter l'Observatoire royal et de voir le méridien de Greenwich.

Il se tourna vers elle.

— Avez-vous quelques notions de navigation et d'astronomie ?

Daphné secoua la tête.

— Fort peu, j'en ai peur. En toute franchise, je ne suis même pas certaine d'avoir bien compris ce qu'est ce fameux méridien.

— Il s'agit de la ligne à partir de laquelle on calcule toutes les longitudes du globe. Autrefois, les navigateurs mesuraient la distance longitudinale selon leur lieu de départ, mais au cours du siècle dernier, l'astronome royal a décidé de prendre le méridien de Greenwich comme seule et unique référence.

Daphné haussa un sourcil.

— Cela paraît assez présomptueux de notre part, non, de considérer que nous occupons le centre du monde ?

— Peut-être, mais quand vous êtes en haute mer, vous trouvez très utile de pouvoir situer votre position en fonction d'un point universel.

Daphné n'était pas tout à fait convaincue.

— Alors tout le monde a accepté Greenwich ? J'ai du mal à croire que les Français n'aient pas préféré Paris, et le pape aurait sans doute choisi Rome…

— En vérité, ce n'était pas un accord à proprement parler, admit le duc en riant. Il n'y a pas eu de traité officiel, si c'est ce que vous voulez dire. Seulement, il se trouve que l'Observatoire royal publie chaque année un excellent recueil de tables et de cartes, appelé l'*Almanach nautique*. Il faudrait être fou, lorsqu'on est marin, pour embarquer sans en emporter un exemplaire à son bord. Et puisque ce guide considère Greenwich comme le point zéro… eh bien, tout le monde est obligé de suivre.

— Quelle érudition !

Il esquissa un geste évasif.

— À force de naviguer, on finit par apprendre un certain nombre de choses.

— J'ai peur que l'on n'ait pas dispensé un enseignement aussi complet à la nursery Bridgerton, dit Daphné en penchant la tête, songeant soudain à ses nombreuses lacunes. Dans l'ensemble, mes connaissances se limitent à ce que savait ma gouvernante.

— Dommage, murmura Simon. Dans l'ensemble ? répéta-t-il, intrigué. Et le reste ?

— Quand une question m'intéressait, je trouvais en général quelques livres sur le sujet dans la bibliothèque familiale.

— Dix contre un que vous n'aviez aucune passion pour les mathématiques.

Daphné éclata de rire.

— Contrairement à vous, si j'ai bien compris ? Vous avez raison, hélas ! Maman dit toujours que c'est un miracle que je sache assez compter pour ne pas oublier de mettre ma seconde chaussure à mon deuxième pied.

Voyant le duc sursauter, elle ajouta :

— Je sais, je sais ! Lorsqu'on a la bosse des mathématiques, on ne comprend pas comment les simples mortels peuvent regarder une série d'opérations sans en connaître immédiatement la solution, ou du moins, sans savoir comment la trouver. Colin est exactement comme vous.

Simon sourit. Elle avait tout à fait raison.

— Dans ce cas, quelles étaient vos matières préférées ?

— L'histoire et la littérature. Une chance pour moi, car de ce point de vue, la bibliothèque de mon père est un filon inépuisable.

Simon sirota une gorgée de limonade.

— Pour ma part, l'histoire m'a toujours copieusement ennuyé.

— Ah ? Et pourquoi donc ?

Il réfléchit quelques instants. Son manque d'enthousiasme pour ce domaine s'expliquait-il par la haine qu'il éprouvait envers son duché et le lourd passé de traditions qui l'entourait ? Il faut dire que le vieux duc avait nourri une telle passion pour son titre !

— Aucune idée, se contenta-t-il de répondre. Je n'aime pas cela, c'est tout.

Un silence complice tomba entre eux, à peine troublé par la brise qui soulevait leurs cheveux. Puis Daphné sourit en disant :

— N'ayant aucune tendance suicidaire, je m'abstiendrai de renouveler mes excuses, mais je suis contente que vous supportiez aussi allégrement les manœuvres d'intimidation de ma mère pour vous convaincre de nous accompagner aujourd'hui.

Il lui lança un regard sardonique.

— Si j'avais décidé de ne pas venir, rien de ce qu'aurait pu dire ou faire votre mère ne m'aurait convaincu.

Daphné émit un petit rire sec.

— De la part d'un homme comme vous, qui feint de me courtiser sous prétexte qu'il est trop bien élevé pour oser refuser les invitations des épouses de ses amis, c'est difficile à croire !

À ces mots, les iris de son compagnon prirent une nuance orageuse.

— Un homme comme moi ? Qu'entendez-vous par là, exactement ?

— Je… eh bien… bafouilla Daphné.

Qu'avait-elle voulu dire, au fait ?

— Je ne sais pas, avoua-t-elle.

— Dans ce cas, n'employez pas ce terme, bougonna le duc en s'adossant de nouveau à son siège.

Daphné s'absorba dans la contemplation d'une petite flaque d'eau qui s'était formée sur la rambarde, tout en s'efforçant de chasser un sourire amusé. Qu'il était attendrissant, quand il boudait !

— Que regardez-vous ? demanda-t-il.

— Rien, dit-elle avant de se mordre les lèvres.

— Qu'est-ce qui vous fait sourire ainsi ?

Cela, il n'était pas près de l'apprendre !

— Je ne souris pas.

— Alors, grommela-t-il, vous êtes sur le point d'éternuer, voire de faire une crise de nerfs.

— Ni l'un ni l'autre, répliqua Daphné d'une voix paresseuse. Je savoure seulement la douceur de l'air…

Simon, faisant rouler sa tête sur son dossier, tourna les yeux vers elle.

— Et moi, le plaisir de cette excellente compagnie, commenta-t-il, ironique.

D'un coup de menton, Daphné désigna Anthony qui, adossé à la rambarde de l'autre côté du pont, les couvait d'un œil noir.

— *Toute* la compagnie ? insista-t-elle.

— Si vous faites allusion à votre frère, je trouve ses regards menaçants plutôt comiques.

— Ce n'est pas très charitable de votre part.

— Je n'ai jamais prétendu que je l'étais. Regardez…

À son tour, il lança vers Anthony un coup d'œil qui, bien que discret, ne fit qu'accentuer l'expression furieuse du jeune homme.

— Il sait que nous parlons de lui, et ça le rend fou de rage.

— Moi qui vous croyais amis !

— Nous le sommes. La camaraderie, c'est aussi cela.

— Les hommes sont fous.

— Oui, en général, admit le duc.

Daphné leva les yeux au ciel.

— Il me semblait pourtant que la première règle en la matière était de ne pas conter fleurette à la sœur de son meilleur ami ?

— Oh, mais ce n'est pas le cas. Je fais *semblant* de flirter, nuance.

Pensive, Daphné hocha la tête et regarda Anthony.

— Même cela, il a du mal à l'accepter, alors qu'il connaît la vérité.

— Exact, dit le duc d'un ton ravi. Avouez que c'est machiavélique !

La vicomtesse choisit cet instant pour traverser le pont en appelant :

— Les enfants ! Les enfants !... Oh ! Veuillez me pardonner, monsieur le duc, ajouta-t-elle en l'apercevant. Cela est plutôt désobligeant de ma part de vous compter parmi ma couvée !

D'un sourire, Simon accepta ses excuses.

— Le capitaine m'informe que nous arrivons, annonça-t-elle. Il est temps de rassembler nos affaires.

Simon se mit sur ses pieds avant de tendre une main à Daphné. Celle-ci la prit avec reconnaissance, mais faillit trébucher en se relevant.

— Je n'ai pas le pied marin, expliqua-t-elle en se retenant à son bras pour rétablir son équilibre.

— Dire que nous ne sommes que sur un fleuve ! se moqua-t-il.

— Traître ! Vous n'êtes pas censé remarquer mon manque d'élégance.

Simon baissa les yeux vers la jeune femme qui, tout en parlant, avait levé son visage vers lui. Avec le vent qui jouait dans ses cheveux et teintait ses joues de rose, elle lui parut si jolie qu'il en eut le souffle coupé.

Ses lèvres ensorcelantes étaient entrouvertes sur un rire enfantin, et le soleil allumait des étincelles acajou dans sa chevelure. Ici sur l'eau, dans les bourrasques qui tourbillonnaient autour d'eux, loin des salles de bal guindées, elle rayonnait d'une beauté si envoûtante que le seul fait d'être près d'elle donnait envie à Simon de sourire comme un parfait idiot.

S'ils n'avaient pas été en pleine manœuvre d'accostage, avec toute sa famille courant autour d'eux, il l'aurait embrassée. Simon le savait, il n'avait pas le droit de jouer avec elle, et il avait encore moins l'intention de l'épouser. Alors pourquoi était-il en train de se pencher vers elle ? Recouvrant ses esprits, il se redressa brusquement.

Hélas, Anthony avait surpris la scène. Il se rua vers eux pour s'interposer.

— En tant que frère aîné, déclara-t-il en prenant Daphné par le bras avec plus de brutalité que d'élégance, j'ai le privilège de t'escorter sur la terre ferme. Allons-y !

Simon s'inclina et lui céda le passage, trop furieux contre lui-même pour protester.

Le bateau se mit lentement à quai, et on apporta une passerelle. Simon laissa toute la famille Bridgerton débarquer, puis il suivit le petit groupe sur les berges herbeuses de la Tamise, non sans relever la planche après son passage.

Au sommet de la colline, s'élevait la noble silhouette de l'Observatoire royal aux murs de brique rouge sombre et aux tourelles surmontées de dômes d'ardoise. En l'apercevant, Simon eut l'impression de se trouver, comme l'avait dit Daphné, au centre du monde. Tout était calculé à partir de cet endroit précis. Pour lui qui avait sillonné une bonne partie des mers du globe, cette pensée obligeait à une certaine modestie.

— Sommes-nous tous là ? demanda la vicomtesse. Tenez-vous tranquilles, que je m'assure que nous n'avons oublié personne !

Elle compta toutes les têtes, en terminant par elle-même dans un triomphant :

— Et dix ! C'est bon, nous sommes au complet.

— Réjouissez-vous, elle ne nous oblige plus à nous ranger selon nos dates de naissance.

En tournant la tête, Simon reconnut Colin, un sourire espiègle aux lèvres.

— C'est une méthode de classement qui fonctionnait quand notre âge correspondait à notre taille, mais un jour, Benedict a pris un pouce de plus qu'Anthony, puis c'est Gregory qui a dépassé Francesca…

Colin esquissa un geste fataliste.

— Ma mère a fini par renoncer.

Simon parcourut la fratrie d'un regard attentif.

— Je serais curieux de savoir où je me situerais…

— Tout près d'Anthony, je dirais.

— À Dieu ne plaise ! murmura Simon.

Colin lui lança un coup d'œil amusé et intrigué à la fois.

— Anthony ? appela la vicomtesse. Où est Anthony ?

Celui-ci émit un grognement maussade.

— Ah, vous voilà. Venez ici, c'est vous qui m'escorterez.

À contrecœur, l'aîné des frères Bridgerton lâcha le coude de Daphné pour rejoindre sa mère.

— Elle ne recule devant rien, n'est-ce pas ? s'enquit Colin.

Simon jugea préférable de s'abstenir de tout commentaire.

— Quoi qu'il en soit, ne la décevez pas, poursuivit son voisin. Après tous les efforts qu'elle vient de déployer, le moins que vous puissiez faire est de prendre le bras de Daphné.

Simon haussa les sourcils, amusé.

— Quelque chose me dit que vous ne valez pas mieux que madame votre mère.

— À la différence que moi, je n'ai pas la prétention d'être subtil, rétorqua le jeune homme dans un éclat de rire.

Daphné choisit cet instant pour les rejoindre.

— Je n'ai plus personne pour m'accompagner, déclara-t-elle.

— Ça alors ! feignit de s'étonner Colin. Bien, si vous voulez m'excuser, je vais chercher Hyacinthe.

Si je dois m'occuper d'Éloïse, je pourrais bien être obligé de rentrer à Londres à la nage. Elle n'a vraiment pas le moral, depuis qu'elle a fêté ses quatorze ans.

Simon le regarda sans comprendre.

— Je croyais que vous n'étiez rentré en Angleterre que la semaine dernière ?

Colin acquiesça d'un hochement de tête.

— C'est exact. Le quatorzième anniversaire d'Éloïse, c'était il y a un an et demi.

Daphné lui donna une tape sur le coude.

— Si tu es gentil, je te promets de ne pas le lui répéter.

Pour toute réponse, son frère roula des yeux et s'éloigna en criant le prénom de Hyacinthe.

— Nous ne vous avons pas encore mis en fuite ? questionna Daphné en glissant sa main au creux du coude de Simon.

— Pardon ?

Elle lui adressa un sourire navré.

— Je ne connais rien d'aussi épuisant qu'une sortie en famille avec les Bridgerton.

— Oh, cela…

Tout en parlant, Simon dut faire un bond de côté pour éviter Gregory, lequel courait après Hyacinthe en hurlant quelque chose au sujet d'une flaque de boue et d'une terrible vengeance.

— C'est… comment dire… une expérience inédite.

— Voilà qui est formulé avec une grande délicatesse, approuva Daphné. Vous m'impressionnez.

— Eh bien…

Il s'écarta devant Hyacinthe, qui venait de le frôler en courant comme une folle, poussant des cris tellement stridents que Simon aurait juré que l'on pouvait les entendre jusqu'à Londres.

— … je suis enfant unique, voyez-vous.

Daphné laissa échapper un soupir rêveur.

— Enfant unique, répéta-t-elle. Ça doit être le paradis sur terre !

Une soudaine nostalgie envahit son regard, mais bientôt, la jeune femme s'arracha à sa rêverie.

— D'un autre côté, même si c'est le cas…

Tendant la main d'un geste prompt comme l'éclair, elle referma les doigts autour du bras de Gregory, qui passait à sa hauteur à toute vitesse.

— Gregory Bridgerton, gronda-t-elle, on ne court pas au milieu d'un groupe de gens, car on risquerait de bousculer quelqu'un.

— Comment avez-vous fait cela ? interrogea Simon.

— L'attraper au vol ?

— Oui.

Elle haussa les épaules.

— Des années de pratique.

— Daphné ! gémit Gregory, qu'elle tenait toujours par le bras.

Aussitôt, elle le relâcha.

— C'est bon, mais marche calmement, je te prie.

Le gamin ralentit exagérément l'allure, avant de s'élancer au petit trop.

— Et Hyacinthe ? demanda Simon. Vous ne la grondez pas ?

D'un coup de menton, Daphné désigna quelqu'un derrière elle.

— Je crois que ma mère s'en charge.

De fait, Simon vit la vicomtesse brandissant un doigt sévère sous le nez de sa benjamine. Il se tourna de nouveau vers la jeune femme.

— Qu'alliez-vous dire, quand Gregory a failli vous renverser ?

Elle battit des cils, visiblement désorientée.

— Je ne sais plus…

— Vous parliez d'être enfant unique.

— Ah, oui !

Elle secoua la tête d'un air amusé tout en emboîtant le pas au petit groupe qui entamait l'ascension de la colline, en direction de l'observatoire.

— En fait, croyez-le ou non, j'allais dire que bien que la perspective d'une solitude absolue soit parfois séduisante, je serais probablement très malheureuse sans ma famille.

Simon ne répondit pas.

— Je refuse d'imaginer que je pourrais n'avoir qu'un seul enfant, poursuivit-elle.

— On n'a pas toujours le choix, commenta Simon un peu durement.

Daphné sentit ses joues s'empourprer.

— Je suis désolée ! s'exclama-t-elle, soudain incapable d'avancer. J'avais oublié. Votre mère…

Le duc fit halte à son côté.

— Je ne l'ai pas connue, dit-il d'un ton détaché. Je ne l'ai jamais pleurée.

Au voile qui venait de ternir l'éclat de ses yeux bleus, Daphné comprit que cette affirmation était fausse.

Et cependant, Hastings y croyait dur comme fer.

Que s'était-il passé pour que cet homme se mente à lui-même depuis tant d'années ?

Elle pencha légèrement la tête, intriguée, tout en scrutant son visage. Le grand air avait apporté un peu de couleur à son teint et décoiffé ses mèches brunes. Visiblement mal à l'aise sous son regard, il grommela :

— Nous sommes à la traîne.

Daphné leva les yeux vers le sommet de la colline. Le reste du groupe était déjà à bonne distance.

— Oui, bien sûr, murmura-t-elle en redressant le dos. Allons-y.

Alors qu'elle gravissait la pente près de lui, ce n'est pas à sa famille qu'elle songeait, ni à l'Observatoire royal, et encore moins aux subtilités du calcul de la longitude. Elle se demandait pourquoi elle ressentait l'impérieux besoin de serrer le duc de Hastings contre elle et de le retenir auprès d'elle pour toujours.

Quelques heures plus tard, la petite troupe était de retour sur les rivages de la Tamise, savourant les dernières miettes du pique-nique que le cuisinier avait préparé. De même que la veille au soir, Simon parlait peu, préférant observer la bruyante animation qui régnait dans la famille de Daphné.

La jeune Hyacinthe, apparemment, avait d'autres projets pour lui.

— Belle journée, n'est-ce pas ? demanda-t-elle en s'asseyant à son côté sur l'un des plaids que le valet de pied avait disposés pour le pique-nique. Avez-vous apprécié la visite de l'Observatoire ?

Simon réprima avec peine un sourire.

— Beaucoup, miss Hyacinthe. Et vous-même ?

— Oh, tout à fait. J'ai particulièrement aimé votre conférence sur la latitude et la longitude.

— *Conférence ?* Je ne sais pas si j'aurais employé ce terme, répondit Simon, qui avait soudain l'impression d'être un vieux barbon.

Assise en face de lui sur la même couverture, Daphné semblait prendre un secret plaisir à le voir soudain si mal à l'aise.

Hyacinthe, elle, se contenta de lui adresser un sourire enjôleur – *à son âge ?* – et reprit :

— Saviez-vous que Greenwich avait aussi dans son passé un épisode romantique ?

Daphné fut secouée d'un rire silencieux.

— Vraiment ? articula Simon.

— Mais tout à fait, répliqua-t-elle, avec des inflexions si élégantes qu'il eut l'impression d'entendre une femme mûre et cultivée qui se serait mystérieusement cachée dans ce corps de petite fille. C'est ici que sir Walter Raleigh a déposé sa cape sur le sol pour que la reine Elisabeth ne salisse pas ses souliers dans la boue.

— Oh !

Simon se leva et scruta les environs.

— Que faites-vous ? s'étonna Hyacinthe, retrouvant soudain la spontanéité de ses dix ans.

— Je repère les lieux.

Il coula un regard en direction de Daphné. Celle-ci, les yeux posés sur lui, paraissait vibrer d'un mélange d'impatience, de jubilation et d'un je-ne-sais-quoi qui donnait des ailes à Simon.

— Et… que cherchez-vous ? insista Hyacinthe.

— Les flaques.

— Les flaques ?

Lorsque la fillette comprit où il voulait en venir, une expression de pure délectation éclaira son visage.

— Exactement. Si je dois sacrifier ma cape pour préserver vos souliers, miss Hyacinthe, j'aime autant m'y préparer.

— Vous ne portez pas de cape, fit-elle remarquer.

— Dieu du ciel ! s'écria Simon d'une voix outrée qui arracha un éclat de rire à Daphné. Voulez-vous dire que je vais devoir ôter ma *chemise* ?

— Non ! glapit Hyacinthe. Vous n'aurez pas besoin d'enlever quoi que ce soit ! D'ailleurs, il n'y a pas de flaques.

— Me voilà soulagé, soupira Simon en pressant sa main sur son cœur d'un geste théâtral.

Si on lui avait dit qu'il prendrait un tel plaisir à ce petit jeu !

— Les demoiselles Bridgerton sont bien exigeantes, le saviez-vous ?

Le regard joyeux de la fillette fut soudain voilé par l'ombre du soupçon. Fronçant les sourcils, elle posa les mains sur ses hanches étroites.

— Vous moqueriez-vous de moi ?

Simon lui décocha un sourire direct.

— À votre avis ?

— Je crois que oui.

— Et moi, je crois que j'ai de la chance qu'il n'y ait pas de flaques.

Hyacinthe réfléchit quelques instants.

— Si vous demandez la main de ma sœur…

Derrière lui, il entendit Daphné s'étrangler avec le biscuit qu'elle venait de croquer.

— … vous avez mon accord.

Cette fois, c'est Simon qui crut que l'air allait lui manquer.

— Mais si vous ne le faites pas, continua la fillette avec un sourire modeste, je vous serais très obligée d'attendre que j'aie un peu grandi.

Par chance pour Simon, pour qui les jeunes filles de dix ans représentaient un mystère absolu, et qui cherchait en vain une réponse appropriée, Gregory se rua à ce moment vers eux et tira les cheveux de sa sœur. Aussitôt, celle-ci bondit à sa poursuite.

— Je n'aurais jamais cru qu'une chose pareille soit possible, se moqua Daphné, mais je pense que cet affreux garnement vient de vous rendre un fier service !

— Quel âge a votre sœur ?

— Dix ans, pourquoi ?

Il secoua la tête, incrédule.

— Pendant un moment, j'ai eu l'impression de parler avec une femme dans sa pleine maturité.

Daphné sourit.

— Parfois, elle ressemble tellement à ma mère que c'en est effrayant.

Au même instant, la vicomtesse se leva pour rassembler son petit monde et ramener la famille vers le bateau.

— Allons ! appela-t-elle. Il se fait tard !

Simon consulta sa montre de gousset.

— Il n'est que trois heures, s'étonna-t-il.

— Pour elle, expliqua Daphné en se mettant à son tour sur ses pieds, c'est tard. Maman dit qu'une dame doit toujours se trouver chez elle à cinq heures.

— Pourquoi ?

La jeune femme se baissa pour ramasser le plaid.

— Je ne sais pas... Pour se préparer pour le dîner, je suppose ? C'est l'une des règles avec lesquelles j'ai grandi, et que je n'ai jamais remises en question.

Elle se redressa en serrant contre elle la couverture de lainage bleu, un sourire aux lèvres.

— Y allons-nous ?

— Certainement, acquiesça Simon en lui tendant le bras.

Ils n'avaient effectué que quelques pas en direction du bateau lorsque la jeune femme demanda :

— Vous avez montré une grande patience envers Hyacinthe. Vous devez avoir l'habitude des enfants ?

— Non, dit-il, un peu abrupt.

— Oh.

Elle parut intriguée.

— Je sais que vous n'avez pas de frères et sœurs, mais on dirait que vous avez rencontré de nombreux enfants pendant vos voyages.

— Aucun.

Daphné garda le silence quelques instants, mal à l'aise. Devait-elle poursuivre cette conversation ? Le duc avait soudain pris un ton si dur, si tranchant ! Et cette expression sur son visage… Il ne ressemblait plus du tout à l'homme qui avait plaisanté avec Hyacinthe quelques minutes auparavant.

Sans savoir pourquoi – parce que l'après-midi avait été si délicieux ? que le temps était si doux ce jour-là ? – elle se composa un sourire radieux et déclara :

— Quoi qu'il en soit, vous savez établir un contact avec les petits. Certains adultes sont incapables de les écouter, voyez-vous.

Il ne répondit pas.

Daphné lui tapota le bras d'une main amicale.

— Je suis sûre que vous ferez un excellent père, plus tard. Vos enfants auront bien de la chance.

Il tourna brusquement la tête vers elle pour la transpercer d'un regard glacial.

— Je crois vous avoir dit que je n'avais pas l'intention de me marier, gronda-t-il. Jamais !

— Tout de même, vous…

— Par conséquent, il est hautement improbable que j'aie un jour des enfants.

— Je… Oui, bien sûr, bégaya Daphné.

Elle tenta d'esquisser un sourire, mais ses lèvres tremblantes refusèrent de lui obéir. Pourquoi, alors qu'elle savait qu'il feignait seulement de la courtiser, était-elle envahie par un tel sentiment de déception ?

Ils rejoignirent le reste de la famille sur le quai. Certains étaient déjà à bord du bateau, et Gregory, au milieu de la passerelle, venait d'entamer une gigue endiablée.

— Gregory ! appela sa mère d'une voix sévère. Cessez immédiatement de faire le pitre !

Le garçonnet s'immobilisa au milieu de l'étroite planche de bois.

— Montez à bord ou redescendez, ordonna la vicomtesse, mais ne restez pas là.

— Cette passerelle est glissante, murmura Hastings en libérant le bras de Daphné pour s'approcher.

— Tu as entendu maman, Greg ? insista la benjamine de la famille.

— Hyacinthe ! la gronda Daphné. Reste en dehors de tout cela.

Le jeune Gregory tira la langue à sa sœur. Daphné poussa un soupir agacé, puis, constatant que son cavalier s'était élancé vers la passerelle, elle le rejoignit d'un bond.

— Ne vous inquiétez pas, Simon, chuchota-t-elle à son oreille.

— Il peut glisser et se prendre dans les cordages.

D'un discret coup de menton, il désigna un amas de filins qui pendaient du navire et continua de se rapprocher de la planche d'une démarche nonchalante, comme si tout allait pour le mieux.

— Eh bien, jeune homme, dit-il en posant un pied sur la passerelle, allez-vous avancer ? J'aimerais passer.

Le garçon cligna des yeux, déconcerté.

— Vous n'escortez pas Daphné ?

Le duc fit un pas vers lui, mais au même instant Anthony, qui se trouvait déjà à bord, apparut en haut de la passerelle :

— Gregory ! Monte immédiatement.

Horrifiée, Daphné vit son frère cadet effectuer une brusque volte-face, apparemment surpris, puis déraper sur le bois glissant. Anthony bondit vers lui pour tenter de le rattraper, mais comme le gamin était déjà tombé sur son derrière, il referma les mains sur le vide.

Anthony essaya de se rétablir tandis que Gregory glissait, comme sur un toboggan… avant de heurter le duc de plein fouet.

— Simon ! s'écria la jeune femme en s'élançant vers la passerelle.

Ce dernier, déséquilibré, plongea dans les eaux de la Tamise, pendant que Gregory gémissait un timide :

— Oups ! Faites excuse !

Tout en parlant, le gamin entreprit de gravir de nouveau la planche à croupetons, un peu à la façon d'un crabe, sans regarder devant lui.

C'est sans doute pour cette raison qu'il ne vit pas Anthony qui, ayant miraculeusement évité la chute, se trouvait sur son trajet.

Gregory heurta son frère dans un choc sourd, lui arrachant un cri de surprise, avant de le projeter à son tour dans l'onde boueuse, juste à côté de Hastings.

Daphné, ouvrant des yeux ronds, pressa une main sur sa bouche.

Aussitôt, sa mère la tira par le bras.

— Je vous suggère avec insistance de conserver votre sérieux.

La jeune femme se mordit les lèvres, sans grand succès.

— Vous riez bien, vous ! fit-elle remarquer.

— Pas du tout, mentit la vicomtesse, qui était secouée d'un tel fou rire qu'elle en tremblait. Et je suis une *mère*. Ils n'oseront pas s'en prendre à moi.

Anthony et Simon venaient de remonter sur le quai, ruisselants, dardant l'un sur l'autre des regards furieux. Sans demander son reste, Gregory rampa au sommet de la passerelle et disparut derrière la rambarde.

— Vous devriez peut-être intervenir, murmura Violet.

— Moi ? s'écria Daphné.

— On dirait qu'ils vont en venir aux mains.

— Pourquoi ? Tout est de la faute de Gregory !

— Je le sais, répondit la mère d'un ton impatient, mais ce sont des *hommes* ; ils sont hors d'eux et ils ne peuvent pas passer leurs nerfs sur un gamin de douze ans.

De fait, Anthony marmonna :

— J'aurais pu le rattraper si…

— Si vous ne l'aviez pas surpris, l'interrompit Hastings.

Violet secoua la tête d'un air navré.

— Ces messieurs, vous l'apprendrez bientôt, ont une déplorable tendance à blâmer autrui lorsqu'ils se ridiculisent en public.

Daphné s'élança vers eux, bien décidée à les ramener à la raison, mais elle comprit vite à leurs expressions que rien de ce qu'elle pourrait dire ou faire ne les convaincrait de prendre la situation avec humour ou philosophie. Aussi se contenta-t-elle d'afficher un grand sourire et de saisir le bras du duc, tout en lui demandant :

— Eh bien, y allons-nous ?

Simon fixa un regard assassin sur Anthony.

Anthony décocha un coup d'œil meurtrier à Simon.

Daphné tira doucement le bras de ce dernier.

— Nous n'en avons pas terminé, Hastings, menaça Anthony.

— Loin de là, rétorqua l'autre.

Voyant qu'ils n'attendaient que le premier prétexte pour en venir aux coups, Daphné réitéra son geste, avec plus de force. S'il le fallait, elle était prête à démettre l'épaule de son « fiancé » !

Après un dernier regard menaçant, celui-ci hocha la tête et la suivit sur le bateau.

Le voyage de retour parut une éternité à Daphné.

Très tard ce même soir, la jeune femme était toujours victime d'une inexplicable nervosité. Comprenant qu'elle ne parviendrait pas à trouver le sommeil, elle enfila une robe de chambre et descendit à l'étage inférieur. Une tasse de lait chaud et un peu de compagnie lui feraient le plus grand bien. Parmi tous ses frères et sœurs, il s'en trouverait bien un qui soit encore debout !

Alors qu'elle se dirigeait vers la cuisine, elle entendit du bruit dans le cabinet de travail d'Anthony. Elle passa la tête par la porte, intriguée. Assis à sa table, les doigts tachés d'encre, son frère était occupé à rédiger un courrier. Il était rare de le trouver à la maison à une heure si tardive. Lorsqu'il avait emménagé dans son appartement de célibataire, Anthony avait préféré garder son bureau à Bridgerton House, mais en général, il s'occupait de sa correspondance dans la journée.

— Tu n'as pas un secrétaire pour écrire tes lettres ? demanda-t-elle gentiment.

Anthony leva les yeux vers elle.

— Cet animal s'est marié ; il est parti à Bristol, grommela-t-il.

— Oh.

Daphné entra dans la pièce et prit place sur le siège situé de l'autre côté de la table de travail.

— Ceci explique ta présence ici à une heure impossible.

Il consulta la pendule.

— Minuit est une heure tout à fait raisonnable. Et j'aurais fini depuis longtemps si je n'avais pas passé l'après-midi à rincer mon bain de boue de la Tamise.

Daphné réprima un sourire.

— Cela dit, tu as raison, reprit son frère en posant sa plume dans un soupir las. Il est tard, et ceci peut attendre demain matin.

Il s'adossa à son fauteuil en s'étirant.

— Comment se fait-il que tu sois encore debout ?

— Je n'arrivais pas à dormir, avoua Daphné. Je suis descendue chercher une tasse de lait et t'écouter grommeler.

— C'est cette maudite plume, maugréa-t-il. Je jure que je…

Il s'interrompit en affichant un air fautif.

— Je suppose que j'ai assez juré comme ça, murmura-t-il.

Daphné lui répondit par un sourire complice. En sa compagnie, ses frères faisaient rarement attention à leur langage.

— Tu vas bientôt rentrer chez toi, alors ? s'enquit-elle.

Il hocha la tête.

— Quoique… un lait chaud ne me ferait pas de mal non plus. Tu sonnes la bonne ?

Daphné se leva.

— J'ai une meilleure idée. Si nous le préparions nous-mêmes ? Nous ne sommes pas plus bêtes que les autres ; nous devrions pouvoir faire chauffer un peu de lait. De toute façon, le personnel est couché, à cette heure-ci.

Elle quitta la pièce, suivie par son frère.

— Très bien, mais c'est toi qui t'en occupes. Je ne sais absolument pas comment faire bouillir du lait.

— Oh, je ne crois pas qu'il soit indispensable de le chauffer autant, répliqua Daphné, pensive.

Elle descendit le couloir et tourna vers la cuisine, dont elle poussa la porte. Par une fenêtre, glissait un rayon de lune qui projetait une faible lueur dans la pièce plongée dans l'obscurité.

— Apporte-nous un peu de lumière pendant que je cherche le lait, ordonna Daphné.

Puis, avec une grimace moqueuse :

— Tu *sais* allumer une lampe, au moins ?

— Je pense que c'est dans mes cordes, répondit-il avec bonhomie.

Daphné secoua la tête, amusée, tout en tâtonnant dans la pénombre pour décrocher un pichet suspendu à une étagère. Elle entretenait d'ordinaire d'excellentes relations avec son frère aîné, et elle retrouvait avec plaisir l'Anthony de toujours, aimable et pince-sans-rire. Après la mauvaise humeur qu'il avait manifestée ces derniers jours, en grande partie à son égard, c'était un vrai soulagement.

Anthony avait également semblé furieux contre le duc de Hastings, mais en l'absence de ce dernier, c'était elle qui avait essuyé l'essentiel de ses regards noirs et de ses réflexions acerbes.

Attirée par une lueur tremblotante derrière elle, Daphné se tourna pour apercevoir son frère, un sourire de victoire aux lèvres.

— As-tu trouvé le lait, ou dois-je me mettre en quête d'une vache ? plaisanta-t-il.

Elle éclata de rire en élevant une bouteille d'un geste triomphal.

— Le voici !

Elle se dirigea vers la cuisinière, un appareil dernier cri que l'on avait acheté en début d'année.

— Tu sais mettre en marche cet engin ? questionna-t-elle.

— Non. Et toi ?

Daphné secoua la tête.

— Non.

Tendant la main, elle effleura la surface avec prudence.

— Ce n'est pas chaud, constata-t-elle.

— Même pas un tout petit peu ?

— C'est même plutôt froid.

Le frère et la sœur demeurèrent silencieux quelques instants.

— Tout compte fait, lança le premier, du lait frais sera plus désaltérant.

— C'est exactement ce que je me disais, approuva la seconde.

Anthony prit deux tasses dans un placard.

— Tiens, sers-nous donc.

Quelques instants plus tard, chacun était attablé devant sa tasse. Anthony avala la sienne d'un trait et s'en servit une autre.

— Encore un peu ? proposa-t-il à Daphné, tout en essuyant ses lèvres.

— Merci, je n'ai pas fini.

Elle but une petite gorgée, se lécha les lèvres, s'agita sur son tabouret. À présent qu'elle était seule avec Anthony, lequel semblait avoir retrouvé sa bonne humeur naturelle, c'était le moment de poser la question qui lui brûlait la langue. D'un autre côté, peut-être valait-il mieux...

Oh, flûte ! s'impatienta une petite voix en elle. Vas-y, demande-lui !

— Anthony ? commença-t-elle, hésitante. Il y a quelque chose que j'aimerais savoir...

— Je t'écoute ?

— C'est au sujet du duc de Hastings.

Il posa sa tasse sur la table d'un geste sec.

— Quoi ? tonna-t-il.

— Je sais que tu ne l'aimes pas...

Ses paroles s'étranglèrent dans sa gorge.

— C'est faux, rectifia-t-il dans un soupir de lassitude. Il est même l'un de mes meilleurs amis.

Daphné le considéra sans cacher sa surprise.

— On a du mal à le croire, vu ton comportement ces jours-ci.

— Je pense qu'une femme a toutes les raisons de se méfier de lui... Toi, en particulier.

— Anthony, c'est absolument ridicule. Le duc a peut-être été un débauché autrefois, et rien ne dit qu'il ne l'est pas encore, mais il n'essaiera jamais de me séduire... ne serait-ce que parce que je suis ta sœur.

Anthony ne parut pas convaincu.

— Et même s'il n'y avait pas, sur cette question, une sorte de code d'honneur entre mâles, insista-t-elle, il sait que tu le tuerais s'il posait la main sur moi. Il n'est pas stupide !

Anthony parut sur le point de dire quelque chose, puis il se ravisa et maugréa simplement :

— Que voulais-tu me demander ?

— En fait, dit-elle lentement, je serais curieuse de savoir pourquoi il est tellement réfractaire au mariage.

Il faillit s'étrangler avec sa gorgée de lait.

— Bon sang, Daph' ! Je croyais que nous étions d'accord sur le fait que tout ceci n'est qu'une mascarade ! Tu n'envisages tout de même pas sérieusement de...

— Pas du tout ! l'interrompit-elle.

Elle eut la vague impression de proférer un horrible mensonge, mais elle n'avait pas envie d'examiner ses sentiments de façon plus approfondie.

— C'est de la pure curiosité, ajouta-t-elle, sur la défensive.

— Ne te mets pas en tête de le traîner jusqu'à l'autel, gronda-t-il. Je te le dis tout net : il ne le fera pas. Jamais ! Tu m'as bien entendu, Daphné ? Cet homme n'a aucune intention de t'épouser.

— Il faudrait être complètement idiote pour ne pas avoir assimilé l'information, rétorqua-t-elle, maussade.

— Tant mieux. Dans ce cas, le débat est clos.

— Non. Tu n'as toujours pas répondu à ma question.

Anthony posa sur elle un regard de parfaite incompréhension.

— Au sujet du fait qu'il refuse de fonder une famille, insista-t-elle.

— Pourquoi est-ce si important à tes yeux ? s'enquit-il d'un ton las.

La vérité, Daphné le craignait, était fort près des accusations d'Anthony, mais la jeune femme se contenta de répliquer :

— Par simple curiosité. Et peut-être aussi parce que j'estime avoir le droit de savoir. Si je ne trouve pas rapidement un prétendant convenable, je risque de devenir une paria, une fois que le duc aura rompu.

— Il me semblait que *tu* étais supposée rompre ? releva Anthony, soupçonneux.

Daphné émit un ricanement désabusé.

— Qui croira cela ?

Son frère ne parut guère pressé de la contredire, songea-t-elle avec amertume.

— J'ignore pour quelle raison Hastings est si réfractaire au mariage, commença-t-il. Tout ce que je sais, c'est qu'il affirme ceci depuis que je le connais…

Daphné voulut parler, mais Anthony ne lui en laissa pas le temps :

— Et qu'il le répète avec une conviction inébranlable. Crois-moi, ce n'est pas de la coquetterie de sa part.

— En d'autres termes…

— En d'autres termes, contrairement à la plupart des hommes, il a choisi de rester célibataire et ne reviendra pas sur sa décision.

— Je vois…

Anthony laissa échapper un long soupir de lassitude. Pour la première fois, Daphné remarqua de petites rides de souci autour de ses yeux.

— Choisis un fiancé parmi tes nouveaux prétendants, dit-il, et oublie Hastings. C'est un homme profondément bon, mais pas un mari pour toi.

Daphné ne voulut entendre que la première partie de cette phrase.

— Si tu penses vraiment que c'est un homme prof…

— Il n'est pas pour toi, décréta Anthony sans la laisser finir sa phrase.

Daphné ne put s'empêcher de penser que peut-être, *peut-être,* Anthony se trompait.

9

Le duc de Hastings a été de nouveau aperçu en compagnie de miss Bridgerton – miss Daphné *Bridgerton, pour celles et ceux d'entre vous qui, comme votre dévouée chroniqueuse, éprouvent les plus grandes difficultés à se retrouver parmi la nombreuse progéniture Bridgerton.*

Il semble cependant étrange que, à l'exception de la sortie familiale à Greenwich que nous avons rapportée dans nos colonnes voici une dizaine de jours, ils n'aient été vus que lors d'occasions mondaines. Votre dévouée chroniqueuse sait de source sûre que, bien que le duc ait rendu visite à miss Bridgerton chez elle voici deux semaines, il n'a pas renouvelé son geste. Mieux : ils n'ont même pas été croisés une seule fois à cheval dans Hyde Park !

La Chronique mondaine de lady Whistledown, 14 mai 1813

Deux semaines plus tard, Daphné assistait au bal de lady Trowbridge, à Hampstead Heath. Elle se tenait cependant à l'écart de la foule, et cette position en retrait lui convenait fort bien.

Elle n'avait aucune envie de se mêler aux danseurs. Elle n'avait aucune envie d'être remarquée par la douzaine de prétendants qui attendaient de l'inviter à danser.

En un mot, elle n'avait aucune envie d'assister au bal de lady Trowbridge.

Pour la simple raison que Simon ne s'y trouvait pas.

Certes, elle ne risquait pas de faire tapisserie. Toutes les prédictions du duc au sujet de sa popularité s'étaient réalisées, et Daphné, qui avait toujours été la bonne camarade qui n'inspire aucune passion, était devenue du jour au lendemain la reine de la saison.

Ceux qui tenaient à exprimer une opinion sur le sujet – c'est-à-dire tout le monde – déclaraient qu'ils avaient toujours su que Daphné possédait une personnalité exceptionnelle, et qu'ils avaient longtemps désespéré de voir les autres s'en rendre compte. Lady Jersey affirma même à qui voulait l'entendre qu'elle avait prédit voilà des mois l'actuel succès de la jeune femme, mais personne ne l'avait écoutée à l'époque.

Tout cela n'était qu'un fatras d'élucubrations. Certes, Daphné n'avait jamais été l'objet du mépris de lady Jersey, mais aucun membre de la famille Bridgerton ne se souvenait d'avoir entendu cette dame faire son éloge en la qualifiant, comme elle le répétait à loisir, de « rose parmi les roses ».

Cependant, même si le carnet de bal de Daphné se remplissait désormais dans les minutes qui suivaient son arrivée dans une soirée, même si les hommes se disputaient le privilège de lui apporter un verre de limonade – elle avait failli éclater de rire la première fois que cela s'était produit –, aucune fête n'était digne d'intérêt à ses yeux si le duc de Hastings n'y figurait pas.

Peu lui importait qu'il semblât trouver indispensable de mentionner au moins une fois par soirée son opposition résolue à l'institution du mariage – toutefois, et il fallait porter cela à son crédit, il s'empressait en général d'ajouter combien il était reconnaissant à Daphné de lui épargner la horde des mères ambitieuses. Peu lui importaient ses fréquents silences, voire sa rudesse occasionnelle envers certains membres de l'assistance.

Tout ce qui comptait, c'étaient ces moments où, sans être tout à fait seuls – ils ne l'étaient jamais – ils se retrouvaient en tête à tête pour une conversation à l'écart de la foule ou une valse passionnée. Il suffisait alors à Daphné de regarder au fond de ses yeux bleu pâle pour oublier qu'ils étaient entourés de cinq cents curieux, avides de mesurer les progrès de leur prétendue idylle.

Et que la cour empressée qu'il lui faisait n'était qu'une mascarade.

Daphné n'avait pas renouvelé sa tentative de parler de Simon avec Anthony. Ce dernier prenait une expression hostile chaque fois que le nom de Hastings apparaissait dans la conversation, et lorsqu'il le croisait, il parvenait tout juste à faire preuve du minimum de politesse requis.

Pourtant, derrière ses airs furibonds, Daphné décelait par instants les lueurs de l'ancienne amitié qui les liait. Il ne restait qu'à espérer qu'une fois tout ceci terminé – quand elle aurait épousé l'un de ces jeunes aristocrates aussi gentils qu'insipides qui ne sauraient jamais faire battre son cœur – les deux hommes retrouveraient leur complicité d'autrefois.

Sur la demande insistante d'Anthony, Simon avait décidé de ne pas assister à tous les bals auxquels sa mère et elle se rendaient. Anthony répétait qu'il n'avait donné son accord à cette comédie ridicule que pour qu'elle choisisse un mari parmi ses nouveaux prétendants, et se lamentait – contrairement à Daphné qui, elle, s'en réjouissait – de voir ceux-ci éviter soigneusement la jeune femme dès que Hastings rôdait dans les parages.

— Nous voilà bien avancés ! gémissait-il devant la débandade générale.

Pour conclure, il proférait un chapelet de jurons que Daphné préférait oublier. Depuis l'incident de – ou plutôt *dans* – la Tamise, il ne pouvait évoquer Hastings sans accompagner son patronyme de toute une série de noms d'oiseaux.

Sensible à l'argument d'Anthony, le duc avait expliqué à Daphné que son seul but était de l'aider à trouver un mari convenable.

Puis il avait cessé d'assister aux soirées où elle était présente.

Au grand désespoir de la jeune femme.

Celle-ci aurait dû se douter que cela finirait par arriver, et anticiper les dangers d'être courtisée, même s'il ne s'agissait que d'une mascarade, par l'homme que la bonne société surnommait depuis peu Sa Ducale Dévastation.

Ce sobriquet était né d'une remarque de la seconde des sœurs Featherington, qui louait son charme ravageur. Philipa n'avait jamais appris à murmurer, de sorte que tout le monde avait entendu ses paroles. Il n'avait pas fallu longtemps pour que quelque étudiant fraîchement émoulu d'Oxford le rebaptise sarcastiquement « Sa Ducale Dévastation ».

Un sarcasme qui, pour Daphné, se teintait d'amertume, car le bel Hastings la mettait bel et bien à la torture.

Certes, il n'y avait là rien d'intentionnel de sa part. Simon lui manifestait le plus grand respect, et se montrait en général d'excellente humeur avec elle. Même Anthony était obligé d'admettre qu'il n'avait rien à lui reprocher à cet égard. Jamais le duc n'avait tenté d'entraîner Daphné à l'écart de la foule, et sa plus folle audace avait consisté à déposer un baiser sur sa main gantée – ce qui ne s'était produit que deux petites fois, hélas !

Qu'ils partagent un silence complice ou se livrent un duel de brillantes reparties, ils étaient devenus d'excellents camarades. Lors de chaque bal où ils se retrouvaient, il l'invitait à danser à deux reprises, une troisième valse étant exclue sous peine de créer un petit scandale.

Peu à peu, l'évidence s'imposa aux yeux de Daphné : elle était en train de s'éprendre de lui.

Vraiment, quelle exquise ironie ! Elle n'avait, au départ, recherché sa compagnie que pour attirer les autres hommes. Quant à lui, il n'avait *toléré* la sienne que pour faire fuir les candidates à l'hymen.

Oui, songea-t-elle, une ironie exquisément douloureuse…

Cependant, Simon avait beau répéter avec véhémence qu'il était rebelle au mariage, elle avait parfois surpris dans ses yeux une lueur étrange. Comme s'il éprouvait du désir pour elle. Jamais il ne s'était aventuré à jouer avec elle comme il l'avait fait le soir de leur première rencontre, dans ce couloir à l'obscurité propice, mais de temps à autre elle le surprenait en train de la couver d'un regard gourmand, presque carnassier. Il se détournait dès qu'il se savait remarqué, mais cela suffisait à faire courir sur la peau de Daphné d'étranges picotements qui la laissaient le cœur battant et le souffle court.

Et ses yeux ! Tout le monde les comparait à de la glace, ce qu'elle comprenait parfaitement lorsqu'elle le voyait discuter avec quelqu'un. Il se montrait alors moins loquace qu'avec elle, sa voix était coupante, son ton brusque, et ses iris pâles reflétaient la froideur de ses manières.

En revanche, quand il se trouvait en sa seule compagnie et qu'ils partageaient un fou rire devant le dérisoire spectacle de la vie mondaine, son regard changeait du tout au tout et ses yeux se teintaient d'une douceur inattendue. Dans ses moments de rêverie, Daphné croyait y déceler un soupçon de tendresse.

Elle laissa échapper un soupir. Ses moments de rêverie avaient une fâcheuse tendance à devenir un peu trop fréquents, depuis quelque temps…

— Tiens ? Mais c'est Daph' ! Pourquoi rôdes-tu ici, dans un coin ?

En levant les yeux, elle vit Colin s'approcher d'elle, le visage éclairé de son éternel sourire espiègle.

Depuis son retour à Londres, le beau Colin avait fait chavirer plus d'un cœur, et Daphné pouvait citer une bonne dizaine de jeunes personnes qui se pâmaient d'amour pour lui et désespéraient d'attirer son attention. Il était cependant peu probable que cette affection fût payée de retour. Manifestement, Colin entendait brûler sa vie de jeune homme par les deux bouts avant de s'établir.

— Je ne rôde pas, rectifia-t-elle. J'évite.

— Qui donc ? Hastings ?

— Bien sûr que non ! D'ailleurs, il n'est pas ici, ce soir.

— Si.

Daphné savait que la principale distraction de Colin dans la vie consistait à lui jouer des tours – juste après séduire les femmes de petite vertu et parier aux courses hippiques. Elle aurait donc dû rester de marbre, mais elle ne put retenir un mouvement de surprise.

— Vraiment ? demanda-t-elle.

Son frère acquiesça, puis désigna les portes d'entrée de la salle.

— Je l'ai vu arriver il n'y a pas un quart d'heure.

Daphné fronça les sourcils.

— Tu me fais marcher ? Il m'a bien précisé qu'il n'avait pas l'intention d'assister à ce bal.

— Et tu es tout de même venue ? s'écria Colin en portant ses mains à ses joues d'un air stupéfait.

— Bien entendu. Ma vie ne tourne pas autour de lui.

— Ah non ?

Malgré son ton moqueur, il voyait juste, songea-t-elle, mortifiée.

— Pas du tout, mentit-elle.

Si sa vie ne tournait pas autour du bel Hastings, ses pensées, en revanche…

Une lueur inhabituellement sérieuse teinta les iris émeraude de Colin.

— Tu as un sacré béguin pour lui, avoue-le.

— Je ne sais pas de quoi tu parles.

— Alors tu le sauras bientôt, répondit-il avec un sourire complice.

— Colin !

— En attendant…

Il désigna la salle de bal, derrière lui.

— Pourquoi ne cours-tu pas le rejoindre ? Apparemment, ma brillante compagnie pâlit en sa présence. Tu le cherches déjà des yeux.

Horrifiée à l'idée d'avoir laissé deviner ses pensées, Daphné baissa instinctivement le regard.

— Ah, ah ! Je t'ai eue !

— Colin Bridgerton, grinça-t-elle entre ses dents, quelquefois, j'ai l'impression que tu n'as pas plus de trois ans.

— Voilà un concept intéressant, se moqua-t-il. Ce qui te donnerait un an et demi, ma chère sœur.

Faute d'une repartie cinglante, Daphné se contenta de darder sur lui un œil noir, avec pour seul résultat de faire redoubler son hilarité.

— Charmante grimace, mais à ta place, je la chasserais au plus vite. Sa Ducale Dévastation se dirige vers nous.

Cette fois-ci, Daphné refusa de tomber dans le panneau. Il n'était pas question de se trahir de nouveau !

Colin se pencha vers elle pour murmurer d'un ton de conspirateur :

— Je ne plaisante pas, Daph'.

Elle fronça les sourcils de plus belle, lui arrachant un petit rire moqueur.

— Daphné ?

C'était bien la voix de Simon. Juste à côté d'elle.

Elle pivota sur ses talons, tel un automate, tandis que Colin laissait libre cours à son hilarité.

— Tu devrais avoir plus confiance en ton frère préféré, sœurette.

— C'est *lui*, votre frère préféré ? s'enquit Hastings en haussant un sourcil incrédule.

— Seulement parce que Gregory a mis un crapaud dans mon lit hier soir, répliqua Daphné, et que Benedict a chuté de son piédestal voilà bien longtemps en décapitant ma plus belle poupée.

— Ce qui me pousse à me demander ce qu'a bien pu faire Anthony pour ne même pas mériter d'être mentionné, murmura Colin.

— Tu n'as pas envie d'aller faire un tour ? suggéra Daphné d'une voix acide.

— Non, pas vraiment.

Elle serra les dents.

— Ne viens-tu pas de me dire à l'instant que tu avais promis une danse à Pénélope Featherington ?

— Diable ! Tu dois avoir mal compris.

— Alors peut-être maman est-elle en train de te chercher ? Il me semble que je l'ai entendue t'appeler.

Colin sourit, visiblement ravi de la voir si mal à l'aise.

— Tu n'es pas censée être aussi insistante, dit-il dans un murmure théâtral, assez sonore pour être entendu de Simon. Il va se douter que tu l'aimes.

Du coin de l'œil, elle vit le duc sursauter.

— Ce n'est pas tant *sa* compagnie que je recherche, rétorqua-t-elle sur le même ton, que la *tienne* que j'essaie de fuir.

Colin pressa une main sur son cœur.

— Cruelle ! Tu m'assassines, gémit-il.

Puis, se tournant vers le duc :

— Oh, le mal qu'elle me fait !

— Vous avez raté votre vocation, Bridgerton, commenta Simon. Vous auriez dû faire du théâtre !

— Voilà une bonne idée, mais ma mère ne s'en remettrait pas.

Daphné vit une lueur nouvelle s'allumer au fond de ses yeux.

— Une excellente idée, même... ajouta-t-il. Juste au moment où je commençais à m'ennuyer. Amusez-vous bien, tous les deux !

Il leur adressa une rapide courbette et s'éclipsa.

Sans un mot, Daphné et Simon le regardèrent s'éloigner dans la foule.

— Si vous entendez un hurlement, prévint Daphné avec calme, ce sera sûrement ma mère.

— Et le bruit sourd sera celui de son corps sans vie s'effondrant sur le parquet ?

Elle hocha la tête en réprimant un sourire.

— Exactement.

Puis, après un nouveau silence :

— Je ne vous attendais pas, ce soir.

Il haussa les épaules d'un air las.

— Je m'ennuyais.

— Et pour tromper votre ennui, vous êtes venu jusqu'à Hampstead Heath dans le seul but d'assister au grand bal annuel de lady Trowbridge ? demanda-t-elle sans cacher sa stupéfaction.

Hampstead Heath se trouvait à une lieue de Mayfair, soit une heure avec un bon attelage par un soir comme celui-ci où toute la bonne société était de sortie.

— Pardonnez-moi, mais je m'inquiète pour votre santé mentale, reprit-elle.

— Et moi donc ! marmonna-t-il.

— Quoi qu'il en soit, je suis contente de vous voir, dit-elle dans un soupir ravi. Cette soirée est un véritable calvaire.

— Ah ?

Elle hocha la tête.

— J'ai enduré un interrogatoire sans fin à votre sujet.

— Voilà qui devient passionnant !

— Ne vous réjouissez pas trop vite. La première personne à me poser des questions a été ma mère. Elle s'inquiète que vous ne me rendiez jamais visite l'après-midi.

Le duc parut contrarié.

— Pensez-vous que ce soit nécessaire ? Il me semblait que mon attention exclusive à l'occasion de ces soirées mondaines suffirait à tromper l'ennemi.

Daphné ravala un gémissement agacé. Avait-il réellement besoin de laisser entendre que s'afficher en sa compagnie était pour lui un tel supplice ?

— Votre attention exclusive peut duper tout le monde, sauf Violet Bridgerton. En outre, elle n'aurait peut-être rien dit si votre manque d'assiduité n'avait pas été relevé dans le *Whistledown*.

— Vraiment ? s'enquit-il d'un air curieux.

— Comme je vous le dis. Vous feriez mieux de faire un saut à la maison demain, ou on va commencer à se poser des questions.

— J'aimerais bien savoir qui sont les espions de cette femme, murmura-t-il. Je les engagerais à mon propre service.

— Pour quoi faire ? demanda Daphné.

— Rien de spécial, mais c'est une honte de gâcher tant de talent.

Pour sa part, Daphné doutait que la fameuse lady Whistledown vît les choses sous le même angle, mais comme elle n'avait aucune envie d'entamer un débat sur les torts et les mérites de sa chronique mondaine, elle s'abstint de tout commentaire.

— Ensuite, poursuivit-elle, une fois que ma mère a eu fini de me harceler, tout le monde s'y est mis, de sorte que ma situation est rapidement devenue intenable.

— À Dieu ne plaise !

Daphné lui décocha un regard acerbe.

— À une exception près, la totalité de mes inquisiteurs étaient du beau sexe, et malgré leurs marques de sympathie, ces demoiselles étaient toutes en train d'évaluer les probabilités d'une rupture entre vous et moi.

— Vous avez précisé que j'étais fou amoureux de vous, bien sûr ?

Le cœur de Daphné se serra.

— Cela va de soi, mentit-elle, un sourire doux-amer aux lèvres. J'ai une réputation à soigner.

— Et qui était le seul individu masculin parmi vos tortionnaires ?

Daphné fit la grimace.

— En fait, il s'agissait également d'un duc. Un drôle de vieux bonhomme qui affirmait avoir été un ami de votre père.

Le visage de Simon se ferma, mais elle n'y fit pas attention.

— Il n'arrêtait pas de répéter combien celui-ci avait été digne de son nom.

Dans un petit rire, elle imita les intonations précieuses de l'aristocrate.

— J'ignorais que vous exerciez une telle surveillance entre pairs, vous autres ducs. Il ne faudrait pas que le titre tombe entre les mains d'un incompétent, je suppose ?

Simon ne répondit pas.

Pensive, Daphné se tapota la joue du bout du doigt.

— Maintenant que j'y pense, je ne vous ai jamais entendu évoquer votre père.

— Je ne tiens pas à parler de lui, répliqua sèchement Hastings.

Daphné le regarda, un peu mal à l'aise.

— Quelque chose ne va pas ?

— Non, dit-il d'une voix tranchante.

— Oh.

S'apercevant qu'elle était en train de mordre sa lèvre inférieure, Daphné cessa aussitôt.

— Je n'aborderai plus ce sujet.

— Je vous dis qu'il n'y a *aucun problème*.

— Bien entendu, acquiesça-t-elle.

Un silence tendu tomba entre eux. Mal à l'aise, la jeune femme fit rouler entre ses doigts l'étoffe de sa jupe, avant de s'exclamer :

— La décoration florale de lady Trowbridge est superbe, non ?

Hastings suivit son regard, qu'elle avait tourné vers une énorme composition de roses aux tons nacrés.

— Certes, admit le duc.

— Je me demande si elles viennent de son jardin.
— Aucune idée.
Un autre silence s'établit.
— Les roses sont des fleurs tellement capricieuses.
Cette fois-ci, il ne répondit que par un grognement.
Daphné toussota pour éclaircir sa voix, puis, constatant qu'il ne se donnait même pas la peine de la regarder :
— Avez-vous goûté la limonade ?
— Je n'y tiens pas.
— Eh bien, moi, si, décréta-t-elle, impatiente. Et il se trouve que j'ai soif. Si vous voulez bien m'excuser, je vais aller me servir un verre et vous laisser à votre mauvaise humeur. Je suis sûre que vous trouverez quelqu'un de plus amusant que moi.
Elle pivota sur elle-même, bien décidée à s'en aller, mais avant qu'elle ait pu faire un pas, une main se referma brusquement sur son bras. Elle baissa les yeux, hypnotisée par la vue de cette main large et brune qui froissait la soie délicate de sa manche, s'attendant presque à la voir descendre lentement jusqu'au creux de son coude, là où palpitait sa peau blanche et nue.
Bien entendu, il n'en fit rien. Cela n'arrivait que dans ses rêves.
— Daphné, s'il vous plaît. Regardez-moi.
Sa voix était basse, vibrant d'une telle énergie qu'elle fut parcourue de frissons.
Elle se tourna vers lui et chercha son regard.
— Je vous prie de m'excuser, dit-il, les yeux dans les siens.
Elle hocha la tête, mais il semblait décidé à s'expliquer plus longuement.
— Je n'ai p-pas...
Il s'interrompit, avant de porter sa main devant sa bouche en toussant.
— Je n'étais pas en bons termes avec mon père. Je... n'aime pas parler de lui.

Daphné le regarda, intriguée. Jamais elle ne l'avait entendu chercher ainsi ses mots.

Il laissa échapper un soupir irrité. Étrangement, songea la jeune femme, c'était surtout contre lui-même qu'il paraissait en colère.

— Quand vous l'avez évoqué…

Il secoua la tête.

— Il me hante. Je ne peux pas le chasser de mes pensées. Cela me… me… me met dans une fureur extrême.

— Je suis désolée, dit-elle sans chercher à cacher sa confusion.

Il lui sembla qu'elle aurait dû dire autre chose, mais elle ne trouvait pas les mots.

— Pas contre vous ! ajouta-t-il précipitamment.

Lorsque son regard bleu clair croisa le sien, la brume qui les noyait parut se dissiper. Ses traits se détendirent, en particulier le fin réseau de rides qui crispait ses lèvres. Il déglutit avec peine.

— C'est contre moi-même que je suis furieux.

— Et un peu contre lui, on dirait, remarqua-t-elle très doucement.

Il garda le silence. Elle n'attendait d'ailleurs pas de réponse. Sa main était toujours sur son bras ; dans un réflexe, elle posa la sienne dessus.

— Que diriez-vous de prendre un peu l'air ? proposa-t-elle. J'ai l'impression que cela ne vous ferait pas de mal.

Il acquiesça.

— Vous restez ici, dit-il. Anthony me tuera si je vous emmène sur la terrasse.

— Anthony peut aller se faire cuire un œuf ! répliqua Daphné en pinçant les lèvres. Je suis lasse de sa surveillance constante.

— Il essaie seulement d'être un bon frère pour vous.

Elle le regarda, consternée.

— Dites donc, dans quel camp êtes-vous ?

Ignorant habilement sa question, il reprit :

— Très bien, mais juste une petite promenade. Je peux encore me défendre contre Anthony, mais s'il bat le rappel de vos frères, je suis un homme mort.

Quelques pas plus loin, une double porte donnait sur la terrasse. Daphné la désigna d'un coup de menton, et la main de Simon glissa le long de son bras avant de s'arrêter au creux de son coude. Comme dans ses rêves.

— De toute façon, il doit y avoir une dizaine de couples dehors, argua-t-elle. Il n'aura rien à nous reprocher.

Ils n'avaient pas franchi la porte qu'une voix masculine résonna derrière eux.

— Hastings !

Simon fit halte et pivota sur ses talons. Maussade, il songea qu'il avait fini par s'habituer à ce nom. Encore un peu, et il le considérerait comme le sien. Sans qu'il sache pourquoi, cela le mettait terriblement mal à l'aise…

Un homme âgé les rejoignit d'un pas mal assuré en s'appuyant sur sa canne.

— C'est le vieux monsieur dont je vous ai parlé il y a un instant, chuchota Daphné. Lord Middlethorpe, je crois.

Simon, qui n'avait aucune envie de discuter, hocha brièvement la tête.

— Hastings ! répéta l'homme. Voilà longtemps que je voulais vous rencontrer. Je m'appelle Middlethorpe, j'étais un grand ami de votre père.

D'un coup de menton rigide, presque militaire, Simon l'invita à poursuivre.

— Vous lui avez beaucoup manqué, savez-vous, quand vous avez quitté l'Angleterre.

Une bouffée de rage monta en Simon, paralysant sa langue, bloquant ses mâchoires. Il savait sans l'ombre d'un doute que s'il tentait de parler, on croirait entendre le gamin terrorisé qu'il était à huit ans.

Et pour rien au monde il ne se donnerait ainsi en spectacle devant Daphné.

Toutefois – il ne sut comment, peut-être parce que les voyelles lui étaient plus faciles à prononcer que les consonnes – il parvint à articuler un « Oh ? » assez convaincant. Il constata avec soulagement que sa voix avait pris un timbre tranchant, presque condescendant.

Si le vieillard y discerna la rancune qui la faisait vibrer, il n'en montra rien.

— J'étais à ses côtés quand il est décédé, précisa-t-il.

Simon restait muet. Par chance, Daphné eut la bonne idée d'entrer dans la conversation.

— Oh, mon Dieu ! s'exclama-t-elle avec compassion.

— Il m'a demandé de vous transmettre un certain nombre de lettres. Je les ai chez moi.

— Brûlez-les.

Daphné laissa échapper un petit cri de stupeur et posa une main sur le bras du vieux lord.

— Oh, non ! Surtout, n'en faites rien ! Même s'il ne souhaite pas les lire tout de suite, un jour peut venir où il changera d'avis.

Simon lui jeta un regard furieux et se tourna de nouveau vers Middlethorpe.

— J'ai dit : brûlez-les.

— Je... eh bien... bafouilla le vieillard, manifestement indécis.

Il devait avoir été informé que les Basset père et fils n'étaient pas en bons termes, mais apparemment, feu le duc ne lui avait pas révélé combien ils étaient étrangers l'un à l'autre. Il considéra Daphné d'un œil plein d'espoir :

— Outre cette correspondance, il m'a transmis un message pour lui...

Daphné vit alors que Simon, qui avait lâché son bras, s'éloignait d'un pas rageur.

— Je suis vraiment désolée, dit-elle, gênée par le comportement inexcusable de Simon. Il ne voulait sûrement pas être impoli.

L'expression de Middlethorpe était sans équivoque : l'homme savait que l'attitude de Simon était tout à fait délibérée. Toutefois, elle ajouta :

— Il est assez susceptible au sujet de son père.

— Hastings m'avait prévenu qu'il réagirait ainsi, mais il me l'a dit en riant, avant d'ironiser sur la fierté des Basset. De vous à moi, je ne l'avais pas pris au sérieux.

Daphné jeta un regard inquiet en direction des portes ouvertes sur la terrasse.

— Apparemment, son père avait vu juste. Je ferais mieux d'aller le retrouver.

Middlethorpe acquiesça d'un signe de tête.

— S'il vous plaît, conclut-elle, ne brûlez pas ces lettres.

— Je n'y songe pas un instant, mais…

Daphné se détournait déjà vers la terrasse. Elle se figea, alertée par l'intonation grave du vieil homme.

— Oui ?

— Ma santé décline. Je… D'après le médecin, je n'en ai plus pour très longtemps. Pourrais-je vous confier ces lettres ?

Elle regarda le duc avec un mélange d'incrédulité et d'effroi. Incrédulité de le voir remettre une correspondance aussi personnelle à une jeune femme qu'il ne connaissait pas depuis une heure ; effroi car elle savait que si elle acceptait, jamais Simon ne le lui pardonnerait.

— Je ne sais pas, répondit-elle, mal à l'aise. Je crains de ne pas être la bonne personne.

Une lueur de sagesse s'alluma au fond des yeux du vieillard.

— Je crois au contraire que vous êtes exactement celle qu'il faut, dit-il avec douceur. Et je suis persuadé que vous saurez trouver le bon moment pour lui remettre ces lettres. Puis-je les faire déposer chez vous ?

Faute d'une meilleure option, elle acquiesça d'un hochement de tête.

Middlethorpe désigna la terrasse avec sa canne.

— Vous feriez mieux d'aller le rejoindre.

Elle croisa son regard, le salua d'un coup de menton et se sauva.

La terrasse, faiblement éclairée par des torches fixées au mur, était plongée dans la pénombre. Guidée par la seule lumière de l'astre lunaire, Daphné reconnut la silhouette de Simon. Il s'était réfugié à l'écart dans une attitude butée, les bras croisés sur la poitrine. Il s'était tourné vers l'immense pelouse qui s'étendait au-delà de la terrasse, mais Daphné doutait qu'il fût attentif à quoi que ce soit d'autre que les émotions qui bouillonnaient en lui.

Elle s'avança à pas de loup. La fraîcheur de la nuit contrastait agréablement avec l'air lourd et moite de la salle de bal surpeuplée. Des murmures lui parvenaient par bribes portées par la brise nocturne, preuve qu'ils n'étaient pas seuls, mais Daphné ne pouvait distinguer leurs voisins dans la faible lueur. Apparemment, les autres invités avaient choisi de s'isoler dans les coins les plus sombres de la terrasse, à moins qu'ils n'aient descendu les marches menant au jardin pour s'asseoir sur les bancs en contrebas.

Tout en s'approchant, elle songea qu'elle allait lui dire quelque chose comme « Vous avez été très impoli avec le duc » ou « Pourquoi en voulez-vous tant à votre père ? », mais finalement elle décida que ce n'était pas le moment de sonder les sentiments de Simon. En arrivant près de lui, elle s'appuya simplement à la balustrade.

— J'aimerais tant voir les étoiles ! dit-elle dans un soupir nostalgique.

Il baissa vers elle un regard d'abord surpris, puis intrigué.

— À Londres, elles sont invisibles, reprit-elle d'une voix volontairement légère. Soit il y a trop de lumière, soit le brouillard recouvre la ville, soit l'atmosphère est si sale que l'air devient opaque.

Dans un soupir désabusé, elle leva les yeux vers le ciel.

— J'avais espéré qu'à Hampstead Heath, je les apercevrais, mais on dirait que même les nuages se sont ligués contre moi…

Un long silence s'étira, puis Simon, après avoir éclairci sa voix, demanda :

— Savez-vous que dans l'hémisphère Sud, le ciel est complètement différent ?

Ce n'est qu'en sentant soudain ses muscles se dénouer que Daphné mesura combien elle avait été tendue jusqu'à présent. Manifestement, Simon essayait de raviver leur habituelle complicité, et elle lui en était reconnaissante. Elle le regarda, intriguée.

— Vous plaisantez ?

— Pas du tout. N'importe quel manuel d'astronomie vous le confirmera.

— Hum !

— Quoi qu'il en soit, poursuivit Simon d'une voix qui retrouvait peu à peu ses intonations nonchalantes, même si vous êtes novice en astronomie, comme moi…

— Ou, à plus forte raison, comme moi… l'interrompit Daphné avec un sourire modeste.

Il lui donna une tape amicale sur la main, et une lueur d'amusement brilla dans ses yeux. Elle en fut d'abord soulagée, puis une autre émotion plus précieuse l'envahit. La joie d'avoir réussi à chasser les ombres de son regard. Elle aurait voulu le protéger pour toujours de ces sombres humeurs, songea-t-elle. Si seulement il l'y autorisait !

— Vous remarqueriez de toute façon la différence, poursuivit-il. C'est tout à fait étrange. Je ne me suis jamais intéressé aux constellations mais à mon arrivée en Afrique, j'ai levé les yeux vers le ciel – la nuit est si claire, là-bas ! Jamais vous n'avez vu cela !

Daphné le dévisagea, fascinée.

— J'ai levé les yeux vers le ciel, reprit-il en secouant la tête d'un air dramatique, et il n'était pas dans le bon sens.

— Comment est-ce possible ?

Il leva les mains d'un geste évasif.

— Aucune idée. Les étoiles donnaient l'impression de ne pas se trouver à leur place habituelle.

— J'aimerais voir ce ciel austral, murmura Daphné. Si j'étais plus audacieuse, plus originale, ce genre de femme pour qui les hommes écrivent des poèmes, je crois que j'adorerais voyager.

— Oh, mais vous *êtes* le genre de femme pour qui les hommes écrivent des poèmes, lui rappela Simon avec un brin de sarcasme. C'est juste de la mauvaise poésie.

Daphné éclata de rire.

— Ne vous moquez pas de moi. C'était tellement agréable ! Jamais je n'avais reçu six visites en un seul après-midi, et Neville Brinsby m'a même dédicacé des vers de sa composition !

— Sept visites, rectifia le duc.

— Avec la vôtre, bien sûr, mais vous ne comptez pas vraiment.

— Cruelle ! Vous m'assassinez, gémit-il, en une assez bonne imitation de Colin.

— Vous pourriez peut-être envisager une carrière dramatique, vous aussi ?

— Je ne sais pas si ce serait une bonne idée.

Elle lui adressa un sourire indulgent.

— Vous avez sans doute raison. Ce que je voulais dire, au risque de paraître terriblement ennuyeuse, c'est que je n'ai aucune envie d'aller voir ailleurs si le ciel est plus bleu. Je suis très heureuse ici.

Il secoua la tête tandis qu'une lueur étrange, presque magnétique, s'allumait au fond de ses yeux.

— Vous n'êtes pas ennuyeuse, et…

Sa voix baissa d'une octave.

— … j'aime vous savoir heureuse. Je n'ai pas rencontré beaucoup de gens qui l'étaient vraiment.

Ce n'est qu'en levant les yeux vers lui qu'elle s'aperçut qu'il s'était rapproché d'elle. Elle n'aurait pas juré qu'il en avait conscience, mais il se penchait imperceptiblement vers elle, et elle avait toutes les peines du monde à détacher ses yeux des siens.

— Simon ? murmura-t-elle.

— Nous ne sommes pas seuls, répondit-il d'une voix curieusement étranglée.

Du regard, elle fouilla l'obscurité autour d'eux. Les voix s'étaient éteintes, mais cela signifiait peut-être que leurs voisins les épiaient dans le noir.

En contrebas, le jardin lui sembla plus attirant que jamais. S'ils avaient été à Londres, songea-t-elle, il n'y aurait rien eu au-delà de cette terrasse, mais lady Trowbridge, éprise d'originalité, organisait toujours son bal annuel dans sa résidence de Hampstead Heath. La propriété se trouvait à peine à une demi-lieue de Mayfair, mais elle paraissait appartenir à un autre monde. D'élégantes demeures ponctuaient ici et là le vert de la campagne, et dans les jardins de lady Trowbridge, foisonnants d'arbres et de fleurs, haies et bosquets offraient plus d'un refuge propice…

Une soudaine fièvre courut dans les veines de la jeune femme.

— Allons marcher dans le jardin, proposa-t-elle dans un souffle.

— Nous ne pouvons pas.

— Allons !

— Nous ne pouvons pas, répéta-t-il.

Sa voix vibrait d'un tel désespoir que Daphné comprit aussitôt. Il la désirait ardemment. Passionnément. Follement.

Il sembla à la jeune femme que son cœur se gonflait de joie, et que si celui-ci avait pu chanter, c'est l'aria de la *Flûte enchantée* qui en aurait jailli, lançant fougueusement ses trilles vers le ciel.

Et si elle l'embrassait ? Si elle l'entraînait dans les bosquets et levait son visage vers le sien pour lui offrir ses lèvres ? Comprendrait-il qu'elle était éprise de lui ? L'aimerait-il en retour, même juste un peu ? Et s'apercevrait-il qu'elle pourrait le rendre heureux ?

Cesserait-il enfin de répéter à l'envi qu'il n'était pas fait pour le mariage ?

— Moi, je vais me promener au jardin, déclara-t-elle. Vous pouvez m'accompagner si vous voulez.

Tandis qu'elle s'éloignait – à pas lents, afin de lui laisser le temps de la rattraper – elle l'entendit proférer un juron, puis s'élancer à sa suite.

— Daphné, c'est parfaitement déraisonnable, la gronda-t-il.

Si elle en jugeait au timbre un peu rauque de sa voix, c'était surtout lui-même qu'il tentait de convaincre... Sans répondre, elle continua d'avancer dans l'allée.

— Pour l'amour du Ciel, allez-vous m'écouter ?

Il la prit par le poignet, l'obligeant à pivoter sur elle-même.

— J'ai fait une promesse à votre frère, ajouta-t-il, hors de lui. Je lui ai donné ma parole.

Elle lui adressa le sourire d'une femme qui se sait désirée.

— Eh bien, partez.

— En vous abandonnant ici, sans protection ? Vous n'y pensez pas ! Quelqu'un pourrait essayer de profiter de la situation.

Daphné balaya l'argument d'un gracieux haussement d'épaules et tenta de dégager son bras de la solide poigne de Simon. Celui-ci la serra un peu plus fort. Ce faisant – même si, elle le savait, ce n'était pas son intention – il l'attira à lui, si proche qu'elle le touchait presque.

La respiration de Simon s'accéléra.

— Ne faites pas cela, Daphné.

Elle chercha une repartie spirituelle et audacieuse, mais au dernier instant, le courage lui manqua. On ne l'avait jamais embrassée, et à présent qu'elle avait pratiquement invité Simon à être le premier, elle ne savait plus que faire.

Il relâcha légèrement la pression de ses doigts autour de son poignet et l'entraîna à reculons vers l'abri d'une haie taillée avec soin.

Puis, murmurant son prénom, il effleura sa joue du bout du doigt.

Le souffle court, Daphné entrouvrit les lèvres.

Et arriva ce qui devait arriver.

10

Plus d'une femme a ruiné sa réputation à cause d'un simple baiser.

LA CHRONIQUE MONDAINE DE LADY WHISTLEDOWN, 14 mai 1813

Simon n'aurait pu dire à quel instant précis il sut qu'il allait embrasser Daphné. Peut-être ne le sut-il jamais – du moins, pas consciemment.

Jusqu'au dernier instant, il avait réussi à se persuader que s'il avait attiré la jeune femme à l'abri de la haie, ce n'était que pour la sermonner et la mettre en garde contre son comportement irresponsable, qui ne pouvait que leur attirer des ennuis.

Seulement, à ce moment précis, quelque chose avait changé. À moins que cette transformation ne soit le fruit d'un long processus qu'il avait obstinément refusé de voir… Le regard de la jeune femme avait pris un éclat nouveau, et lorsqu'elle avait entrouvert ses lèvres – oh, si peu ! juste assez pour laisser passer un filet d'air ! – il n'avait pas eu la force de détourner les yeux.

Il avait laissé courir sa main le long de son bras pour effleurer d'abord le pâle satin de son gant, sa peau nue, puis le nuage de soie de sa manche, avant de la glisser dans son dos pour l'attirer vers lui. Il la voulait tout près de lui. Sous lui. Autour de lui… Son désir était si violent qu'il en devenait effrayant !

Il l'enserra dans l'étau de ses bras. À présent, elle était là, plus proche que jamais. Il la pressa un peu plus pour plaquer son torse sur les rondeurs de ses seins.

Un frisson de désir embrasa ses reins.

Il posa une jambe entre les siennes et poussa doucement. Sous la soie de ses jupes et jupons, il pouvait percevoir la douce chaleur de ses cuisses.

Un sourd gémissement où s'entremêlaient le désir et la frustration monta de ses lèvres. Il ne la posséderait pas, ni ce soir ni jamais. Rien d'autre ne lui serait donné que ce précieux instant, qu'il aurait voulu faire durer une éternité.

Sous ses doigts, l'étoffe de sa robe était infiniment légère. Il caressa son dos avec une lenteur délibérée, savourant la grâce et la sensualité de ses courbes.

Puis, sans savoir comment – jusqu'à son dernier souffle, il ignorerait où il puisa ce courage – il s'écarta d'elle. À peine, juste assez pour laisser passer un filet d'air entre elle et lui.

— Non ! protesta-t-elle en une affolante supplique.

Il cueillit son visage entre ses paumes pour mieux s'imprégner des traits de son visage. Il faisait trop sombre pour distinguer les couleurs, mais il connaissait les nuances de coquillage de sa bouche, ce rose si doux qui se teintait de pêche près des commissures des lèvres, et la subtile palette d'automne de ses iris, avec ce délicat cercle vert tendre à la lisière des pupilles, qui semblait n'être là que pour l'inciter à la regarder de plus près afin de s'assurer qu'il n'avait pas rêvé.

Quant au reste – la douceur de sa peau, le goût de ses baisers – il ne pouvait que l'imaginer…

Et Dieu sait qu'il s'y appliquait ! Malgré ses manières distantes, malgré ses vertueuses promesses à Anthony, il se consumait de désir pour elle ! Quand il l'apercevait au milieu de la foule, un incendie s'allumait sous sa peau. Lorsqu'il la voyait dans ses rêves, tout son corps s'embrasait…

Et à présent qu'elle était là, dans ses bras, le regard embrumé d'appétits sans doute inédits pour elle… eh bien, il ne savait pas s'il allait s'en remettre.

Voilà pourquoi il fallait qu'il l'embrasse : c'était une question de survie. S'il ne le faisait pas, il allait en mourir ! Cela pouvait paraître un peu mélodramatique, mais sur le moment, il aurait juré que c'était la pure vérité. Le feu qui couvait dans ses veines le brûlerait vif, le réduirait en cendres…

Son envie d'elle était presque terrifiante.

Il posa ses lèvres sur les siennes avec plus de rudesse qu'il ne l'aurait voulu. Son cœur martelait sourdement sa poitrine, le faisant trembler d'impatience. Ce ne fut pas le tendre baiser d'un prétendant, mais celui d'un amant fou de désir.

Il était prêt à forcer la barrière de ses lèvres mais, sans doute parce que la même passion la consumait, elle ne lui opposa aucune résistance.

— Daphné ! gémit-il.

Il la plaqua contre lui avec ivresse, conscient qu'elle ne pouvait plus, désormais, ignorer son désir qui se pressait contre son ventre.

— Je n'ai jamais pensé… poursuivit-il dans un murmure haletant. Je n'ai jamais rêvé…

Mensonges ! Mensonges éhontés ! Son imagination fiévreuse l'avait déjà dénudée, explorée, possédée de mille façons… Et cependant, aussi audacieux soient-ils, ces songes s'avéraient soudain bien ternes !

Chaque frôlement, chaque soupir ne faisaient qu'aviver le brasier. Déjà, son corps échappait à son contrôle. Peu lui importait désormais où était le bien, où était le mal, car rien d'autre ne comptait que de la savoir là, entre ses bras, palpitante du même désir que celui qui le consumait.

Car elle avait envie de lui, c'était évident !

Il fit courir ses mains sur elle dans une nouvelle bouffée d'impatience et mordit sa bouche avec un appétit que rien, semblait-il, ne pourrait apaiser.

D'un geste hésitant, presque timide, elle posa une main gantée sur son épaule, puis au creux de son cou. Sous cette caresse légère, un sillon de feu courut à la surface de sa peau.

Il quitta sa bouche pour parsemer son cou de baisers, avant de descendre vers la naissance de sa gorge, lui arrachant de petits halètements de volupté qui ne firent qu'accentuer sa frustration.

De ses mains tremblantes, il effleura l'écume de dentelle qui bordait le décolleté de son corsage. Le vêtement n'était pas trop ajusté : Simon savait que la plus légère pression suffirait à faire glisser la soie délicate sur le renflement de son sein.

C'était là un fruit qu'il lui était défendu de voir, encore plus de goûter, mais il ne trouva pas la force de résister.

Il lui donna pourtant une dernière chance de l'en empêcher. Avec une telle lenteur que c'en était un supplice, il commença à dénuder sa gorge, puis il marqua une pause afin de lui laisser le temps de protester… mais la belle, loin de s'effaroucher, se cambra dans un tendre soupir, plus provocant que les paroles les plus hardies.

Simon était vaincu.

Il fit glisser l'étoffe du corsage et, ivre de désir, contempla le trésor enfin révélé. Puis il se pencha vers elle pour apposer sur sa peau le sceau de ses lèvres.

Il n'en eut pas le temps.

— Traître ! cria soudain une voix derrière lui.

Daphné, reconnaissant la voix de son frère, bondit en arrière.

— Oh, mon Dieu, gémit-elle. Anthony !

Celui-ci se dirigeait vers eux à grandes enjambées rageuses ; il n'était plus qu'à une dizaine de pas. Le visage contracté par la fureur, il s'élança vers Simon dans un hurlement sauvage, presque inhumain. Jamais la jeune femme n'avait entendu un tel cri.

À peine avait-elle couvert sa gorge que son frère se jeta sur Simon, avec une telle puissance qu'elle en perdit l'équilibre et tomba à terre.

— Je vais te tuer, espèce de sale…

— Anthony, non ! Arrête-toi ! ordonna-t-elle, plaquant toujours le corsage de sa robe contre ses seins, bien qu'elle l'eût rajusté et qu'il ne risquât plus de tomber.

Son frère ne l'entendit pas. Les traits tordus par la colère, les poings serrés, il roua de coups son adversaire, tout en laissant échapper d'effrayants rugissements.

Simon, en revanche, ne montrait guère d'agressivité. Tout juste se protégeait-il !

Daphné, qui s'était écartée de quelques pas, hagarde, retrouva rapidement ses esprits. Si elle n'intervenait pas, Anthony allait tuer Simon. Là, dans les jardins de lady Trowbridge ! Elle tenta de s'interposer entre son frère et l'homme qu'elle aimait, mais au même instant ceux-ci roulèrent à terre… et la renversèrent, la projetant dans la haie d'épineux.

— Aaaah ! hurla-t-elle, le corps soudain transpercé de milliers de pointes acérées.

Alertés, les deux combattants s'immobilisèrent aussitôt.

— Malédiction ! gronda Simon en se redressant pour bondir à son secours. Daphné, avez-vous mal ?

Prise au piège, elle répondit par un gémissement en s'interdisant tout mouvement. Les pointes lui tailladaient la peau, et le plus infime geste ne faisait qu'accentuer la douleur.

— Elle est blessée, dit Simon à Anthony d'un ton tendu par l'inquiétude. Il va falloir la soulever pour la sortir de là. Si nous essayons d'écarter les branches, nous ne ferons qu'aggraver les choses.

Daphné vit Anthony, oubliant pour un instant son différend avec Simon, acquiescer d'un bref hochement de tête. Il avait compris qu'elle souffrait et lui donnait la priorité.

— Ne bougez pas, Daphné, enchaîna Simon d'une voix douce et rassurante. Je vais vous prendre dans mes bras pour vous soulever et vous dégager de ce buisson. D'accord ?

Elle secoua la tête.

— Vous allez vous écorcher.

— J'ai des manches longues. Ne vous inquiétez pas pour moi.

— Je vais le faire, intervint Anthony.

Simon ne parut pas l'entendre. Sous le regard impuissant d'Anthony, il entra dans la muraille d'épines, tendit les mains vers Daphné pour glisser ses bras entre sa peau nue, douloureusement griffée, et les branches hérissées de piquants. Il dut s'interrompre au moment où il atteignait ses manches afin de détacher les aiguilles prises dans la soie de la robe. Plusieurs rameaux, ayant traversé l'étoffe, lacéraient sa chair.

— Je n'arrive pas à vous libérer complètement des branchages, dit-il. Votre robe risque de se déchirer.

Elle hocha la tête d'un geste nerveux.

— De toute façon, elle est déjà irréparable.

— Mais…

Certes, Simon avait été sur le point de dénuder gaillardement la jeune femme jusqu'à la taille, mais à présent, le simple fait d'expliquer à voix haute que la robe allait s'arracher sous la traction des pointes acérées du buisson, dévoilant impudiquement le buste de Daphné, le mettait au supplice. Aussi se tourna-t-il vers Anthony pour déclarer sobrement :

— Il va falloir la couvrir de votre veste.

Anthony était déjà en train d'ôter le vêtement.

Simon revint à Daphné et chercha son regard.

— Êtes-vous prête ? demanda-t-il avec douceur.

Elle fit signe que oui. Était-ce le fruit de son imagination ? Il lui sembla qu'elle était plus calme, maintenant que ses yeux étaient fixés sur lui.

Ayant vérifié qu'aucune branche n'était encore accrochée à sa peau délicate, il enfonça un peu plus ses mains dans le bosquet, de façon à entourer solidement la jeune femme de ses bras.

— Je vais compter jusqu'à trois, murmura-t-il.

Elle hocha de nouveau la tête.

— Un... deux...

D'un coup sec, il la souleva et la fit sortir du buisson, avec une telle force qu'ils roulèrent sur le sol.

— Vous aviez dit jusqu'à trois ! protesta-t-elle.

— J'ai menti. Je ne voulais pas que vous résistiez à la dernière seconde.

Daphné aurait sans doute argumenté si elle n'avait pris conscience à cet instant que sa robe n'était plus qu'un souvenir. Dans un cri de stupeur, elle croisa les bras sur sa poitrine.

— Tiens, dit Anthony en posant sa veste sur ses épaules.

Avec gratitude, elle se drapa dans le vêtement de fine étoffe. Si celui-ci seyait à merveille à son frère, il tombait sur elle en plis lâches, de sorte qu'elle put aisément s'en envelopper.

— Ça va ? lui demanda Anthony d'un ton rugueux.

Elle acquiesça d'un mouvement de tête.

— Tant mieux, reprit-il.

Puis, se tournant vers Hastings :

— Merci de l'avoir sortie de là.

Pour toute réponse, le duc donna un bref coup de menton.

— Tu es sûre que ça va aller ? insista Anthony en s'adressant de nouveau à Daphné.

— Ça pique un peu, avoua-t-elle, et j'aurai sans doute besoin d'appliquer un baume apaisant à la maison, mais c'est tout à fait supportable.

— Tant mieux, répéta-t-il.

Puis, sans prévenir, il leva son poing fermé et l'abattit sur la mâchoire de Hastings, qui roula au sol sous l'impact.

— Ça, cracha-t-il, c'est pour avoir attenté à la pudeur de ma sœur.

— Anthony ! cria Daphné. Ne dis pas de bêtises, il n'a rien fait de tel !

Il fit volte-face, le regard brillant d'indignation.

— J'ai vu ta...

Daphné crut que son cœur allait cesser de battre. Juste Ciel, il avait vu sa gorge ! Lui, son propre frère... Jamais elle n'avait été aussi mortifiée !

— Debout, gronda Anthony, que je vous frappe de nouveau !

— Enfin, tu as perdu la tête ! s'écria la jeune femme en s'interposant entre lui et Simon, toujours au sol, une main sur son œil. Anthony, si tu lèves encore la main sur lui, je ne te le pardonnerai jamais.

Il l'écarta sans ménagement.

— Le second coup, éructa-t-il, sera pour avoir trahi notre amitié.

Horrifiée, Daphné vit Hastings se redresser avec lenteur.

— Non ! décréta-t-elle en se plaçant une nouvelle fois entre eux.

— Laissez-nous, Daphné, ordonna Simon d'une voix presque tendre. C'est entre lui et moi.

— Certainement pas ! Au cas où vous l'auriez oublié, c'est moi qui...

Elle s'interrompit au milieu de sa phrase. À quoi bon argumenter ? Aucun des deux hommes ne semblait décider à l'écouter.

— Pousse-toi, Daph', dit à son tour Anthony, avec un calme effrayant.

Les yeux vrillés sur ceux de son adversaire, il n'avait même pas tourné la tête vers elle.

— Vous êtes ridicules ! s'impatienta-t-elle. Ne pourrions-nous pas discuter de tout ceci en adultes ?

Son regard passa de Hastings à Anthony, avant de revenir précipitamment vers le premier.

— Dieu du ciel ! Simon, votre œil !

Elle courut jusqu'à lui et tendit une main vers sa paupière droite, si tuméfiée qu'elle se fermait d'elle-même.

Simon demeura impassible. Pas un de ses muscles ne tressaillit lorsqu'elle posa la main sur son visage, avant de faire courir un doigt sur sa peau douloureuse, en une caresse curieusement apaisante. Son attirance pour elle était toujours aussi vive, mais le désir avait cédé la place à un autre sentiment qu'il ne connaissait pas. Que c'était bon de la savoir là, à ses côtés, si bonne, si noble et si pure !

Et pourtant, il s'apprêtait à lui infliger la pire insulte qu'il eût jamais fait subir à une femme.

Car lorsque Bridgerton, une fois calmé, lui demanderait de réparer sa faute en épousant sa sœur, il refuserait.

— Laissez-nous, Daphné, répéta-t-il, reconnaissant à peine sa propre voix.

— Non, je…

— Laissez-nous ! gronda-t-il, au supplice.

Elle s'écarta d'un bond, plaquant de nouveau son dos contre la haie dont il venait de la dégager, le regard agrandi par l'inquiétude.

Simon se tourna vers Bridgerton.

— Allez-y, dit-il. Frappez.

Une expression de stupeur se peignit sur les traits de son adversaire.

— Frappez, vous dis-je, et finissons-en !

Visiblement décontenancé, Anthony, sans bouger la tête, chercha le regard de sa sœur.

— Je ne peux pas, souffla-t-il. Pas s'il me le demande !

Simon s'approcha.

— C'est le moment, insista-t-il. Faites-moi payer.

— C'est devant l'autel que vous paierez vos dettes, Hastings ! répliqua Anthony.

Daphné laissa échapper un cri de surprise, attirant l'attention de Simon. Pourquoi une telle réaction ? N'avait-elle pas déjà envisagé les conséquences, sinon de leurs actes, du moins de la naïveté avec laquelle ils s'étaient laissé surprendre ?

— Je ne l'y obligerai pas, déclara la jeune femme.

— Moi, si, rétorqua son frère.

Simon secoua la tête.

— Demain, je serai sur le continent.

— Vous partez ? s'alarma Daphné, avec des accents si déchirants qu'une bouffée de honte monta en lui.

— Si je reste, ma seule présence vous souillera. Il vaut mieux que je m'en aille.

En la voyant mordre sa lèvre inférieure, qui s'était mise à trembler, il ravala un gémissement de frustration. Il ne supportait pas de la voir souffrir ainsi ! Dans un souffle, elle prononça un mot, un seul. Son prénom. Il y avait dans sa voix une telle détresse qu'il crut que son cœur allait se mettre à saigner.

Il lui fallut un long moment pour trouver le courage d'ajouter :

— Je ne peux pas vous épouser, Daphné.

— Vous ne pouvez pas, intervint Anthony, ou vous ne voulez pas ?

— Les deux.

Anthony le frappa de nouveau.

Simon tomba au sol en se tenant la mâchoire. La douleur était presque insoutenable, mais il l'avait bien méritée. Il ne voulait pas croiser le regard de Daphné, ni même voir son visage, mais elle s'agenouilla près de lui et, passant tendrement la main sous son épaule, l'aida à se redresser.

— Je suis désolé, Daphné, dit-il en s'obligeant à se tourner vers elle.

Il n'avait pas ses sensations habituelles, son équilibre était des plus précaires et il n'y voyait que d'un œil, mais elle était à ses côtés, même après qu'il l'eut rejetée, et il lui en était reconnaissant.

— Je suis profondément désolé, murmura-t-il.

— Gardez vos jérémiades ! gronda Anthony, menaçant. Je vous verrai demain, à l'aube.

— Non ! cria Daphné.

Simon, levant les yeux sur Anthony, acquiesça brièvement. Puis il pivota de nouveau vers Daphné.

— Si c-c'était possible, ce serait vous, Daphné. Je v-vous en donne ma parole.

— De quoi parlez-vous ? demanda-t-elle en roulant des yeux stupéfaits. Que voulez-vous dire ?

Il soupira et ferma les paupières. Demain à la même heure, il serait mort, pour la simple raison qu'il ne ferait pas feu sur Anthony, et qu'il doutait fort que celui-ci ait retrouvé suffisamment de calme pour tirer en l'air.

D'une façon aussi inattendue que pathétique, il obtiendrait ce qu'il avait toujours voulu de la vie. Son ultime vengeance contre son père.

Malgré tout, ce n'était pas ainsi qu'il avait cru que les choses finiraient. Il avait pensé… Ma foi, il ne savait plus ce qu'il avait pensé – la plupart des hommes évitent d'envisager leur propre mort – mais ce n'était pas ainsi qu'il avait imaginé ses derniers instants. Pas au beau milieu d'une clairière déserte, dans l'aube glacée, de la main d'un ami au regard fou de haine.

Pas dans la honte et le déshonneur.

Daphné entoura ses épaules de ses mains pour le secouer. Fini, les tendres caresses ! Surpris, il ouvrit son œil tuméfié et vit le visage de la jeune femme, tout près du sien, les traits contractés par la fureur.

— Enfin, que vous arrive-t-il ? s'enquit-elle d'une voix impatiente.

Jamais il ne lui avait vu ce regard brillant de révolte, d'angoisse et d'incompréhension.

— Il va vous tuer ! Il va vous donner rendez-vous dans quelque coin perdu pour vous abattre, et on dirait que vous n'attendez que cela !

— Je ne veux p-pas mourir, dit-il, trop épuisé pour se soucier de son bégaiement. Mais je ne p-peux pas vous ép-épouser.

Elle détacha ses mains de ses épaules et s'écarta de lui comme si elle s'était brûlée. Il y avait dans ses prunelles une telle souffrance, une telle déception que c'en était insupportable. Toute menue dans la veste de son frère deux fois trop grande pour elle, les cheveux encore piquetés d'épines et de feuilles, elle offrait le spectacle de l'absolue détresse. Lorsqu'elle répondit, il sembla à Simon que chacune de ses paroles était arrachée à son âme.

— J'ai toujours su que je n'étais pas le genre de femme dont rêvent les hommes, mais jamais je n'aurais imaginé que l'on préfère mourir plutôt que de m'épouser.

— Non ! gémit Simon. Ce n'est pas cela, Daphné…

— Vous en avez assez dit, déclara Anthony d'un ton tranchant, se plaçant entre eux.

Posant une main sur l'épaule de sa sœur, il entraîna celle-ci loin de lui – loin de l'homme qui avait brisé le cœur de Daphné et probablement souillé sa réputation pour toujours.

— Une dernière chose ! protesta Simon.

Il détestait la lueur suppliante, presque pathétique, qui devait sans doute briller au fond de ses yeux, mais il fallait qu'il dise la vérité à la jeune femme, et qu'il soit sûr qu'elle comprenait.

Anthony secoua la tête.

— Écoutez ! insista Simon en agrippant la manche de celui qui avait été son meilleur ami. Je ne peux pas réparer. J'ai fait…

Il laissa échapper un soupir douloureux et tenta de rassembler ses pensées.

— J'ai pris un engagement solennel, Anthony. Je ne peux pas l'épouser… Je ne peux pas sauver son honneur… mais je peux lui dire…

— Lui dire quoi ? questionna Bridgerton d'un ton glacial.

Simon passa les doigts dans ses cheveux. Il ne parvenait pas à parler à Daphné. Elle ne comprendrait pas. Ou, pire, elle comprendrait… et tout ce qu'il aurait d'elle, ce serait de la pitié. Finalement, conscient du regard impatient de Bridgerton sur lui, il articula :

— Je peux peut-être rendre les choses un peu moins pénibles.

Anthony ne broncha pas.

— S'il vous plaît, souffla Simon.

Anthony demeura immobile quelques secondes, puis il fit un pas de côté.

— Merci, murmura Simon en lui adressant un bref coup d'œil, avant de chercher le regard de Daphné.

Il avait craint qu'elle ne détourne les yeux, qu'elle ne l'insulte de son mépris mais, redressant le menton, elle le toisa d'un air de défi qui forçait l'admiration.

— Daphné, dit-il, ne sachant par où commencer, et espérant que les mots sortiraient correctement de ses lèvres. Cela n'a aucun rapport avec vous. Si je le pouvais, c'est vous que je choisirais, mais en faisant cela je vous détruirais. Je ne peux pas vous donner ce que vous attendez. Ce mariage ne serait pour vous qu'une lente agonie, et je ne le supporterais pas.

— Vous ne pouvez pas me faire de mal, protesta-t-elle.

Il secoua la tête, frustré et malheureux.

— Faites-moi confiance.

— C'est le cas, répondit-elle doucement, tout en posant sur lui un regard sincère, chaleureux. En revanche, je me demande si *vous* me faites confiance.

Ces paroles lui firent l'effet d'un coup de poing en pleine poitrine. Avec un terrible sentiment d'impuissance, il bredouilla :

— Soyez certaine que… je n'ai jamais voulu vous faire de mal.

Elle conserva une immobilité de marbre, si longtemps qu'il se demanda si elle respirait toujours, puis, sans même se tourner vers Anthony :

— J'aimerais rentrer à la maison, maintenant, dit-elle simplement.

Son frère la prit par les épaules pour la faire pivoter, comme s'il pouvait la protéger rien qu'en la dérobant aux regards de Simon.

— Viens, je te ramène. Je vais te mettre au lit et t'apporter un cordial.

— Je ne veux pas d'alcool, protesta-t-elle. J'ai besoin de réfléchir.

Il sembla à Simon qu'Anthony était quelque peu déconcerté par cette réponse mais, et c'était tout à son honneur, il lui serra affectueusement le bras :

— D'accord. Comme tu voudras.

Couvert de bleus et de bosses, Simon les regarda s'éloigner, puis disparaître dans la nuit.

11

Le bal annuel de lady Trowbridge à Hampstead Court samedi soir fut, comme toujours, un temps fort de la saison mondaine. Votre dévouée chroniqueuse a vu Colin Bridgerton danser avec les trois sœurs Featherington – pas toutes à la fois, bien entendu – mais il était manifeste que le fringant jeune homme ne semblait pas ravi de son sort. En outre, Nigel Berbrooke a été surpris en train de courtiser une jeune fille qui n'était pas miss Bridgerton, ayant sans doute enfin compris l'inutilité de ses efforts auprès de celle-ci.

À ce propos, l'aînée des sœurs Bridgerton ne s'est pas attardée au bal. Son frère Benedict a déclaré aux curieux qu'elle souffrait de migraine, mais votre dévouée chroniqueuse, qui l'avait vue un peu plus tôt dans la soirée en grande conversation avec le plus très jeune duc de Middlethorpe, peut affirmer qu'elle semblait en parfaite santé.

La Chronique mondaine de lady Whistledown, 17 mai 1813

Comme il fallait s'y attendre, Daphné ne put trouver le sommeil.

Elle fit les cent pas dans sa chambre, foulant d'un pied impatient le tapis bleu et blanc qui ornait la pièce depuis sa plus tendre enfance. Du flot de pensées qui bouillonnaient dans son esprit, émergeait une urgence absolue.

Empêcher à tout prix le duel.

Certes, elle ne sous-estimait pas les difficultés d'un tel défi. Tout d'abord, les hommes avaient une fâcheuse tendance à se comporter comme des ânes bâtés dès qu'il était question de leur honneur, et il était peu probable qu'Anthony comme Simon apprécient son intervention. En second lieu, elle n'avait pas la moindre idée de l'endroit où devait se tenir la rencontre. Les deux hommes n'avaient pas évoqué cette question tout à l'heure, dans les jardins de lady Trowbridge ; elle supposait qu'Anthony enverrait un messager à Simon concernant ce point. À moins que ce dernier n'ait lui-même choisi le terrain de bataille, puisque c'était lui qui était défié ? Il devait exister un certain nombre de règles concernant les duels ; le problème, c'était qu'elle ne les connaissait absolument pas !

Elle s'approcha de la fenêtre et écarta le rideau pour regarder dehors. La nuit était encore jeune, du moins selon les critères mondains. Anthony et elle avaient quitté prématurément la fête. À sa connaissance, Benedict, Colin et leur mère se trouvaient toujours à Hampstead Heath. Daphné y voyait un bon signe, car elle-même et son frère étaient rentrés depuis plus de deux heures. Si l'épisode avec Simon avait eu des témoins, la rumeur se serait propagée dans toute l'assistance en quelques minutes, déclenchant le retour précipité de sa mère.

Peut-être cette nuit ne se conclurait-elle pour Daphné que par la perte de sa robe, et non, en outre, par celle de sa réputation.

Cependant, ce dernier point était le cadet de ses soucis. Si elle attendait avec impatience le retour de sa famille, c'était pour une autre raison. Seule, elle n'avait aucun moyen d'empêcher le duel. Il aurait fallu être bien naïve pour traverser Londres à cheval aux petites heures du jour dans l'espoir de raisonner deux hommes prêts à mourir. Elle avait besoin d'aide.

Benedict, c'était à craindre, prendrait immédiatement fait et cause pour Anthony. D'ailleurs, elle serait surprise s'il n'était pas le témoin de celui-ci.

Colin, en revanche, pouvait se ranger à ses côtés. Il commencerait par grommeler, puis prétendrait que Simon méritait d'être abattu, mais si elle le suppliait, il finirait par céder.

Il fallait à tout prix agir. Daphné ignorait les raisons de Simon concernant ce duel, mais celui-ci était manifestement la proie de profondes angoisses, peut-être en rapport avec son père. Elle avait compris depuis longtemps qu'il était hanté par quelque démon intérieur. Il le cachait bien, surtout en sa présence, mais elle avait vu son regard se vider de toute expression, et il devait bien y avoir une explication à ses silences soudains, si fréquents. Parfois, elle avait l'impression d'être la seule personne avec qui il était assez détendu pour rire, plaisanter, discuter de tout et de rien…

Peut-être avait-il ressenti la même liberté en compagnie d'Anthony, mais c'était avant cette malheureuse histoire.

Cependant, malgré cela, et malgré son attitude inexplicablement fataliste dans les jardins de lady Trowbridge, elle ne pensait pas qu'il souhaitât mourir.

En entendant un grincement de roues sur le pavé, elle revint à la fenêtre ouverte, à temps pour voir l'attelage familial s'éloigner en direction des étables.

Tordant nerveusement ses mains, elle traversa la chambre pour coller son oreille à la porte. Il n'était pas prudent de descendre à l'étage inférieur. Anthony la croyait endormie, ou en tout cas étendue dans son lit, méditant sur son infortune.

Il avait promis de garder le secret devant leur mère, au moins jusqu'à ce qu'il ait pu déterminer ce qu'elle savait exactement. Le retour tardif de celle-ci conduisait Daphné à penser qu'aucune rumeur inquiétante n'avait couru à son sujet, mais cela ne signifiait pas qu'elle soit hors de danger. Il pouvait y avoir des échos – il y en avait toujours ! Et si l'on n'y prenait pas garde, les échos se transformaient vite en scandales retentissants…

Daphné savait qu'elle devrait tôt ou tard affronter sa mère. Un jour ou l'autre, celle-ci entendrait quelque chose ; la bonne société ferait en sorte qu'elle ne demeure pas dans l'ignorance. Il ne restait plus à Daphné qu'à espérer que lorsque les rumeurs – hélas vraies, pour une fois… – parviendraient aux oreilles de Violet Bridgerton, sa fille serait déjà fiancée avec un certain duc de leur connaissance.

On pardonnait tout à quiconque était parent d'un duc, fût-ce par alliance.

Là résidait le point essentiel selon Daphné pour convaincre Simon de renoncer au duel. À défaut de se sauver de ses propres démons, il la sauverait de l'humiliation publique.

Colin remonta le couloir à pas de loup, ses pieds bottés se déplaçant sans bruit sur le tapis qui courait d'un bout à l'autre du corridor. Sa mère s'était retirée dans ses appartements et Benedict s'était enfermé dans le cabinet de travail d'Anthony en compagnie de ce dernier. Colin les avait volontiers laissés. C'était Daphné qu'il voulait voir.

Il donna un coup léger à sa porte, encouragé par le faible rai de lumière qui passait en dessous. Apparemment, elle avait laissé plusieurs bougies allumées. Elle qui ne pouvait dormir avec la moindre lueur, elle ne s'était certainement pas endormie.

Et si elle était éveillée, il faudrait qu'elle réponde à ses questions.

Il allait frapper de nouveau quand le battant s'ouvrit et pivota sur ses gonds bien huilés. D'un geste, Daphné l'invita à entrer.

— Il faut que je te parle, murmura-t-elle d'une voix tendue.

— Moi aussi.

Elle le laissa passer et, après un bref regard de chaque côté du couloir, referma la porte.

— Je suis dans un sacré pétrin, déclara-t-elle.

— Je sais.

— Ah ? demanda-t-elle, soudain livide.

Daphné vit son frère hocher la tête. Pour une fois, son regard vert était des plus sérieux.

— Te souviens-tu de mon ami Macclesfield ?

D'un coup de menton, elle fit signe que oui. Macclesfield était le jeune comte à qui sa mère avait tenu à tout prix à la présenter une quinzaine de jours auparavant – ce même soir où elle avait rencontré Simon.

— Eh bien, il t'a vue disparaître dans les jardins tout à l'heure en compagnie de Hastings.

Daphné sentit sa gorge se nouer.

— Oh… parvint-elle à prononcer.

Colin hocha la tête d'un air grave.

— Il ne dira rien, j'en suis sûr. Voilà presque dix ans que nous sommes amis. Seulement, s'il t'a vue, il n'est peut-être pas le seul. Lady Danbury nous regardait d'un drôle d'air, lorsqu'il m'en a parlé.

— Lady Danbury aussi nous a aperçus ? s'enquit Daphné, un peu brusquement.

— Je l'ignore. Tout ce que je sais, c'est que…

Colin frissonna.

— C'est qu'elle m'observait comme si elle connaissait mes pires secrets.

Daphné haussa une épaule.

— Elle regarde tout le monde de cette façon. Si elle a réellement été témoin de quelque chose, elle restera muette.

— Lady Danbury ? demanda Colin, incrédule.

— C'est un dragon, et elle peut se montrer assez cassante, mais elle n'est pas le genre de personne à ruiner une réputation par simple plaisir. Si elle sait quelque chose, c'est à moi qu'elle en parlera.

Colin ne semblait guère convaincu.

Daphné toussota à plusieurs reprises, cherchant comment formuler sa question suivante.

— Et… qu'a vu ton ami, au juste ?

Colin lui décocha un regard soupçonneux.

— Que veux-tu dire ?

— Précisément ce que j'ai dit, répliqua sèchement Daphné, les nerfs mis à rude épreuve par les événements de la soirée. Qu'a-t-il vu, au juste ?

Son frère se redressa, le menton levé dans une attitude défensive.

— Précisément ce que j'ai dit, répondit-il à son tour. Il t'a vue disparaître dans les jardins avec Hastings.

— Et… c'est tout ?

— Comment, *c'est tout* ? répéta Colin en ouvrant des yeux ronds de stupeur. Que s'est-il donc passé, là-bas ?

Daphné s'assit dans une bergère et enfouit son visage entre ses mains.

— Oh, Colin ! Je suis dans une situation épouvantable !

Comme il ne réagissait pas, elle essuya ses yeux humides et chercha le regard de son frère. Celui-ci lui parut soudain plus âgé et plus sévère que jamais. Les bras croisés sur la poitrine, il se tenait bien planté sur ses deux jambes en une attitude résolue, et ses iris, qui brillaient d'habitude d'un joyeux éclat plein d'espièglerie, étaient plus durs que deux émeraudes. Apparemment, il avait attendu qu'elle se tourne vers lui pour prendre la parole, car il ordonna d'un ton menaçant :

— Maintenant que tu as fini de t'apitoyer sur ton sort, tu vas me dire ce que tu as fait ce soir avec Hastings dans les jardins de lady Trowbridge.

— Oh, ne joue pas les pères Fouettard ! rétorqua-t-elle. Et ce ne sont pas des larmes de crocodile. Pour l'amour du Ciel, un homme va mourir à l'aube ! J'ai tout de même des raisons de m'émouvoir, non ?

Colin s'assit dans le siège en face d'elle, tandis que son visage se radoucissait. Puis une expression soucieuse se peignit sur ses traits.

— Si tu me disais tout ?

Daphné acquiesça et lui relata les événements de la soirée... en s'abstenant toutefois de s'attarder sur certains détails de l'affaire. Colin n'avait nul besoin qu'elle lui raconte par le menu ce qu'avait vu Anthony. Le fait qu'elle ait été surprise dans une situation compromettante suffisait amplement !

— Et maintenant, conclut-elle, il va y avoir un duel, et Simon va mourir !

— Cela, tu n'en sais rien.

Elle secoua la tête.

— Il ne fera pas feu sur Anthony, j'en suis persuadée. Alors qu'Anthony...

Sa voix se brisa.

— Anthony est si furieux qu'il ne ratera pas son coup, reprit-elle dans un souffle.

— Comment comptes-tu t'y prendre ?

— Je n'ai aucun plan. J'ignore même où le duel aura lieu ! Tout ce que je sais, c'est que je dois y mettre un terme.

Colin marmonna un juron.

— Je ne vois pas comment tu le pourrais, Daph', dit-il très doucement.

— Je le dois ! s'écria-t-elle. Je ne vais pas rester ici à bayer aux corneilles pendant que Simon se fait assassiner !

Puis, d'une petite voix étranglée :

— Je l'aime, ajouta-t-elle.

— Alors qu'il t'a rejetée ? s'étonna Colin.

Elle acquiesça tristement.

— Tant pis si je passe pour une pauvre sotte. C'est plus fort que moi. Je l'aime, et je sais qu'il a besoin de moi.

— Si c'était le cas, tu ne crois pas qu'il aurait accepté de t'épouser quand Anthony le lui a demandé ?

Daphné secoua la tête.

— Non. Il y a quelque chose qui m'échappe… Je serais bien incapable de t'expliquer pourquoi, mais j'ai eu la très nette impression qu'une part de lui-même désirait ardemment ce mariage.

Une sourde agitation monta en elle, comme en témoignait son souffle qui s'était soudain accéléré, mais elle poursuivit :

— Je ne sais pas comment dire cela. Si tu avais vu son visage, tu comprendrais. Il essayait de me protéger… Contre quoi ? Mystère !

— Écoute, je ne connais pas Hastings aussi bien qu'Anthony, ou que toi, mais jamais je n'ai entendu l'ombre du commencement d'un quelconque secret à son sujet. Es-tu certaine que…

Il s'interrompit et plongea son visage entre ses paumes. Après quelques instants, il se redressa :

— Es-tu bien sûre de ne pas t'imaginer qu'il éprouve des sentiments pour toi ?

Daphné ne s'offensa pas de cette question. Elle était consciente que ses affirmations pouvaient paraître invraisemblables, mais elle savait, au plus profond de son cœur, qu'elle avait raison.

— Je ne veux pas qu'il meure, répondit-elle. Au fond, c'est tout ce qui compte.

Colin soupira.

— Tu ne veux pas qu'il meure… ou tu ne veux pas qu'il meure à cause de toi ?

Elle se leva avec difficulté ; ses jambes la portaient à peine.

— Je pense que tu ferais mieux de t'en aller, dit-elle, affermissant sa voix au prix d'un violent effort de volonté.

Il ne fit pas mine de bouger. Tendant une main vers elle, il lui pressa la main.

— Je t'aiderai, Daph'. Tu sais que je ferais n'importe quoi pour toi.

Alors, elle se jeta dans ses bras et laissa couler les larmes qu'elle avait si vaillamment contenues.

Une demi-heure plus tard, elle avait séché ses larmes et recouvré sa clarté de pensée. Pleurer lui avait fait du bien, songea-t-elle. Elle avait trop longtemps retenu ses émotions où s'entremêlaient la douleur, la colère, et d'autres sentiments plus tendres. À présent, il était temps de passer à l'action, et pour cela, elle devait garder la tête froide et se concentrer sur son but.

Colin était allé sonder Anthony et Benedict, qu'il avait surpris en grand conciliabule dans le cabinet de travail du premier. Tout comme elle, il soupçonnait Anthony d'avoir demandé à Benedict d'être son témoin. La mission de Colin était de les amener à révéler où aurait lieu le duel. Il l'accomplirait avec succès, Daphné n'en doutait pas. Colin avait toujours eu le chic pour faire parler les gens.

De son côté, elle avait revêtu une tenue d'équitation aussi usée que confortable. Elle n'avait aucune idée de la façon dont la matinée se déroulerait, mais pour rien au monde elle ne voulait être entravée par un flot de volants et de dentelles.

Un léger coup fut frappé à sa porte, l'arrachant à ses méditations, et avant qu'elle ait eu le temps d'ouvrir, Colin entra dans la chambre. Lui aussi avait quitté ses vêtements de soirée pour d'autres, plus discrets.

— As-tu appris quelque chose? demanda-t-elle d'une voix tendue.

Il acquiesça d'un coup de menton.

— Nous n'avons pas de temps à perdre. Je suppose que tu veux être sur place au plus tôt ?

— Si Simon arrive le premier, j'ai encore une chance de le persuader de m'épouser avant qu'ils ne dégainent leurs armes.

Colin laissa échapper un soupir nerveux.

— Daph'... as-tu envisagé la possibilité d'un échec ?

La gorge de Daphné se serra.

— J'essaie justement de ne pas y penser.

— Mais...

Elle ne le laissa pas poursuivre.

— Si j'y réfléchis, je vais me disperser. Mes nerfs vont lâcher. Et ça, je ne peux pas me le permettre. Pour Simon, je dois être forte.

— J'espère que cet homme est conscient de ce qu'il te doit, déclara Colin d'une voix très calme. Parce que s'il ne le voit pas, je pourrais être tenté de lui loger une balle dans le cœur, tout compte fait...

— Nous ferions mieux d'y aller, répondit simplement Daphné.

Quelques instants plus tard, ils étaient partis.

Simon dirigea sa monture le long de Broad Walk, en direction du point le plus reculé, le plus isolé du tout nouveau Regent's Park. Il avait acquiescé à la suggestion d'Anthony de régler leur affaire aussi loin que possible de Mayfair. Certes, l'aube venait à peine de poindre et il ne risquait guère de faire une rencontre en chemin, mais il ne voulait pas s'exhiber en duel dans Hyde Park.

Simon se moquait éperdument que le duel fût illégal. Après tout, il n'aurait pas à en assumer les conséquences judiciaires !

Tout de même, songea-t-il, c'était là une fort déplaisante façon de mourir... D'un autre côté, il n'avait trouvé aucune solution acceptable. Il avait compromis une jeune femme de la meilleure éducation, mais il ne pouvait pas l'épouser. Il devait donc payer pour sa faute. Simon n'avait rien ignoré de tout cela avant de l'embrasser.

En approchant de la clairière où avait lieu le rendez-vous, il constata qu'Anthony et Benedict étaient déjà là. Leurs mèches acajou dansaient dans la brise matinale, et leurs visages étaient sombres.

Presque aussi sombres que l'humeur de Simon.

Il arrêta sa monture à quelques pas des deux frères et mit pied à terre.

— Où est votre témoin ? s'étonna Benedict.

— Pas besoin, répliqua Simon.

— Il vous en faut un ! Sans témoins, un duel n'en est pas un.

Simon haussa les épaules, agacé.

— À quoi bon ? Vous avez apporté les armes, cela suffit. Pour le reste, je vous fais confiance.

Anthony les rejoignit.

— Je ne veux pas faire cela, dit-il.

— Vous n'avez plus le choix, il me semble.

— Non, mais vous, si, répondit Anthony d'une voix pressante. Vous pouvez encore l'épouser. Vous n'êtes peut-être pas épris, mais je sais que vous avez suffisamment d'affection pour elle. Pourquoi ne voulez-vous pas d'elle ?

L'espace d'un instant, Simon fut tenté de tout expliquer, de révéler les raisons pour lesquelles il s'était juré de ne jamais prendre femme et perpétuer son lignage. Seulement, ils ne l'entendraient pas. Comment les Bridgerton pourraient-ils le comprendre, eux qui ne connaissaient de la vie de famille que ses joies, sa douceur et sa sécurité ? Ils ne savaient rien du mépris, des paroles assassines ni des rêves brisés. Ils ignoraient tout de ce que l'on ressent lorsque l'on est rejeté…

Peut-être devrait-il leur dire quelque chose de cruel, afin d'exciter leur mépris et d'en finir au plus vite avec cette parodie de duel ? Non. Cela le conduirait à insulter Daphné, et il ne le supporterait pas.

Aussi se contenta-t-il de lever les yeux vers Anthony Bridgerton, l'homme qui avait été son meilleur ami depuis ses premiers jours à Eton :

— Sachez seulement que cela n'a rien à voir avec Daphné. Votre sœur est la femme la plus parfaite que j'aie eu le privilège de rencontrer.

Puis, sur un bref salut aux deux hommes, il prit l'une des deux armes dans la mallette que Benedict avait déposée sur l'herbe et se dirigea vers le côté nord de la clairière.

— Attendez ! cria soudain une voix féminine.

Stupéfait, Simon pivota sur ses talons. Dieu du ciel, Daphné !

La jeune femme traversait le champ, penchée sur sa monture lancée au grand galop. L'espace d'un instant, Simon oublia combien il était furieux de son irruption intempestive. Quelle superbe cavalière ! s'émerveilla-t-il.

Cet instant de grâce fut cependant de courte durée. Quand elle tira sur les rênes pour s'immobiliser devant lui, il était fou de rage.

— Que diable faites-vous ici ? grommela-t-il.

— J'essaie de sauver votre peau ! rétorqua-t-elle en sautant à terre.

Ses yeux lançaient des flammes. Jamais Simon ne l'avait vue dans une telle colère.

— Petite folle ! rugit-il. Ne voyez-vous pas les risques que vous avez pris ?

Sans réfléchir, il la saisit par les épaules pour la secouer.

— L'un de nous aurait pu faire feu sur vous !

— Ne dites pas n'importe quoi, répliqua-t-elle. Nous n'avez pas encore atteint l'extrémité de la clairière.

Elle avait raison, mais il était trop contrarié pour l'admettre.

— Et quelle idée de venir ici, seule, au beau milieu de la nuit ! la gronda-t-il. Êtes-vous inconsciente ?

— Je suis très consciente, au contraire. Et je ne suis pas seule : Colin est avec moi.

— Colin ? répéta Simon en pivotant. Je vais le tuer !

— Ah oui ? Avant ou après qu'Anthony vous aura logé une balle en plein cœur ?

— Avant ! tonna Simon. Où est-il ? Bridgerton !

Trois têtes brun-roux se tournèrent dans sa direction. Il revint rapidement sur ses pas, prêt à en découdre.

— Je parle du plus idiot des trois ! précisa-t-il.

Anthony désigna Colin d'un coup de menton.

— Je présume qu'il s'agit de toi, déclara-t-il.

— Qu'aurais-je dû faire ? s'enquit l'intéressé en décochant un regard irrité à son frère. La laisser à la maison pleurer toutes les larmes de son corps ?

— Oui ! répondirent trois voix mâles – deux Bridgerton et une Hastings.

— Simon ! appela Daphné, sur ses talons. Revenez !

Simon s'adressa à Benedict.

— Emmenez-la loin d'ici.

Benedict parut indécis.

— Fais ce qu'il te demande, ordonna Anthony.

Benedict ne bougea pas, mais son regard erra entre ses deux frères, sa sœur, et l'homme qui avait compromis l'honneur de celle-ci.

— Pour l'amour du Ciel ! le pressa Anthony.

— Elle a aussi son mot à dire, protesta Benedict en croisant les bras sur sa poitrine.

— Enfin, que vous arrive-t-il, à tous les deux ? maugréa Anthony en couvant ses frères d'un œil noir.

— Simon ! s'écria Daphné, haletante après sa course dans l'herbe humide. De grâce, écoutez-moi.

Elle le tira par la manche, mais il resta impassible.

— N'insistez pas, Daphné. Il n'y a rien que vous puissiez faire.

Daphné implora ses frères du regard. Colin et Benedict semblaient compatir, mais ils étaient manifestement impuissants à apaiser la colère d'Anthony, lequel offrait soudain une étonnante ressemblance avec quelque antique divinité guerrière.

En désespoir de cause, et faute d'une meilleure idée pour interrompre le duel, elle assena un vigoureux coup de poing à Simon.

Sur son œil gauche, celui qui était encore intact.

Le malheureux poussa un gémissement de douleur et recula en chancelant.

— Et que me vaut celui-là ? marmonna-t-il.

— Tombez par terre, animal ! chuchota-t-elle.

S'il gisait sur le sol, Anthony ne pourrait certainement pas faire feu sur lui.

— Il n'en est pas question ! riposta-t-il sur le même ton, tout en recouvrant sa paupière de sa main. Enfer, être renversé par une femme ! Quelle humiliation !

— Oh, les hommes ! grommela Daphné. Tous les mêmes !

Puis, se tournant vers ses frères qui, bouche bée, dardaient sur elle le même regard médusé :

— Eh bien, que vous arrive-t-il ? s'impatienta-t-elle.

Colin se mit à applaudir. Aussitôt, Anthony le frappa à l'épaule.

— À présent, pourriez-vous me laisser en tête à tête avec Simon, rien qu'un instant ? demanda-t-elle dans un filet de voix.

Colin et Benedict acquiescèrent et s'éloignèrent. Anthony ne fit pas mine de bouger.

Daphné le défia du regard.

— Toi aussi, je peux te frapper.

Elle aurait mis sa menace à exécution si Benedict, revenant sur ses pas, n'avait pris Anthony par le bras pour l'entraîner, d'un geste si vigoureux qu'il s'en fallut de peu qu'il ne lui déboîte l'épaule.

Elle se tourna alors vers Simon, qui pressait ses doigts sur sa paupière comme si cela pouvait en chasser la douleur.

— Je refuse de croire que vous ayez levé la main sur moi, gémit-il.

S'étant assuré d'un bref coup d'œil que ses frères ne pouvaient les entendre, elle répondit :

— Sur le moment, c'est tout ce qui m'est venu à l'esprit.

— Je ne sais pas ce que vous espériez en agissant ainsi, maugréa-t-il.

— Tiens ? J'aurais cru que cela crevait les yeux, si vous me passez l'expression.

Il laissa échapper un soupir, et l'espace d'un instant il lui parut épuisé, triste, comme accablé par le poids des ans.

— Je vous l'ai déjà dit, je ne peux pas vous épouser.

— Il le faudra, pourtant.

Elle avait parlé avec une telle force de conviction qu'il chercha son regard, inquiet.

— Que voulez-vous dire ? demanda-t-il d'une voix tendue.

— On nous a vus.

— Qui ?

— Macclesfield.

Simon se détendit.

— Il ne dira rien.

— Vous ne comprenez pas. Il n'était pas le seul !

Daphné se mordit les lèvres avec nervosité. Après tout, ce n'était peut-être pas un mensonge. Il *pouvait* très bien y avoir eu d'autres témoins. À vrai dire, cela était même plus que probable !

— Des noms ?

— Je n'en ai aucun à vous citer, mais j'ai entendu des rumeurs. Bientôt, toute la ville sera dans la confidence.

Simon proféra un si vilain juron qu'elle recula d'un pas, choquée.

— Si vous ne m'épousez pas, reprit-elle à voix basse, je suis perdue.

— Mais non, répondit-il sans conviction.

— Si, et vous le savez.

Au prix d'un effort sur elle-même, elle chercha son regard. Son avenir – et la vie de Simon ! – allait se jouer en cet instant. Elle ne pouvait pas se permettre la moindre hésitation.

— Plus personne ne voudra de moi. On m'exilera dans quelque campagne loin du monde…

— Vous savez très bien que votre mère ne vous chassera jamais de la maison.

— Non, mais je devrai mettre une croix définitive sur tout espoir de mariage.

Elle se rapprocha de lui.

— Je porterai toujours le sceau de l'infamie. Je n'aurai jamais de mari, pas d'enfants…

— Arrêtez ! tonna Simon. Pour l'amour du Ciel, arrêtez !

En l'entendant, Anthony, Benedict et Colin s'élancèrent vers eux, mais elle les arrêta d'un coup de menton autoritaire.

— Pourquoi ne pouvez-vous pas m'épouser ? s'enquit-elle à voix basse. Je sais que vous m'aimez bien. Que se passe-t-il ?

Simon plongea son visage entre ses mains et se massa les tempes. Bon sang, il avait mal à la tête ! Et Daphné qui continuait de s'approcher de lui ! Daphné qui tendait une main vers lui pour effleurer son épaule, puis sa joue… Le courage commençait à lui manquer. Seigneur, il n'allait pas avoir la force de résister !

— Simon, implora Daphné. Sauvez-moi.

Il comprit alors qu'il était perdu.

12

Un duel, un duel ! Peut-on rien imaginer de plus excitant, de plus romantique… et de plus ridicule ?

Votre dévouée chroniqueuse s'est laissé dire qu'un duel avait eu lieu voici quelques jours dans Regent's Park. Une telle pratique étant illégale, nous ne révélerons pas les noms des protagonistes, mais disons-le tout net : nous réprouvons fermement un tel déploiement de violence.

Toutefois, à l'heure où nous mettons sous presse, il semble que les deux faibles d'esprit concernés – je répugne à les appeler des gentlemen, car cela supposerait un certain niveau d'intelligence qui, s'ils en sont dotés, leur a manifestement fait défaut – en soient sortis indemnes.

Un ange de la raison et du bon sens se serait-il penché sur leur destin ce matin-là ?

Si c'est le cas, nous avons la conviction que bien des messieurs du beau monde auraient tout à gagner à être touchés par sa grâce. Cela ne pourrait que contribuer à l'instauration d'un climat de paix et d'harmonie – un véritable baume pour cette vallée de larmes.

La Chronique mondaine de lady Whistledown, 19 mai 1813

Simon leva vers Daphné un regard douloureux.

— Soit, dit-il à voix basse. Je vous épouserai, puisqu'il le faut. Toutefois, vous devez savoir…

La fin de sa phrase se perdit dans le cri de joie qu'elle poussa en se jetant dans ses bras.

— Oh, Simon ! Vous ne le regretterez pas ! s'exclama-t-elle, ivre de soulagement.

Ses yeux brillants de joie étincelèrent. C'était, comprit-il, les larmes qu'elle avait retenues.

— Je vous rendrai heureux, je vous le promets. Je vous rendrai tellement heureux ! Vous ne pourrez que vous en réjouir.

— Arrêtez, grommela Simon en la repoussant.

Tant de bonheur lui était insupportable.

— J'ai quelque chose à vous dire.

À ces mots, elle se figea, tandis qu'une expression inquiète se peignait sur son visage.

— Écoutez-moi attentivement, reprit-il d'un ton sec. Ensuite, vous déciderez si vous souhaitez toujours m'épouser.

Elle se mordit les lèvres tout en hochant la tête. Simon prit une brève inspiration. Comment devait-il lui dire ? *Que* devait-il lui dire ? Il n'était pas question de lui avouer la vérité… du moins, pas dans sa totalité. Et cependant, elle devait comprendre que si elle devenait sa femme…

Il voulait lui donner une chance de dire non ; elle le méritait. Il déglutit péniblement. La culpabilité lui laissait un goût amer sur les lèvres. Daphné méritait bien plus que cela, en vérité, mais c'était tout ce qu'il avait à lui offrir.

— Daphné, commença-t-il, faisant rouler son prénom sur sa langue comme la plus exquise des douceurs. Si vous vous mariez avec moi…

S'approchant d'un pas, elle tendit une main vers lui… pour la retirer aussitôt lorsqu'il fronça les sourcils.

— Eh bien ? l'encouragea-t-elle dans un murmure. Je ne vois pas ce qui…

— Je ne peux pas avoir d'enfant.

Voilà, il l'avait dit. Et c'était presque vrai.

La jeune femme se figea, lèvres entrouvertes. À part cela, aucun signe n'indiquait qu'elle eût entendu.

Simon était conscient de la brutalité de ses paroles, mais il n'avait pas d'autre moyen de l'obliger à comprendre.

— Si vous m'épousez, insista-t-il, jamais vous n'aurez d'enfant. Jamais vous ne tiendrez dans vos bras un bébé que vous aurez mis au monde, que vous aurez conçu par amour. Jamais vous ne…

— Comment le savez-vous ? l'interrompit-elle d'une voix égale.

— Je le sais, c'est tout.

— Mais…

— Je ne peux pas avoir d'enfant, répéta-t-il, volontairement cruel. Il faut que vous en soyez pleinement consciente.

— Je vois.

Ses lèvres tremblaient comme si elle n'était pas certaine d'avoir quelque chose à ajouter, et elle battit des paupières.

Simon la scruta avec attention, en vain. Il était soudain incapable de lire ses émotions. En temps normal, sa physionomie était si ouverte, son regard si franc qu'il lui semblait voir jusqu'au plus secret de son âme, mais en cet instant, elle était murée derrière une expression indéchiffrable.

Elle était fâchée – cela, du moins, était évident ! – mais il n'avait aucune idée de ce qu'elle allait répondre, ni de la façon dont elle allait réagir.

Percevant une présence sur sa droite, il pivota. Anthony était là, visiblement partagé entre la colère et l'inquiétude.

— Il y a un problème ? demanda-t-il d'une voix douce, tout en couvant d'un regard anxieux le visage fermé de sa sœur.

— Non, dit celle-ci avant que Simon ait eu le temps de répondre.

Tous les regards se tournèrent vers elle.

— Il n'y aura pas de duel, annonça-t-elle. Lord Hastings m'épouse.

— Très bien.

Anthony aurait manifestement montré plus de soulagement s'il n'avait été retenu par l'expression solennelle de sa sœur.

— Je vais en informer les autres, déclara-t-il avant de s'éloigner.

Une sensation curieuse envahit les poumons de Simon. Ce n'était que de l'air, songea-t-il confusément. Il avait suspendu sa respiration pendant une éternité, sans même s'en apercevoir.

Puis il comprit que ce n'était pas tout. Une effrayante brûlure le parcourait, terrible et merveilleuse à la fois. Une vague d'émotion pure, où s'entrechoquaient la joie et le soulagement, le désir et l'effroi. Simon, qui avait passé toute sa vie à fuir le désordre des sentiments, ne sut que faire de ce déferlement intérieur.

Son regard croisa celui de Daphné.

— Êtes-vous sûre de votre décision ? s'enquit-il dans un souffle.

Elle hocha la tête, mais son visage demeura impassible.

— Vous en valez la peine, dit-elle simplement.

Puis, à pas lents, elle se dirigea vers sa monture.

Simon resta seul, se demandant s'il venait de s'envoler vers le paradis, ou de sombrer au plus profond de l'enfer.

Daphné passa la journée entourée des siens. Bien entendu, tout le monde se réjouit à la nouvelle de ses fiançailles. Tout le monde, à l'exception de son frère aîné qui, bien que ravi pour elle, paraissait d'humeur maussade. Daphné ne l'en blâmait pas. Elle-même ressentait un certain vague à l'âme. Les événements de la matinée avaient été éprouvants.

Il fut décidé que le mariage aurait lieu au plus vite. Violet, ayant appris que Daphné avait *peut-être* été vue en train d'embrasser le duc de Hastings dans les jardins de lady Trowbridge, s'empressa d'envoyer à l'archevêque une requête de publication de bans anticipée. Puis elle s'attela à la préparation des noces avec un enthousiasme fiévreux. Ce n'était pas parce qu'il s'agirait d'un mariage dans l'intimité, précisa-t-elle, que ce devait être un mariage au rabais !

Éloïse, Francesca et Hyacinthe, toutes follement excitées par la perspective d'être demoiselles d'honneur, soumirent Daphné à un feu roulant de questions. Comment Simon lui avait-elle demandé sa main ? Avait-il mis un genou à terre ? De quelle couleur serait sa robe, et quand Simon lui offrirait-il une bague ?

Daphné répondit de son mieux mais la fatigue commençait à la gagner. Vers la fin de l'après-midi, elle ne parlait plus que par monosyllabes. Finalement, après que Hyacinthe lui eut demandé de quelle couleur serait son bouquet et qu'elle eut répliqué « Trois », ses sœurs renoncèrent à discuter avec elle et la quittèrent.

Lorsqu'elle songeait à ce qu'elle avait accompli, Daphné en restait presque sans voix. Elle avait sauvé la vie d'un homme. Elle avait arraché une promesse de mariage à l'élu de son cœur. Et elle avait renoncé à tout espoir de maternité.

Cela, en l'espace d'une seule journée.

Un rire sans joie lui échappa.

Elle aurait aimé savoir ce qui lui était passé par la tête juste avant qu'elle se tourne vers Anthony pour déclarer « Il n'y aura pas de duel », mais en vérité, elle n'était pas certaine d'avoir vraiment réfléchi. Ce qui lui avait traversé l'esprit n'était pas fait de mots ni de phrases, ni même de pensées conscientes. Il lui avait semblé être emportée dans un tourbillon de couleurs, dans un déploiement de flammes écarlates traversées de rayons de miel et teintées d'ambre incandescent où les nuances s'entremêlaient. Elle avait obéi à des émotions pures, à son instinct à l'état brut, et en aucun cas à la raison, à la logique, ou à rien qui ressemble, même de loin, à un début de réflexion sensée !

Et cependant, malgré ce tumulte intérieur, elle avait su ce qu'elle devait faire. Elle pourrait peut-être vivre sans les enfants qu'elle avait espérés, mais l'existence sans Simon lui était impossible. Ces bébés étaient encore dans les limbes, elle ne pouvait ni les toucher ni les voir.

Simon, lui, était bien réel. Elle savait ce que c'était que de caresser sa joue, de rire avec lui. Elle connaissait le goût de ses baisers et l'éclat de son sourire.

Elle l'aimait.

Et même si elle osait à peine y penser, il était possible qu'il se trompe. Peut-être pouvait-il avoir des enfants. Peut-être avait-il été induit en erreur par quelque médecin incompétent. Peut-être la vie n'attendait-elle que le bon moment pour opérer un miracle… D'autant qu'elle n'envisageait pas d'élever une aussi nombreuse progéniture que sa mère ! Si elle avait un seul bébé, son bonheur serait complet.

Bien entendu, elle n'avouerait rien de tout ceci à Simon. S'il la soupçonnait de nourrir l'espoir, fût-ce le plus ténu, de porter un jour son enfant, il ne l'épouserait pas. Elle en avait la conviction. Il n'avait pas hésité à se montrer d'une honnêteté brutale, preuve qu'il ne la laisserait pas se jeter dans le mariage s'il craignait qu'elle n'eût encore le moindre doute sur ses affirmations.

— Daphné ?

La jeune femme, paresseusement assise sur le sofa du salon de Bridgerton House, leva les yeux vers sa mère, qui la couvait d'un regard inquiet.

— Allez-vous bien ? demanda Violet.

Daphné lui adressa un sourire las.

— Je suis juste un peu fatiguée.

Ce qui était la vérité, songea-t-elle, s'apercevant soudain qu'elle n'avait pas dormi depuis plus de trente-six heures.

Violet s'assit à son côté.

— Je pensais que vous seriez plus enthousiaste que cela. Je sais combien vous êtes éprise de Simon.

Daphné ouvrit des yeux ronds de surprise.

— Nul besoin d'être grand clerc pour le deviner ! ajouta gentiment sa mère en lui tapotant la main. C'est un homme très bien. Vous avez fait le bon choix.

Daphné esquissa un faible sourire. Oui, elle avait fait le bon choix, et elle était décidée à donner toutes ses chances à son mariage. Si aucun enfant ne venait bénir leur union… eh bien, se dit-elle, peut-être serait-ce à cause d'elle. Elle connaissait des couples qui n'en avaient jamais eu, et il était peu probable qu'ils en eussent été avertis avant de prononcer leurs vœux. D'ailleurs, avec sept frères et sœurs, elle ne manquerait pas de neveux et de nièces à serrer dans ses bras et à gâter…

À tout prendre, elle préférait vivre avec l'élu de son cœur que concevoir des enfants avec un mari qu'elle n'aimerait pas !

— Si vous alliez vous reposer un peu ? suggéra Violet. Vous avez une mine de papier mâché, et je n'aime pas du tout ces cernes sous vos yeux.

Daphné hocha la tête et se mit péniblement debout. Sa mère avait raison. Elle avait besoin de dormir.

— Je suis sûre que je me sentirai mieux dans une heure ou deux, déclara-t-elle, incapable de retenir un long bâillement.

Violet se leva à son tour et lui offrit son bras.

— J'ai l'impression que vous n'allez pas réussir à monter toute seule à l'étage, dit-elle dans un sourire, tout en la guidant vers les escaliers. Et entre nous, je serais étonnée de vous voir vous lever dans une heure ou deux. Je vais donner des instructions pour que l'on ne vous réveille pas jusqu'à demain matin.

Somnolente, Daphné acquiesça.

— Demain matin, répéta-t-elle en gravissant les marches d'un pas mal assuré. Excellente idée.

Violet entraîna Daphné vers sa chambre et l'aida à s'étendre sur son lit. Elle lui retira ses chaussures, mais rien d'autre.

— Vous n'avez qu'à dormir tout habillée, murmura-t-elle avant de se pencher pour déposer un baiser sur le front de sa fille. Je n'ai pas la force de vous dévêtir.

Pour toute réponse, Daphné émit un léger ronflement.

Simon était recru de fatigue. Ce n'était pas tous les jours qu'un homme se résignait à sa propre mort… avant d'être sauvé par la femme qui enflammait son imagination depuis plus de deux semaines.

Sans le douloureux témoignage de ses yeux pochés et d'un magnifique bleu à la mâchoire, il aurait pu croire que tout ceci n'avait été qu'un rêve.

Daphné était-elle consciente des conséquences de sa décision ? du renoncement auquel elle avait consenti ? C'était une jeune femme à la tête bien faite, peu encline aux rêveries absurdes et aux projets fantaisistes ; elle n'aurait pas accepté de l'épouser sans en mesurer pleinement les implications.

D'un autre côté, il ne lui avait pas fallu une minute pour prendre sa résolution. Comment avait-elle pu réfléchir à tout cela en si peu de temps ?

Comment… sinon parce qu'elle se croyait éprise de lui ? Tout de même, songea-t-il, elle n'aurait pas abdiqué ses rêves de fonder une famille pour la simple raison qu'elle l'aimait !

À moins qu'elle n'eût agi par culpabilité ? Si le duel s'était conclu par sa mort, Simon était sûr que Daphné se serait sentie responsable. Bon sang, qu'elle était adorable ! Daphné Bridgerton était l'une des personnes les plus remarquables qu'il connût, et pour sa part, il n'aurait pu vivre avec sa mort sur la conscience. En allait-il de même pour elle ?

Au demeurant, quels que soient les motifs de la jeune femme, les faits étaient là. Dès le samedi suivant – lady Bridgerton lui avait déjà fait parvenir un message l'informant que les fiançailles seraient aussi brèves que possible – il serait lié à Daphné pour la vie.

Et elle à lui.

Il était trop tard pour tout annuler. Daphné ne tenterait pas d'interrompre le processus, et lui non plus. Les dés étaient jetés.

Et à sa grande surprise, il en ressentait une étrange satisfaction.

Daphné allait être sienne. Elle connaissait ses faiblesses, elle savait ce qu'il ne pouvait lui donner, mais elle l'avait tout de même choisi.

Cela lui réchauffait le cœur.

— Monsieur ?

Prostré sur le fauteuil de cuir de son cabinet de travail, Simon leva les yeux. Cela n'était pas utile, en vérité, car il avait reconnu la voix basse et feutrée de son majordome.

— Oui, Jeffries ?

— Lord Bridgerton demande monsieur. Dois-je lui répondre que monsieur est absent ?

Péniblement, Simon se mit sur ses pieds. Enfer, il n'en pouvait plus !

— Il ne vous croira pas.

Jeffries hocha la tête.

— Très bien, monsieur.

Le majordome fit trois pas, avant de pivoter sur ses talons.

— Monsieur est-il certain d'être en mesure de recevoir un visiteur ? Monsieur semble quelque peu... hum... indisposé.

Simon laissa échapper un rire sans joie.

— Si c'est à mes yeux que vous faites allusion, lord Bridgerton est responsable du plus abîmé des deux.

Jeffries le dévisagea avec un soupçon de perplexité.

— Le plus abîmé, monsieur ?

Simon lui adressa un léger sourire, ce qui n'était pas chose aisée, étant donné la douleur qui irradiait dans tout son visage.

— Je vous accorde que la distinction n'est pas aisée, mais mon œil droit est en vérité un brin plus touché que le gauche.

Intrigué, le majordome se pencha imperceptiblement.

— Vous pouvez me croire sur parole, ajouta Simon.

Le digne Jeffries se redressa aussitôt.

— Bien entendu, monsieur. Dois-je introduire lord Bridgerton dans le petit salon ?

— Non, faites-le venir ici.

Devant l'expression alarmée du majordome, Simon s'empressa de préciser :

— Et ne vous inquiétez pas pour ma sécurité. Je ne risque plus rien de la part de lord Bridgerton, au point où nous en sommes.

Puis, tout en marmonnant :

— Il ne trouvera pas un endroit qu'il n'ait déjà frappé...

Le regard agrandi par l'effroi, Jeffries quitta le cabinet de travail au pas de course.

Quelques instants plus tard, Anthony Bridgerton faisait son entrée dans la pièce. À peine eut-il posé les yeux sur Simon qu'il déclara :

— Vous avez une mine épouvantable.

Simon se leva, arquant un sourcil, ce qui constituait un véritable exploit tant la souffrance était vive.

— Cela vous surprend ?

Anthony éclata d'un rire un peu triste, un peu sec, qui ressemblait presque à celui de l'Anthony d'autrefois. Simon retrouvait un peu de leur ancienne amitié, et à son étonnement, il en fut profondément reconnaissant à Anthony.

Celui-ci désigna ses yeux tuméfiés.

— Duquel suis-je responsable ?

— Du droit, répondit Simon en effleurant d'un doigt prudent sa paupière gonflée. Daphné frappe fort pour une dame, mais elle n'a pas votre puissance et son poing est plus menu.

— Cela dit, commenta Anthony en s'approchant pour examiner l'œuvre de sa sœur, elle a fait du bon travail.

— Vous pouvez être fier d'elle, maugréa Simon. C'est affreusement douloureux.

— Tant mieux.

Un silence tomba entre eux. Ils avaient mille choses à se dire et ne savaient par laquelle débuter.

— Je n'ai jamais voulu tout cela, déclara finalement Anthony.

— Moi non plus.

Anthony s'appuya contre le rebord du bureau de Simon, puis il dansa d'un pied sur l'autre. Il semblait terriblement mal à l'aise.

— Cela n'a pas été facile pour moi de vous laisser la courtiser, dit-il.

— Vous saviez que c'était de la comédie.

— La nuit dernière, vous ne faisiez pas semblant.

Que répondre à cela ? se demanda Simon. Que c'était Daphné qui l'avait séduit, et non l'inverse ? que c'était elle qui l'avait entraîné vers les jardins plongés dans l'obscurité ? La belle affaire ! Il était infiniment plus expérimenté que la jeune femme : il aurait dû réagir avant qu'il ne soit trop tard.

Il ne dit rien.

— J'espère que nous allons pouvoir tourner la page, reprit Anthony.

— Je suis certain que c'est le vœu le plus cher de Daphné.

Anthony fronça les sourcils.

— Oh ! Parce que, désormais, votre but dans la vie est d'exaucer les vœux les plus chers de Daphné ?

Tous, sauf un, songea Simon. Tous, sauf celui qui compte le plus à ses yeux…

— Vous savez que je ne ménagerai pas mes efforts pour la rendre heureuse, répliqua-t-il avec fermeté.

Anthony hocha la tête.

— Si elle devait souffrir par votre faute…
— Cela n'arrivera pas, promit Simon d'une voix vibrante.
Anthony le scruta longuement.
— J'étais prêt à vous tuer pour l'avoir compromise. Si vous lui faites le moindre mal, je vous garantis que vous ne trouverez pas un instant de répit tant que vous vivrez. Ce qui, ajouta-t-il en roulant des yeux, ne durerait d'ailleurs pas longtemps.
— Assez pour que je regrette amèrement mon erreur ? s'enquit Simon d'un ton très calme.
— Tout à fait.
Simon acquiesça d'un coup de menton. Anthony avait beau le menacer, il ne pouvait s'empêcher d'éprouver un immense respect pour cet homme qui ne faisait que protéger sa sœur.
Un instant, il se demanda si Anthony avait percé son secret. Ils se connaissaient depuis plus de la moitié de leur vie. Avait-il entrevu la noirceur tapie au fond de son âme ? Avait-il deviné cette peur et cette rage qu'il tentait désespérément de dissimuler au monde ?
Et était-ce à cause de cela qu'il s'inquiétait pour sa sœur ?
— Vous avez ma parole, assura Simon. Je ferai tout ce qui est en mon pouvoir pour honorer et protéger Daphné.
Anthony hocha brièvement la tête.
— Veillez-y… dit-il.
Il s'écarta du bureau et se dirigea vers la porte.
— Ou vous aurez affaire à moi.
Sur ces mots, il s'en alla.
Dans un gémissement de douleur, Simon se rassit sur son fauteuil de cuir. Depuis quand sa vie était-elle devenue si compliquée ? Pourquoi les amis devenaient-ils des ennemis, et comment se faisait-il qu'un simple flirt prenne des proportions aussi passionnelles ?
Et que diable allait-il faire de Daphné ? Il n'avait aucune envie de lui faire du mal, mais il y était

condamné, par le simple fait de l'épouser. Il se consumait de désir pour elle, se languissait du jour où il s'étendrait sur elle pour la posséder, tandis qu'elle l'appellerait dans une supplique haletante et…

Il frémit. Ces rêveries torrides ne lui faisaient aucun bien !

— Monsieur ?

C'était encore Jeffries. Trop épuisé pour lever les yeux, Simon fit un signe de la main.

— Monsieur souhaite peut-être prendre un peu de repos ? suggéra le majordome.

Simon parvint à consulter l'horloge du regard, mais uniquement parce qu'il n'avait pas besoin de tourner la tête. Il était à peine sept heures. Ce n'était pas vraiment le moment d'aller se coucher !

— Il est encore tôt, maugréa-t-il.

— Cependant, insista Jeffries, monsieur désire sans doute aller se coucher ?

Simon ferma les paupières. Jeffries avait raison. Ce qu'il lui fallait, c'était probablement un long tête-à-tête avec son matelas de plume et ses draps de lin. En se réfugiant dans sa chambre, il parviendrait peut-être à ne pas croiser un seul Bridgerton pendant une nuit entière.

Tonnerre ! Dans l'état où il était, il lui faudrait au moins trois journées de repos !

13

Le duc de Hastings et miss Bridgerton convolent en justes noces !

Nous saisissons cette occasion pour vous rappeler, cher lecteur, que ces épousailles avaient été annoncées dans nos colonnes. Il n'a pas échappé à l'attention de votre dévouée chroniqueuse que lorsque ce journal signale un attachement naissant entre une demoiselle et un gentleman célibataire, les enjeux des paris s'envolent – toujours en faveur du mariage – dans tous les clubs de la ville.

Bien que nous n'ayons pas nos entrées au White, nous avons des raisons de penser que la cote concernant les chances d'une union entre lord Hastings et miss Bridgerton était de deux contre un.

La Chronique mondaine de lady Whistledown, 21 mai 1813

Le reste de la semaine passa à une vitesse folle. Daphné ne vit pas Simon de plusieurs jours. Elle aurait pu croire qu'il avait quitté la ville, si Anthony ne l'avait pas informée qu'il s'était rendu à Hastings House pour régler les détails du contrat de mariage.

À la surprise de son frère, Simon avait refusé d'accepter un seul penny de dot. Finalement, les deux hommes avaient décidé qu'Anthony déposerait sur un compte séparé l'argent que feu son père avait laissé pour établir Daphné, et qu'il en serait l'administrateur. Elle aurait toute latitude de le dépenser ou de le conserver.

— Vous pourrez toujours le transmettre à vos enfants, avait suggéré Anthony.

Daphné avait répondu par un sourire. À quoi bon pleurer ?

Quelques jours plus tard, dans l'après-midi, Simon lui rendit visite à Bridgerton House. Ils n'étaient plus qu'à quarante-huit heures du mariage.

Lorsque Humboldt annonça son arrivée, Daphné s'installa dans le petit salon pour le recevoir. Elle s'assit sur le rebord du sofa damassé, le dos bien droit, les mains sagement posées sur ses genoux. L'image même, elle n'en doutait pas, de la jeune aristocrate anglaise au flegme légendaire.

En réalité, elle était un paquet de nerfs.

Ou plus précisément, rectifia-t-elle en se tordant les mains, un paquet de nerfs prêt à éclater.

En baissant les yeux, elle s'aperçut que ses ongles avaient laissé des marques rouges en forme de demi-lunes dans ses paumes.

Un paquet de nerfs au bord de la rupture avec une flèche plantée en travers, corrigea-t-elle. Une flèche enflammée, qui plus est…

Elle fut saisie d'un rire nerveux parfaitement ridicule. Jamais elle ne s'était sentie mal à l'aise en présence de Simon. Cela était d'ailleurs l'aspect le plus remarquable de leur amitié. Même lorsqu'elle le surprenait dardant sur elle un regard brûlant, et qu'elle savait que sa propre expression reflétait le même désir, elle ne ressentait pas la moindre gêne. Certes, sa peau était parcourue de picotements et son cœur battait la chamade, mais c'étaient là les signes de la passion, non de l'embarras. Simon était d'abord et avant tout son ami ; Daphné savait que l'aisance absolue qu'elle ressentait en sa compagnie était aussi rare que précieuse.

Elle n'en doutait pas, leurs relations finiraient par reprendre leur tour naturel et facile d'autrefois, mais après ce qui s'était passé à Regent's Park, il était à craindre que cela ne se fasse pas du jour au lendemain.

— Bonjour, Daphné.

Simon venait d'apparaître dans l'encadrement de la porte, emplissant l'espace de sa présence magnétique. Enfin, pas tout à fait aussi magnétique que d'ordinaire… Ses yeux étaient auréolés de cernes violets, et son bleu à la mâchoire avait une nuance verdâtre des plus surprenantes.

Toutefois, mieux valait cela qu'une balle dans le cœur, médita Daphné.

— Simon ? Je suis ravie de vous voir. Qu'est-ce qui vous amène à Bridgerton House ?

Il lui jeta un regard surpris.

— Ne sommes-nous pas fiancés ?

Elle rougit.

— Oh ! Oui, bien sûr…

— Il me semble qu'un homme dans ma situation est supposé rendre visite à sa promise, déclara-t-il en s'asseyant en face d'elle. Lady Whistledown n'a-t-elle pas dit quelque chose à ce sujet ?

— Pas que je me souvienne, murmura Daphné, mais ma mère n'aura pas manqué de le faire.

Ils sourirent tous les deux. L'espace d'un instant, Daphné crut que tout était de nouveau comme autrefois, mais à peine leurs sourires se furent-ils évanouis qu'un inconfortable silence tomba entre eux.

— Vos yeux vous font-ils un peu moins mal ? s'enquit-elle poliment. On dirait qu'ils ont dégonflé.

— Croyez-vous ?

Simon se tourna vers un grand miroir à bordures dorées.

— Il me semble que mes cernes sont à présent d'une vilaine couleur rouge.

— Pourpre, rectifia Daphné.

Il se pencha en avant, mais cela ne l'approchait guère de son reflet dans la glace.

— Disons pourpre, mais le débat reste ouvert.

— Sont-ils douloureux ?

— Seulement si on appuie dessus, répondit-il avec un sourire guindé.

— Dans ce cas, je m'abstiendrai de lever la main sur vous, promit-elle en s'efforçant de contenir une folle envie de rire. Cela risque d'être difficile, mais je ferai de mon mieux.

— Oui, renchérit-il, sérieux comme un pape. Il paraît que je fais souvent cet effet aux dames.

Daphné réprima un soupir de soulagement. S'ils pouvaient plaisanter sur un tel sujet, rien n'était perdu !

Simon toussota pour éclaircir sa voix.

— En vérité, ma visite est motivée par une raison bien précise.

D'un regard, Daphné l'invita à poursuivre.

— Ceci est pour vous, enchaîna-t-il en lui tendant un petit écrin.

Le cœur battant, la jeune femme prit la boîte tendue de velours.

— Êtes-vous certain… ? murmura-t-elle d'une voix étranglée par l'émotion.

— Qu'une bague de fiançailles est plutôt appropriée à la situation ? Oui, il me semble, répondit-il, flegmatique.

— Suis-je stupide ! Je n'avais pas compris…

— Qu'il s'agissait d'une bague de fiançailles ? Que pensiez-vous donc que c'était ?

— Je n'ai pas vraiment pensé, admit-elle, mortifiée.

C'était la première fois qu'il lui offrait un cadeau. Elle avait été si surprise par son geste qu'elle en avait oublié qu'il lui devait une bague de fiançailles.

Devait ? Mon Dieu, elle n'aimait pas ce mot-là ! Elle se détestait de l'avoir formulé, ne fût-ce qu'en pensée ! Cela dit, elle aurait mis sa main au feu que c'était exactement ce qu'avait songé Simon en la lui apportant : qu'il lui devait cette bague.

Et cela la déprimait.

Elle s'obligea à sourire.

— Je suppose qu'elle vient de votre famille ?

— Certainement pas ! s'écria-t-il avec une violence qui la fit sursauter.

— Oh.

Il y eut un nouveau silence.

Simon toussa, avant de reprendre :

— Je me suis dit que vous préféreriez quelque chose de neuf. Les bijoux des Hastings ont tous été choisis pour une autre. Celui-là est pour vous, et pour vous seule.

Ce fut un miracle, songea Daphné, si elle ne fondit pas de plaisir.

— Comme c'est gentil de votre part ! murmura-t-elle en retenant à grand-peine un sanglot ému.

Simon s'agita sur son siège, ce qui ne la surprit guère. Les hommes détestaient qu'on les trouve gentils.

— Eh bien, vous ne l'ouvrez pas ? grommela-t-il.

— Oh… si, bien sûr. Suis-je distraite !

Elle secoua la tête, confuse. Son regard s'était perdu dans le vague pendant qu'elle regardait l'écrin. Clignant des yeux pour éclaircir sa vision, elle ouvrit prudemment le fermoir et souleva le couvercle.

— Oh, mon Dieu ! souffla-t-elle.

Qu'aurait-elle pu dire d'autre ? Niché dans l'écrin, se trouvait un superbe anneau d'or blanc serti d'une énorme émeraude taillée en navette, ornée de part et d'autre d'un diamant à l'éblouissante simplicité. C'était la bague la plus extraordinaire qu'elle eût jamais vue : brillant de mille feux mais élégante, manifestement précieuse sans être trop voyante.

— Elle est magnifique, murmura Daphné. Je l'adore !

— Tant mieux, parce qu'elle vous appartient, dit Simon en ôtant ses gants pour retirer le bijou du boîtier. C'est vous qui la porterez, et ce sont vos goûts qu'elle doit refléter, non les miens.

— Apparemment, ils coïncident, remarqua-t-elle d'une voix émue.

Simon laissa échapper un léger soupir de soulagement et prit sa main. Jusqu'à cet instant, il n'avait pas mesuré combien cela était important pour lui que cette bague plaise à Daphné. Il détestait la nervosité qui s'emparait de lui en sa présence, alors qu'ils s'étaient sentis si à l'aise l'un avec l'autre ces dernières semaines. Il détestait les silences qui émaillaient leur conversation, alors qu'elle avait été jusqu'à présent la seule personne avec qui il n'avait pas besoin de marquer des pauses pour reprendre le contrôle de sa diction.

En vérité, il n'éprouvait pas de réelles difficultés à s'exprimer en cet instant précis. Son problème était plutôt qu'il ne savait que dire…

— Puis-je la passer à votre doigt ? demanda-t-il.

Hochant la tête, elle entreprit de retirer son gant.

Sans lui en laisser le temps, Simon saisit sa main puis tira délicatement sur chaque doigt du gant, avant de faire glisser celui-ci sur sa peau d'un geste lent. Cela était d'un érotisme troublant, songea-t-il, et tout à fait à l'image de ce dont il rêvait : ôter un à un les vêtements de Daphné, jusqu'à ce qu'il n'en reste plus un seul.

En entendant la jeune femme soupirer lorsque l'étoffe caressa son poignet, Simon ressentit une nouvelle bouffée de désir.

D'une main tremblante, il passa la bague à son doigt. L'anneau s'ajustait à la perfection.

— Elle est superbe, approuva Daphné en essayant de faire pivoter sa main pour étudier le reflet de la lumière sur les pierres.

Simon garda sa paume prisonnière. Le frottement de sa peau contre la sienne éveillait en lui une chaleur curieusement apaisante. Il porta sa main à sa bouche pour déposer un léger baiser sur ses doigts.

— Je suis heureux qu'elle vous convienne, murmura-t-il.

Ses lèvres s'étirèrent, promesse de ce large sourire qui lui était devenu si cher. Promesse, aussi, que tout allait s'arranger entre eux…

— Comment saviez-vous que j'aimais les émeraudes ? demanda-t-elle.

— Je ne le savais pas. Elles me rappellent vos yeux.

— Mes…

Elle inclina la tête de côté, luttant manifestement contre un sourire moqueur.

— Simon, mes yeux sont marron.

— En grande partie, concéda-t-il.

Ayant pivoté sur elle-même de façon à voir son reflet dans le miroir devant lequel lui-même s'était penché quelques minutes auparavant, elle cligna plusieurs fois des paupières.

— Pas du tout, répondit-elle de ce ton patient que l'on prend avec les gens un peu lents d'esprit. Ils sont marron.

Simon tendit une main pour souligner d'un geste délicat le dessous de son œil. Ses cils se mirent à battre, telles des ailes de papillon sur son doigt.

— Ils sont noisette, rectifia-t-il. Marron au centre et verts sur le pourtour.

Elle lui jeta un regard incrédule, bien que teinté d'une lueur d'espoir, poussa un petit soupir et se leva.

— Voyons cela, décréta-t-elle.

Amusé, il la vit se diriger vers la glace pour en approcher son visage. Elle ouvrit grand les yeux, avant de recommencer à battre des cils.

— Ça alors ! s'exclama-t-elle. Je n'avais jamais remarqué !

Simon se leva à son tour pour la rejoindre.

— Vous apprendrez rapidement que j'ai toujours raison.

Elle lui décocha un regard sarcastique.

— Comment vous en êtes-vous aperçu ?

Il esquissa un geste évasif.

— En regardant attentivement.

— Vous…

Renonçant à finir sa phrase, elle inspecta de nouveau ses iris, paupières grandes ouvertes.

— Voyez-vous cela… murmura-t-elle. J'ai les yeux verts !

— Je n'irais pas jusqu'à affirmer que…

— Pour la journée, l'interrompit-elle, je refuse d'admettre qu'ils soient autrement que verts.

Simon se mordit les lèvres.

— Vos désirs sont des ordres.

Elle laissa échapper un soupir.

— J'ai toujours été affreusement jalouse de Colin. De si beaux yeux gâchés sur un homme !

— Je doute que les demoiselles qui se croient éprises de lui partagent cet avis.

Daphné lui lança un regard hautain.

— Oh, mais elles ne comptent pas, n'est-ce pas ?

— Non, si vous le dites, répondit-il en luttant contre un fou rire.

— Vous apprendrez vite, déclara-t-elle d'un ton mutin, que j'ai toujours raison.

C'était plus fort que lui, il ne put retenir son hilarité. Il se calma toutefois en s'apercevant que Daphné restait silencieuse. Elle le couvait cependant d'un regard chaleureux, une expression nostalgique sur le visage.

— Tout est de nouveau comme autrefois, n'est-ce pas ? s'enquit-elle en prenant sa main entre les siennes.

Il hocha la tête en serrant ses doigts dans sa paume.

— Promettez-moi que tout va redevenir comme avant, insista-t-elle. Exactement comme avant !

— Vous avez ma parole, répliqua-t-il, même s'il savait que ce n'était pas possible.

Ils parviendraient peut-être à trouver le bonheur, mais rien ne serait plus jamais comme cela avait été.

Elle lui sourit et, fermant les yeux, appuya la tête contre son épaule.

— C'est bien, dit-elle.

Simon observa leur reflet dans le miroir, songeur. Pour un peu, il aurait presque pu croire qu'il avait le pouvoir de la rendre heureuse.

Le lendemain soir – c'était la dernière journée où Daphné s'appelait encore miss Bridgerton – Violet frappa à la porte de sa chambre.

La jeune femme était assise sur son lit, parmi ses souvenirs d'enfance étalés sur la courtepointe.

— Entrez ! répondit-elle.

Sa mère passa la tête dans l'entrebâillement, un sourire tendu sur le visage.

— Daphné ? demanda-t-elle d'une voix hésitante. Puis-je vous parler un instant ?

Daphné lui jeta un regard intrigué.

— Bien entendu, dit-elle en descendant de son lit, tandis que sa mère entrait.

Le teint de celle-ci était presque de la même nuance que sa robe, d'un superbe jaune pâle.

— Allez-vous bien, maman ? s'inquiéta Daphné. Vous êtes livide.

— Parfaitement bien. Je voulais seulement…

Elle toussota, puis carra les épaules.

— Il est temps que nous ayons une petite discussion.

— Oh ? fit Daphné, le cœur battant.

Voilà longtemps qu'elle attendait ce moment ! Toutes ses amies le lui avaient dit : lorsqu'une demoiselle se mariait, la veille de ses noces, sa mère lui révélait les mystères de l'hymen. Elle était enfin admise dans le cercle des femmes, et allait découvrir ces réalités aussi troublantes que délicieuses que l'on gardait scrupuleusement hors de portée des oreilles des jeunes filles. Avec d'autres camarades, Daphné avait tenté d'arracher ces secrets à celles de leurs amies qui avaient rejoint les initiées, mais les toutes nouvelles épouses s'étaient contentées de glousser d'un air important et de déclarer :

— Oh, vous le saurez bientôt !

Ce « bientôt » était enfin venu, et Daphné refrénait à grand-peine son impatience.

Violet, en revanche, semblait sur le point de défaillir.

Daphné tapota le lit à côté d'elle.

— Voulez-vous vous asseoir ? proposa-t-elle.

Sa mère battit des cils d'un air distrait.

— Oui… oui, pourquoi pas ?

Elle prit place, le dos droit, sur le rebord du matelas. Elle paraissait terriblement mal à l'aise. Compatissante, Daphné décida de lui tendre la perche.

— Est-ce à propos du mariage ? s'enquit-elle avec douceur.

Sa mère hocha imperceptiblement la tête.

— Au sujet de la nuit de noces ? reprit la jeune fille en s'efforçant de bannir de sa voix toute trace de curiosité excessive.

Cette fois, Violet parvint à acquiescer plus franchement.

— Je ne sais pas comment aborder cette question avec vous. Tout cela est tellement embarrassant !

Daphné s'obligea à faire preuve de patience. Sa mère allait bien finir par en venir au fait !

— Voyez-vous, commença celle-ci d'un ton hésitant, il y a… certaines choses que vous devez savoir. Des choses qui vont se passer demain soir. Des choses…

Elle émit une toux étranglée.

— … qui concernent votre époux.

Intriguée, Daphné se pencha vers elle.

Violet se redressa, gênée.

— Il se trouve que votre mari… c'est-à-dire Simon, bien entendu, puisque c'est lui que vous épousez…

Comme Violet risquait de s'embourber dans une phrase sans fin, Daphné lui vint en aide.

— Oui, maman, Simon va être mon mari.

Sa mère laissa échapper un soupir malheureux en lançant autour d'elle des regards affolés… dans toutes les directions, sauf celle de Daphné.

— Oh, quelle épreuve ! gémit-elle.

— Oui, apparemment, approuva la jeune femme.

Violet prit une profonde inspiration et rejeta les épaules en arrière, comme pour affronter un choc.

— Pendant votre nuit de noces, déclara-t-elle, votre mari attendra de vous que vous accomplissiez votre devoir conjugal.

Il n'y avait là rien que Daphné ne sût déjà.

— En d'autres termes, votre mariage devra être consommé.

— Oui ? l'encouragea Daphné.

— Votre mari vous rejoindra dans votre lit…

Daphné hocha la tête. Cela aussi, elle s'en était doutée.

— … afin d'opérer un certain…

Violet leva les mains en l'air, comme pour saisir un mot qui lui échappait.

— … *contact intime* avec votre personne.

Daphné entrouvrit les lèvres et inspira profondément. La conversation prenait enfin un tour intéressant.

— Ce que je voulais vous dire, ajouta Violet d'une voix métallique, c'est que l'acte en question n'est pas obligatoirement désagréable.

Entendu, mais de *quoi* s'agissait-il exactement ?

Daphné vit les joues de sa mère s'enflammer.

— Je sais que certaines épouses trouvent cela… eh bien… dégoûtant, mais…

— Ah oui ? l'interrompit Daphné. Dans ce cas, pourquoi les bonnes se sauvent-elles en compagnie des valets quand elles croient qu'on ne les voit pas ?

Aussitôt, Violet afficha son expression de maîtresse de maison en colère.

— Les bonnes ? répéta-t-elle. Des noms !

— N'essayez pas de changer de sujet, se fâcha Daphné. Voilà toute une semaine que j'attends cette conversation.

Un hoquet de stupéfaction jaillit des lèvres de Violet.

— Ah bon ?

Daphné lui adressa un regard agacé. Que sa mère s'était-elle imaginé ?

Dans un soupir, Violet marmonna :

— Bon, où en étions-nous ?

— Au fait que certaines femmes trouvent leur devoir conjugal déplaisant.

— C'est cela. Très bien. Voilà...

Baissant les yeux, Daphné constata que sa mère avait pratiquement lacéré le mouchoir qu'elle tenait entre ses mains.

— Ce que je tiens à vous faire comprendre, reprit-elle, manifestement pressée d'en terminer, c'est qu'il n'y a aucune raison pour que vous détestiez cela. Lorsque deux personnes sont éprises l'une de l'autre, et j'ai des raisons de penser que lord Hastings est très amoureux de vous...

— Et moi de lui, ajouta Daphné, rêveuse.

— Certes. Tout à fait. Eh bien... voyez-vous, à partir du moment où vous éprouvez la même inclination l'un envers l'autre, cette affaire a toutes les raisons d'être aussi charmante que possible.

Violet se déporta vers le pied du lit, étalant sur l'édredon la soie jaune pâle de ses jupes.

— Vous n'avez donc aucune raison d'être nerveuse. Je suis persuadée que votre époux saura se montrer très doux.

Daphné songea aux baisers enflammés de Simon. « Doux » n'était pas exactement le terme qu'elle aurait choisi pour les qualifier.

Violet bondit sur ses pieds.

— Eh bien voilà, je vous ai tout dit. Bonne nuit !

— *C'est tout ?*

Furieuse et dépitée, Daphné regarda sa mère se ruer vers la porte.

— Je... oui, bafouilla celle-ci d'un air coupable. Vous attendiez autre chose ?

— Oui !

Daphné s'élança vers la porte, contre laquelle elle se plaqua, barrant le chemin à sa mère.

— Vous ne pouvez pas me quitter après m'en avoir dit si peu !

Violet jeta un regard songeur vers la fenêtre. Si la chambre de Daphné ne s'était pas trouvée au premier étage mais au rez-de-chaussée, la jeune femme n'aurait pas été surprise de voir sa mère tenter une sortie par cette issue.

— Daphné ! gémit Violet, visiblement à la torture.

— Et moi ? insista la jeune femme. Que devrai-je *faire* ?

— Votre mari le saura bien.

— Je n'ai pas envie de me ridiculiser !

— Pas de risque ! Faites-moi confiance, les hommes…

Violet s'interrompit dans un soupir excédé.

— Oui ? l'encouragea Daphné. Qu'y a-t-il avec eux ? Qu'alliez-vous dire ?

Le visage de Violet Bridgerton était à présent couleur pivoine, et la rougeur commençait à gagner son cou et ses oreilles.

— Les hommes se contentent de peu, marmonna-t-elle. Votre époux ne sera pas déçu.

— Mais…

— Il n'y a pas de « mais » ! tonna Violet. Je vous ai dit tout ce que ma propre mère m'a dit. Ne jouez pas les effarouchées, et faites ce que l'on attend de vous jusqu'à ce que vous soyez enceinte !

Daphné en demeura bouche bée.

— Pardon ?

Un gloussement nerveux échappa à sa mère.

— Aurais-je oublié de mentionner ce détail ?

— Maman !

— Bon, bon. Le devoir conjugal… c'est-à-dire, le fait de… consommer le mariage… est le moyen d'avoir des bébés.

Daphné fut prise d'un vertige.

— Alors, vous l'avez fait huit fois ? demanda-t-elle.

— Non !

Daphné la dévisagea, perdue. Les explications de sa mère étaient parfaitement incompréhensibles, et elle ne savait toujours pas en quoi consistait exactement ce fameux devoir conjugal.

— Vous devez pourtant l'avoir fait huit fois ? insista-t-elle.

Sa mère agita une main devant son visage d'un geste nerveux.

— Oui. Enfin, non ! Écoutez, Daphné, ceci est très personnel.

— Je ne comprends pas. Comment pouvez-vous mettre au monde huit enfants si vous n'avez pas…

— D'accord, d'accord ! Je l'ai fait plus de huit fois, concéda Violet entre ses dents serrées, avec l'air de vouloir disparaître dans un trou de souris.

Daphné la regarda, incrédule.

— Vraiment ?

— Il arrive, répondit sa mère dans un souffle, les yeux obstinément fixés sur le plancher, que les gens fassent… *cela* pour le simple plaisir de le faire.

La jeune femme ouvrit des yeux ronds de surprise.

— Ah ?

— Eh bien… oui.

— Comme lorsqu'un homme et une femme s'embrassent ?

— Voilà, approuva Violet dans un soupir de soulagement. Exactement comme lorsque…

Elle fronça soudain les sourcils.

— Daphné ? Auriez-vous par hasard accordé un baiser au duc ?

À la brûlure qui envahissait ses joues, la jeune femme comprit que son visage était en train de prendre la même nuance que celui de sa mère.

— Cela se pourrait bien, murmura-t-elle.

Violet agita un doigt sous le nez de sa fille.

— Daphné Bridgerton, je refuse de croire que vous ayez eu une conduite aussi déshonorante ! Je vous ai assez répété de ne pas autoriser les hommes à prendre de telles libertés !

— Qu'importe, puisqu'il m'épouse ?

— Tout de même, vous…

Sa mère s'interrompit dans un soupir de lassitude.

— Oh ! Après tout, vous avez raison. Cela n'est pas bien grave. Vous allez vous marier, et avec un duc, qui plus est. S'il vous a embrassée, ma foi, il fallait peut-être s'y attendre…

Décidément, Daphné ne reconnaissait pas sa mère. Jamais elle ne l'avait vue aussi nerveuse et peu sûre d'elle !

— Eh bien, puisque vous n'avez pas d'autres questions, je vous laisse à vos occupations, enchaîna celle-ci en désignant d'un air distrait les souvenirs que Daphné avait étalés sur sa courtepointe.

— Mais… *j'ai* d'autres questions ! protesta la jeune femme.

Sa mère s'était déjà sauvée.

Daphné avait beau être avide de découvrir les secrets de ce fameux « devoir conjugal », elle ne pouvait pas s'élancer dans le couloir à la poursuite de Violet pour l'interroger devant la famille et le personnel !

En outre, les propos maternels avaient éveillé en elle de nouvelles inquiétudes. D'après sa mère, l'acte marital était indispensable à la procréation. Si Simon ne pouvait avoir d'enfant, cela signifiait-il qu'il ne pouvait accomplir ces « contacts intimes » qu'elle avait mentionnés ?

Et, au nom du Ciel, qu'étaient donc ces mystérieux contacts ? Daphné les soupçonnait d'avoir quelque chose à voir avec le fait de s'embrasser. Sinon, pourquoi la société aurait-elle veillé avec un soin si jaloux à interdire les baisers aux jeunes filles ? Peut-être cela impliquait-il également les seins de celles-ci, songea-t-elle en rougissant au souvenir des instants volés avec Simon dans les jardins de lady Trowbridge…

Elle laissa échapper un soupir de dépit. Sa mère lui avait pratiquement interdit de se montrer nerveuse, mais comment aborder son mariage avec sérénité si elle n'avait pas la moindre idée de la façon d'accomplir ce que l'on attendait d'elle ?

Et qu'en irait-il de leur union ? Si Simon ne pouvait la consommer, en serait-ce vraiment une ?

Il y avait tout de même là de quoi déstabiliser une future épouse...

C'est surtout des petits détails de la cérémonie qu'elle se souviendrait, songea Daphné. Les larmes dans les yeux de sa mère, puis sur ses joues. La fêlure dans la voix d'Anthony quand il était venu la chercher pour la guider vers son fiancé. La précipitation de Hyacinthe, qui avait jeté les pétales de roses bien trop tôt, au point qu'il n'en restait plus un seul lorsqu'ils avaient atteint l'autel. Les éternuements de Gregory, qui s'étaient déjà renouvelés à deux reprises avant que Simon et elle ne prononcent le « oui » fatidique.

Et l'expression de Simon, son visage si concentré à présent qu'il répétait ses vœux en articulant chaque syllabe avec une lenteur solennelle... Son regard intense, presque brûlant, son timbre grave et vibrant d'émotion, comme si rien au monde ne pouvait revêtir plus d'importance que cet engagement qu'il prenait, tandis qu'ils se tenaient côte à côte devant l'archevêque...

Daphné en ressentait un profond réconfort. Un homme qui prononçait les serments conjugaux avec une telle foi ne pouvait voir dans le mariage une simple convention sociale.

— Ceux que le Seigneur a unis, qu'aucun mortel ne vienne les séparer.

La jeune femme fut parcourue d'un long frisson. Dans quelques instants, elle appartiendrait pour toujours à cet homme.

Au même instant, Simon tourna discrètement son visage vers elle, et dans ses iris pâles, elle lut une question silencieuse : « Est-ce que tout va bien ? »

Elle répondit d'un imperceptible acquiescement. Aussitôt, elle vit une étrange lueur passer dans son regard. Du soulagement ?

— Je vous déclare maintenant…

Gregory émit une nouvelle série d'éternuements, couvrant totalement les mots « mari et femme » que prononçait l'archevêque. Retenant de justesse un éclat de rire, Daphné se mordit les lèvres, résolue à conserver l'expression sérieuse qui s'accordait à la solennité de l'instant. Le mariage était une institution sacrée, qu'il ne convenait pas de traiter à la légère !

En pivotant vers Simon, elle constata qu'il l'observait d'un air amusé. Ses yeux bleus étaient fixés sur son visage, et ses lèvres commençaient à s'étirer.

Le fou rire risquait d'exploser.

— Vous pouvez embrasser la mariée.

Comme s'il n'avait attendu que cela, Simon la prit soudain dans ses bras et sa bouche s'écrasa sur la sienne avec une violence qui fit courir un murmure de stupeur parmi les rangs de l'assemblée.

Alors, sans s'écarter l'un de l'autre, tous deux éclatèrent d'un même rire.

Violet Bridgerton déclara que c'était là le baiser le plus curieux dont elle eût été témoin.

Gregory Bridgerton, une fois sa crise d'éternuements passée, affirma que c'était positivement dégoûtant.

L'archevêque, qui n'était plus de toute première jeunesse, contempla les nouveaux époux avec perplexité.

Hyacinthe Bridgerton – qui, à l'âge de dix ans, aurait dû en savoir moins que quiconque au sujet des baisers – afficha une expression pensive et commenta :

— Je trouve que c'est très bien. S'ils rient maintenant, ils ne s'ennuieront jamais ensemble.

Elle leva les yeux vers sa mère.

— N'est-ce pas, maman ?

Violet prit la main de sa benjamine pour la serrer dans la sienne.

— Le rire est la meilleure des choses, ma chérie. Merci de nous le rappeler.

Et c'est ainsi que naquit la rumeur selon laquelle le duc de Hastings et la nouvelle duchesse formaient le couple le plus uni et le plus heureux que l'on eût vu depuis longtemps. Pour preuve, qui se souvenait d'un mariage où l'on avait tant ri ?

14

Nous nous sommes laissé dire que le mariage de lord Hastings et de miss Bridgerton, bien qu'intime, avait été riche en événements. Miss Hyacinthe Bridgerton – dix printemps – a chuchoté à l'oreille de miss Felicity Featherington – dix printemps également – que les nouveaux époux avaient éclaté de rire au cours de la cérémonie. Miss Felicity Featherington a répété ces paroles à sa mère, qui en a informé la cantonade.

N'ayant pas été invitée à la célébration, votre dévouée chroniqueuse devra s'en remettre aux affirmations de miss Hyacinthe Bridgerton...

La Chronique mondaine de lady Whistledown, 24 mai 1813

Faute de temps, aucun voyage de noces n'avait été prévu. À la place, Simon avait pris des dispositions pour passer quelques semaines à Clyvedon Castle, le fief ancestral des Basset. Daphné s'en félicita. Elle était impatiente de fuir Londres et de se soustraire à la curiosité du beau monde.

En outre, elle avait très envie de connaître les lieux qui avaient vu grandir Simon.

Elle essaya de l'imaginer, enfant. Avait-il été aussi fougueux qu'il l'était à présent ? Avait-il été au contraire un petit garçon paisible, doté de ce même tempérament réservé qu'il montrait en société ?

Les nouveaux mariés quittèrent Bridgerton House parmi les vivats et les embrassades, et Simon s'empressa d'installer Daphné dans son plus bel attelage. Malgré l'été, l'air était frais, aussi prit-il soin de déposer une couverture sur ses genoux. Elle sourit.

— N'est-ce pas un peu trop de précautions ? s'enquit-elle, espiègle. Je ne risque pas d'attraper un coup de froid sur le trajet ; nous ne sommes qu'à quelques rues de chez vous.

Il lui adressa un regard amusé.

— Nous partons pour Clyvedon.

— Dès ce soir ?

Daphné ne put cacher sa surprise. Elle avait supposé qu'ils attendraient le lendemain pour se mettre en route. Le village de Clyvedon se trouvait près de Hastings, à l'extrémité de la côte sud-est de l'Angleterre. L'après-midi était déjà bien avancé. Le temps qu'ils atteignent le château, il serait minuit passé.

Cela ne ressemblait pas exactement à la nuit de noces que Daphné avait envisagée...

— Ne serait-il pas plus simple de rester à Londres ce soir et d'effectuer le voyage demain ? demanda-t-elle.

— Tout est déjà prévu, protesta-t-il.

— Oh. Très bien.

Daphné tenta bravement de dissimuler sa déception. Elle demeura silencieuse quelques instants, pendant que l'attelage prenait de la vitesse. L'excellente suspension ne suffisait pas à absorber tous les cahots dus au pavage irrégulier de la chaussée.

— Allons-nous faire halte dans une auberge ? questionna-t-elle.

— Pour le dîner ? Bien entendu ! Il ne conviendrait pas que je vous laisse mourir de faim le premier jour de notre mariage.

— Et je suppose que nous y resterons pour la nuit ?

— Certainement pas ! Nous...

Simon s'interrompit soudain, avant de se radoucir. Daphné le vit se tourner vers elle avec une expression de tendresse désarmante.

— Je suis un ours, n'est-ce pas ?

Daphné rougit… comme chaque fois qu'il la couvait de ce regard brûlant.

— Non, pas du tout. J'ai seulement été surprise que…

— C'est vous qui avez raison. Nous passerons la nuit à l'auberge ; j'en connais une très convenable à mi-chemin : Le Lièvre et le Griffon. Le couvert et le gîte y sont irréprochables.

Il lui effleura le menton d'une caresse.

— Je ne voudrais pas abuser de vous et vous obliger à faire le trajet d'une seule traite.

— Je suis assez vaillante pour effectuer le voyage, répondit-elle, tout en rougissant à la perspective des paroles qu'elle s'apprêtait à prononcer. Seulement, nous nous sommes mariés aujourd'hui, et si nous ne faisons pas halte dans une auberge, nous serons dans cet attelage lorsque la nuit tombera, et…

— N'en dites pas plus, l'interrompit-il en posant un doigt sur ses lèvres.

Daphné hocha la tête, soulagée. Elle n'éprouvait aucune envie de discuter ainsi de leur nuit de noces, et il lui semblait que c'était là un sujet qu'il appartenait à l'homme d'aborder, non à la femme. Après tout, Simon était mieux informé qu'elle sur ce genre de questions !

En tout cas, il ne pouvait l'être moins, songea-t-elle, dépitée. Car malgré son flot d'explications qui n'en étaient pas, sa mère ne lui avait strictement rien appris de nouveau… à part, peut-être, le passage au sujet des enfants, auquel Daphné n'avait d'ailleurs rien compris. D'un autre côté, peut-être…

Elle se figea, le souffle court. Et si Simon ne pouvait pas… s'il ne voulait pas… ?

Non, décida-t-elle. Il en avait envie. Il la désirait. Elle n'avait pas imaginé la passion qui brûlait au fond de ses yeux, ni les violents battements de son cœur, quelques soirs auparavant, dans les jardins de lady Trowbridge…

Elle tourna son regard vers la fenêtre, pour voir les derniers toits de Londres se fondre dans la campagne environnante. Une femme pouvait facilement perdre la raison, à trop ruminer ces questions. Elle devait chasser tout cela de son esprit. Oui, elle était bien résolue à le faire sans tarder, et définitivement.

Du moins, jusqu'à ce soir.

Jusqu'à sa nuit de noces.

Rien que d'y penser, elle en avait le frisson…

Simon regarda Daphné. Son épouse, se dit-il, bien qu'il eût encore parfois du mal à s'en souvenir. Il n'avait jamais envisagé de prendre femme. Il avait même fermement résolu de ne pas se marier. Et voilà qu'il était lié pour la vie à Daphné Bridgerton – non, à Daphné Basset, duchesse de Hastings. Car c'était bien ce qu'elle était, désormais.

Et c'était là le plus curieux. Jamais de sa vie il n'avait connu de duchesse de Hastings. Le titre sonnait étrangement à ses oreilles, comme s'il datait d'un autre âge.

Simon laissa échapper un soupir tandis que son regard se posait sur le profil pur de la jeune femme. Il fronça les sourcils.

— Avez-vous froid ? demanda-t-il en la voyant frissonner.

Elle fit mine de dire non, puis se ravisa.

— Oui, admit-elle avec un imperceptible mouvement, mais très peu. Ne vous donnez pas la peine de…

Simon l'enveloppa plus chaudement dans la couverture en songeant qu'elle n'avait aucune raison de mentir sur un sujet aussi anodin.

— La journée a été longue, murmura-t-il.

Il ne le ressentait pas vraiment – quoique, à présent qu'il y pensait, cela avait effectivement été une longue journée – mais il lui sembla que c'était une réponse qui convenait à la situation.

Il était bien décidé à être un bon mari pour elle. Elle l'avait amplement mérité. Il ne pouvait offrir à Daphné le bonheur familial auquel elle avait aspiré toute sa vie, mais il pouvait au moins faire de son mieux pour assurer sa protection et veiller à son bien-être.

Elle l'avait choisi, se rappela-t-il. Alors qu'elle savait qu'il ne lui donnerait jamais d'enfant, elle l'avait choisi ! En retour, se montrer un époux fidèle et attentif était la moindre des choses.

— Je l'ai beaucoup appréciée, dit-elle doucement.

Il la regarda, interloqué.

— Pardon ?

L'ombre d'un sourire éclaira son visage. Comme il aimait cette expression à la fois tendre et espiègle ! Elle avait le don d'éveiller en lui un désir si vif qu'il eut toutes les peines du monde à se concentrer sur ses paroles.

— Vous avez dit que la journée avait été longue, je vous ai répondu que je l'avais appréciée.

Il continua de la considérer d'un air perplexe.

Elle afficha une expression si déconcertée que c'en était délicieusement comique.

— *Vous* avez dit que la journée avait été longue, répéta-t-elle avec lenteur, *je* vous ai répondu que je l'avais appréciée.

Comme il ne réagissait toujours pas, elle laissa échapper un petit soupir agacé.

— J'aurais peut-être dû faire précéder ma réponse des mots « oui » et « mais ». Comme dans : « *Oui, mais* je l'ai appréciée. »

— Je vois, répliqua-t-il avec tout le sérieux dont il était capable.

— Je commence à penser que vous voyez beaucoup de choses, marmonna-t-elle, mais que vous n'en comprenez pas la moitié.

Il arqua un sourcil. Elle soupira de plus belle. Il eut plus que jamais envie de l'embrasser.

À vrai dire, tout lui donnait envie de l'embrasser.

Cela commençait à devenir préoccupant.

— Nous devrions être à l'auberge à la tombée du jour, annonça-t-il d'un ton sec, dans l'espoir d'alléger sa tension par une attitude impersonnelle.

Bien entendu, il n'en fut rien. Tout au plus était-il parvenu à repousser d'une journée leur nuit de noces. Une longue et interminable journée à désirer de tout son corps sa nouvelle épouse... mais qu'il soit maudit s'il la faisait sienne dans une auberge, aussi respectable et bien tenue fût-elle !

Daphné méritait mieux que cela. Sa nuit de noces serait un événement unique, il voulait qu'elle fût parfaite.

Elle lui décocha un regard étonné, sans doute surprise de l'entendre changer de sujet.

— Très bien, dit-elle.

— La nuit, les routes ne sont pas aussi sûres, ajouta-t-il en s'efforçant d'oublier qu'il avait tout d'abord prévu d'effectuer la route d'une traite jusqu'à Clyvedon.

— En effet, acquiesça-t-elle.

— Et nous aurons faim, ajouta-t-il.

— Certes, répondit-elle, manifestement déroutée par l'intérêt qu'il portait soudain à leur changement de programme.

Simon en était désolé, mais il avait le choix entre disserter sans fin sur leur itinéraire... et se jeter sur elle pour la prendre là, sur la banquette de l'attelage.

Ce qui n'était évidemment pas une option raisonnable.

— On y mange très bien, enchaîna-t-il donc, les dents serrées par la concentration.

Elle battit des cils, avant de lui faire observer :

— Vous l'avez déjà dit.

— Oui, en effet.

Il émit une petite toux.

— Je crois que je vais faire une sieste.

Cette fois-ci, elle ouvrit des yeux ronds de surprise. Il la vit tendre le cou vers lui d'un air médusé.

— Maintenant ?

Simon hocha brièvement la tête.

— J'ai la désagréable impression de me répéter, mais comme vous me l'avez fort judicieusement fait remarquer, j'ai déjà dit que la journée avait été longue.

— Oui, en effet.

Sous le regard éberlué de Daphné, il s'installa plus confortablement sur son siège.

— Vous êtes vraiment capable de dormir ici, dans une voiture en marche ? Les cahots ne vous dérangent pas ?

Il haussa les épaules.

— Je peux m'endormir n'importe où. J'ai appris cela lors de mes voyages.

— Un vrai don, murmura Daphné.

— Et sacrément utile, renchérit-il.

Puis il ferma les paupières et feignit de dormir pendant presque trois heures.

Daphné le regarda... et fronça les sourcils. Il faisait semblant ! Avec sept frères et sœurs, on ne la lui faisait plus. Simon n'était absolument pas endormi.

Certes, sa poitrine se soulevait et s'abaissait avec une régularité confondante, et son souffle vibrait de la juste mesure de soupirs et sifflements pour ressembler à s'y méprendre à un quasi-ronflement.

Seulement, elle n'était pas dupe.

Chaque fois qu'elle effectuait un geste, faisait bruisser ses jupes ou respirait un peu plus fort, il levait le menton. Le mouvement était à peine perceptible, mais elle le décelait. Et lorsqu'elle bâillait ou laissait échapper un soupir somnolent, elle voyait ses yeux bouger sous ses paupières à peine closes.

Ce qui était admirable, toutefois, c'était qu'il parvienne à jouer la comédie depuis plus de deux heures et demie.

Pour sa part, elle n'aurait jamais tenu vingt minutes…

Après tout, songea-t-elle avec une rare magnanimité, s'il voulait feindre de dormir, à sa guise ! Loin d'elle l'idée de faire échouer une si remarquable performance d'acteur !

Sur un dernier bâillement – plutôt sonore, pour le seul plaisir de le voir rouler des yeux sous ses paupières – elle tourna son visage vers la fenêtre et repoussa le lourd rideau de velours afin d'observer le paysage. À l'ouest, un énorme soleil incandescent roulait sur l'horizon, sur le point de basculer de l'autre côté de la terre.

Si Simon ne s'était pas trompé dans ses estimations – et elle avait le sentiment qu'il était plutôt fiable dans ce domaine, comme l'étaient souvent les amateurs de mathématiques – ils étaient presque à la moitié du voyage.

Ils allaient arriver à l'auberge qui abriterait leur nuit de noces.

Miséricorde ! Il fallait qu'elle cesse de penser en termes mélodramatiques…

— Simon ?

Il ne fit pas mine de s'éveiller. Cela l'irrita.

— Simon ! appela-t-elle un peu plus fort.

Ses lèvres s'étirèrent en une moue contrariée. Daphné l'aurait juré, il était en train de se demander s'il était supposé continuer de dormir, ou bien avoir été tiré de son sommeil par le son de sa voix.

— Simon, insista-t-elle en lui tapotant l'épaule sans trop de douceur.

Il ne s'imaginait tout de même pas qu'elle pouvait le croire aussi profondément assoupi ?

Il battit des cils en émettant un léger hoquet, exactement comme l'aurait fait un dormeur au réveil.

Diable, il possédait un vrai talent de comédien !

Il s'étira en bâillant et ouvrit les yeux.

— Oui ? demanda-t-il d'une voix ensommeillée.

Elle ne s'embarrassa pas de diplomatie.

— Eh bien, sommes-nous arrivés ?

Il se frotta les yeux.

— Pardon ?

— Sommes-nous arrivés ? répéta-t-elle.

— Mmm…

Il parcourut l'habitacle du regard. Comme si cela pouvait lui apprendre quoi que ce soit !

— Il me semble que nous avançons toujours, non ?

— Ce que je veux savoir, c'est si nous approchons de l'étape.

Dans un léger soupir, il se tourna vers la fenêtre.

— Tiens ? s'écria-t-il d'un air surpris. C'est juste devant nous.

Daphné chassa de son mieux un sourire satisfait.

L'attelage fit halte, et Simon en sortit d'un bond. Daphné l'entendit échanger quelques mots avec le cocher, sans doute pour l'informer qu'ils comptaient passer la nuit à l'auberge. Puis il tendit une main à la jeune femme pour l'aider à descendre.

— L'endroit vous convient-il ? s'enquit-il en désignant les bâtiments.

Daphné aurait été bien en peine de rendre un jugement sans voir l'intérieur, mais elle approuva tout de même d'un hochement de tête. Elle laissa Simon la conduire dans l'auberge et l'attendit près de la porte alors qu'il se dirigeait vers un homme qui devait être le tenancier.

Avec un grand intérêt, elle observa les allées et venues. Un jeune couple – probablement des propriétaires terriens – était escorté vers un salon privé, tandis que, dans l'escalier, une mère entraînait ses quatre enfants vers l'étage supérieur. Simon négociait âprement avec l'aubergiste, et un peu plus loin, un gentleman maigre s'appuyait contre…

Daphné tourna de nouveau la tête vers son mari, intriguée. *Simon négociait âprement avec l'aubergiste ?*

Que se passait-il donc ? Elle tendit l'oreille. Les deux hommes parlaient à voix basse, et Simon semblait vivement contrarié. Quant au tenancier, il paraissait mortifié de ne pouvoir satisfaire le duc de Hastings.

Daphné fronça les sourcils. Quelque chose n'allait pas.

Devait-elle intervenir ?

Elle les regarda discuter quelques instants. Oui, elle devait intervenir.

D'un pas qui, sans être hésitant, n'était pas vraiment assuré, elle se dirigea vers son mari.

— Y a-t-il un problème ? s'enquit-elle poliment.

Simon lui décocha un regard confus.

— Je croyais que vous m'attendiez près de la porte ?

— C'était le cas, répondit-elle avec un grand sourire. Ça ne l'est plus.

Simon afficha une expression encore plus contrariée et se tourna de nouveau vers l'homme.

Daphné émit une toux discrète afin d'attirer son attention. Sans résultat. Elle pinça les lèvres, un peu vexée d'être aussi ostensiblement ignorée.

— Simon ? insista-t-elle en lui tapotant l'épaule.

Il pivota lentement sur lui-même, le visage contracté par l'impatience.

Toute innocence, Daphné lui sourit.

— Si vous me disiez ce qui vous contrarie ? demanda-t-elle.

Avant qu'il ait pu répondre, l'aubergiste éleva les mains dans un geste implorant.

— Il ne me reste plus qu'une seule chambre, expliqua-t-il d'un ton obséquieux. Je ne savais pas que monsieur le duc nous ferait l'honneur de sa présence ce soir. Si j'en avais été informé, j'aurais refusé Mme Weatherby et ses marmots.

Il se pencha vers Daphné d'un air de conspirateur.

— Je les aurais fichus à la porte ! ajouta-t-il.

Daphné fronça les sourcils.

— S'agit-il de la dame que j'ai vue dans l'escalier avec quatre enfants ?

L'homme approuva.

— S'il n'y avait pas les gamins, j'aurais...

Daphné s'empressa de l'interrompre, nullement disposée à l'entendre parler de jeter à la rue une innocente mère de famille.

— C'est bon, nous nous contenterons d'une seule chambre. À la guerre comme à la guerre !

Du coin de l'œil, elle vit Simon serrer les mâchoires. Pour un peu, elle l'aurait entendu grincer des dents !

Alors comme cela, il voulait des chambres séparées ? Il y avait là de quoi se sentir fort peu désirable, pour une jeune mariée !

L'aubergiste se tourna vers lui dans l'attente manifeste de son approbation. Voyant ce dernier donner son accord d'un hochement de tête assez sec, il claqua joyeusement dans ses mains, puis il prit une clé et sortit de derrière son comptoir d'un pas affairé.

— Si monsieur le duc et madame la duchesse veulent bien me suivre...

Sur un signe de Simon, Daphné, emboîtant le pas à l'aubergiste, gravit les marches. Quelques instants plus tard, ils entraient dans une pièce spacieuse, confortablement meublée, dont la vue donnait sur le village.

— Eh bien, déclara-t-elle une fois que l'homme se fut éclipsé, cela me semble tout à fait convenable.

Simon marmonna dans sa barbe.

— Voilà qui est bien dit ! commenta-t-elle avant de se glisser derrière un paravent situé dans un angle de la chambre.

Simon la suivit des yeux, distrait... avant de comprendre.

— Daphné ? l'appela-t-il d'une voix étranglée. Voulez-vous vous changer ?

Il la vit passer la tête sur le côté.

— Non, je regardais seulement.

— Bien, maugréa-t-il. Il va être temps de descendre pour le dîner.

— Parfait.

Elle lui sourit, d'un air un peu trop triomphant pour son goût.

— Avez-vous faim ? demanda-t-elle.

— Terriblement.

Son sourire faiblit un peu, sans doute à cause du ton cassant qu'il avait employé. Simon s'en voulut aussitôt. Ce n'était pas parce qu'il était furieux qu'elle devait en subir les conséquences, se reprocha-t-il. Elle n'avait rien fait de mal !

— Et vous-même ? s'enquit-il d'une voix radoucie.

Sortant de derrière le paravent, elle s'assit au pied du lit.

— Un peu, admit-elle d'un air tendu, mais je ne sais pas si je réussirai à avaler quoi que ce soit.

— La dernière fois que je suis descendu ici, j'ai fort bien dîné, la rassura-t-il. Je suis certain que…

— Ce n'est pas la qualité de la nourriture qui m'inquiète, l'interrompit-elle. Ce sont mes nerfs.

Il la regarda, perplexe.

— Simon, reprit-elle en s'efforçant visiblement de dissimuler son impatience – sans grand succès, à son avis. Nous nous sommes mariés ce matin.

Enfin, il comprit.

— Daphné ! s'écria-t-il avec douceur. Vous n'avez aucun souci à vous faire.

— Ah non ? demanda-t-elle d'un ton dubitatif.

Il laissa échapper un soupir douloureux. Ce n'était pas aussi facile qu'il l'avait cru de se montrer un mari patient et attentif.

— Il n'est pas question de consommer le mariage tant que nous ne serons pas à Clyvedon, déclara-t-il.

— Ah non ? répéta-t-elle, cette fois-ci d'un air désappointé.

Simon ouvrit des yeux ronds de surprise. Elle n'était tout de même pas déçue ?

— Je ne me permettrais pas de… *faire cela* dans une quelconque auberge, reprit-il. J'ai trop de respect pour vous !

— Ah non ? dit-elle pour la troisième fois. Vraiment ?

Il crut que son cœur allait s'arrêter de battre. Elle *était* déçue.

— Non, répliqua-t-il fermement.

Elle tendit son visage vers lui.

— Pourquoi pas ?

Simon la dévisagea un long moment puis, sans la quitter des yeux, s'assit à son côté sur le lit. Ses grandes prunelles sombres étaient fixées sur lui, brillantes de tendresse, de curiosité, et d'un soupçon d'hésitation. Elle se mordit la lèvre. Il ne fallait sans doute y voir qu'un signe de nervosité, mais le corps déjà tendu à l'extrême de Simon réagit aussitôt à cette innocente provocation.

Elle lui adressa un sourire timide, puis détourna le regard.

— Cela ne me dérangerait pas, dit-elle.

Simon demeura d'une fixité de marbre, tout en s'efforçant d'ignorer la petite voix tentatrice qui susurrait à son oreille : Eh bien, qu'attends-tu ? Étends-la sur le lit ! Passe à l'action, elle ne demande que cela !

Au moment précis où son désir prenait le pas sur ses nobles intentions, la jeune femme bondit sur ses pieds dans un cri de détresse, le visage entre ses mains.

Simon, qui venait de se tourner vers elle pour l'enlacer, perdit l'équilibre et retomba à plat ventre sur le matelas.

— Daphné ? appela-t-il, le nez dans la courtepointe.

— J'aurais dû comprendre, dit-elle dans un hoquet. Oh, je suis désolée !

Elle était désolée ? Simon se redressa, interloqué. Et voilà qu'elle pleurait, à présent ! Bon sang, qu'avait-elle donc ? Daphné ne pleurnichait jamais !

Elle pivota sur ses talons et le considéra d'un air navré. Simon se serait peut-être inquiété s'il avait eu l'ombre d'un commencement d'explication à son comportement, mais comme il n'en avait pas la moindre idée, il se dit que cela ne devait pas être bien grave.

— Daphné, demanda-t-il aussi doucement qu'il le pouvait, que se passe-t-il ?

Elle s'assit en face de lui pour caresser sa joue d'une main tendre.

— Comme j'ai manqué de délicatesse ! murmura-t-elle. J'aurais dû comprendre, et garder le silence.

— Comprendre *quoi* ?

Elle laissa retomber sa main.

— Que vous ne pouvez pas… que vous ne pourriez pas…

— Quoi donc, à la fin ?

Elle baissa les yeux en se tordant les mains.

— S'il vous plaît, ne m'obligez pas à le dire.

— Je suppose, grommela Simon en levant les yeux au plafond, que c'est à cause de ce genre de scène que les hommes fuient le mariage !

Il avait moins parlé pour elle que pour lui-même, mais ses paroles arrachèrent à Daphné un sanglot de désespoir.

— Au nom du Ciel, que vous arrive-t-il ? tonna-t-il.

— Vous ne pouvez pas consommer le mariage, lança-t-elle dans un souffle.

S'il ne perdit pas tous ses moyens en entendant cela, ce fut un pur miracle. Il ne sut jamais non plus par quel prodige de volonté il parvint à articuler :

— Plaît-il ?

Daphné baissa la tête d'un air pitoyable.

— Je serai tout de même une bonne épouse, promit-elle. Personne ne le saura jamais, vous avez ma parole.

Jamais, depuis l'époque où, enfant, il butait sur chaque mot, Simon n'était resté sans voix comme en cet instant.

Daphné le croyait *impuissant* ?

— Mais… mais… mais… !

Recommençait-il à bégayer, ou était-ce simplement le choc ? À la réflexion, il opta pour la seconde solution. Son esprit semblait incapable de se fixer sur un autre mot.

— Je sais que les hommes sont très susceptibles à ce sujet, poursuivit Daphné.

— Surtout lorsque c'est faux ! explosa-t-il.

Elle redressa vivement la tête.

— Ce n'est pas le cas ?

Simon la considéra avec une soudaine méfiance.

— Serait-ce votre frère qui vous a raconté cela ?

— Oh, non ! répondit-elle en détournant les yeux. C'est maman.

— Pardon ? gémit Simon.

Assurément, jamais aucun homme n'avait tant souffert le jour de ses noces.

— Madame votre mère vous a expliqué que j'étais impuissant ? questionna-t-il, incrédule.

— Ah, c'est ainsi que cela s'appelle ? demanda-t-elle sans cacher sa curiosité.

Puis, comme il fronçait les sourcils :

— Non, elle ne l'a pas dit comme cela, s'empressa-t-elle de préciser.

— Que vous a-t-elle dit exactement ?

— En vérité, pas grand-chose, avoua Daphné. C'était assez contrariant, d'ailleurs, mais elle m'a expliqué que l'acte conjugal…

— C'est le terme qu'elle a employé ?

— N'est-ce pas ce que tout le monde dit ?

Il balaya sa question d'un revers de main.

— Passons. Poursuivez !

— Elle m'a dit que l'… le… enfin, quelle que soit la façon dont *vous* l'appelez…

Simon ne put s'empêcher d'admirer le sarcasme, étant donné la situation.

— … a quelque chose à voir avec le fait d'avoir des enfants, et que…

Simon crut s'étrangler.

— *Quelque chose à voir* ? répéta-t-il.

— Eh bien, oui.

Elle fronça les sourcils.

— Elle ne m'a pas donné d'informations très précises.

— C'est le moins qu'on puisse dire.

— Elle a fait de son mieux, souligna Daphné, qui songea qu'elle devait prendre la défense de sa mère. Elle semblait très embarrassée.

— On pourrait penser, marmonna Simon, qu'une femme qui a eu huit enfants n'en est plus à ce genre de considération.

— Il faut croire que non, soupira la jeune femme en secouant la tête. Ensuite, lorsque je lui ai demandé si elle avait pratiqué le… la…

Elle le regarda, exaspérée.

— Je ne vois vraiment pas comment désigner cela autrement que par le mot *acte*.

— Peu importe, continuez, dit-il d'une voix qui semblait curieusement tendue.

Daphné s'en alarma.

— Allez-vous bien ?

— On ne peut mieux ! coassa-t-il.

— On ne dirait pas.

D'un geste de la main, il lui fit signe de poursuivre. Pour un peu, elle aurait pu croire qu'il n'arrivait plus à parler.

— Je lui ai donc demandé, reprit-elle, si elle avait pratiqué cet acte à huit reprises, et elle a paru encore plus gênée, et…

— Vous lui avez posé cette question ? s'écria Simon, incapable de garder le silence.

— Ma foi, oui.

Elle plissa les yeux d'un air méfiant.

— Riez-vous ?

— Pas du tout.

Ses lèvres s'étirèrent en une moue contrariée.

— On dirait que si.

Simon secoua vigoureusement la tête.

— Bref, enchaîna-t-elle, il m'a semblé que ma question était logique puisqu'elle a eu huit enfants, mais elle m'a répondu que…

Il leva une main en faisant « non » de la tête, et cette fois-ci, elle eut l'impression qu'il ne savait s'il devait rire ou pleurer.

— N'en dites pas plus. Par pitié, n'en dites pas plus !

— Bon.

Indécise, Daphné croisa docilement les mains sur ses genoux et se tut.

Après un long moment, Simon prit une inspiration profonde, quoiqu'un peu saccadée :

— Je sais déjà que je vais regretter de vous avoir posé la question, mais qu'est-ce qui a bien pu vous faire croire que j'étais…

Il fut secoué d'un frisson.

— … privé de mes moyens ?

— Ne m'avez-vous pas dit que vous ne pouviez pas avoir d'enfants ?

— Daphné, il existe toutes sortes de raisons pour lesquelles un couple n'en a pas.

Elle eut bien du mal à cesser de grincer des dents.

— Oh, que je déteste avoir l'air aussi stupide ! gémit-elle.

Simon se pencha vers elle et pressa ses mains.

— Daphné, reprit-il très doucement tout en lui massant les doigts, avez-vous une petite idée de ce qui se passe entre un homme et une femme ?

— Pas la moindre, avoua-t-elle en toute franchise. Vous pourriez croire que je suis mieux informée que cela, avec trois frères aînés, et j'avais espéré apprendre de quoi il retournait hier soir, quand ma mère…

— Pas un mot de plus ! l'interrompit-il d'une voix curieusement étranglée. Ne dites rien, je ne le supporterais pas.

— Tout de même…

Il plongea son visage entre ses mains, et l'espace d'un instant, Daphné crut qu'il était en larmes. Puis, alors qu'elle s'adressait d'amers reproches pour faire pleurer son mari au soir de leur nuit de noces, elle vit que ses épaules étaient secouées par un fou rire.

Le démon !

— Vous moqueriez-vous de moi ? se fâcha-t-elle.

Sans lever les yeux, il fit non de la tête.

— Dans ce cas, pourquoi riez-vous ?

— Oh, Daphné ! s'écria-t-il. Vous avez tant à apprendre !

— Cela, je ne l'ai jamais contesté, grommela-t-elle. Si l'on ne déployait pas tant d'énergie à laisser les jeunes femmes dans l'ignorance totale des réalités de la vie, de telles scènes auraient pu être évitées !

Simon se pencha vers elle, les coudes sur les genoux. Une lueur étrange venait de s'allumer au fond de ses yeux.

— Je serai votre professeur, murmura-t-il.

Un curieux picotement courut sur la peau de la jeune femme.

Sans la quitter un instant du regard, il captura sa main pour la porter à ses lèvres.

— Je vous donne ma parole, ajouta-t-il tout en laissant la pointe de sa langue courir le long de son majeur, que je suis tout à fait capable de vous satisfaire.

L'air manqua soudain à Daphné. Pourquoi régnait-il une telle chaleur dans la chambre, tout d'un coup ?

— Je… je crains de ne pas saisir, balbutia-t-elle.

Il la prit dans ses bras.

— Vous allez très vite comprendre, promit-il.

15

Londres semble terriblement morne cette semaine, à présent que le duc préféré du beau monde et que la duchesse préférée de ce duc sont partis pour la campagne. Votre dévouée chroniqueuse pourrait vous parler de M. Nigel Berbrooke, que l'on a vu inviter à danser miss Pénélope Featherington, ou encore de cette même demoiselle qui, malgré les ferventes incitations de sa mère et après avoir finalement donné son accord, n'a pas paru enchantée par l'expérience…

Mais franchement, qui se soucie de M. Berbrooke et de miss Featherington ? Ne nous voilons pas la face : ce sont le duc et la duchesse qui excitent notre curiosité !

La Chronique mondaine de lady Whistledown, 28 mai 1813

Tout était de nouveau comme dans les jardins de lady Trowbridge, songea confusément Daphné… à la différence que cette fois, ils ne seraient pas interrompus. Il n'y avait plus de frère aîné fou de rage, ni de crainte d'être surpris, mais seulement un homme, une femme, et la promesse de la passion.

Simon s'empara de ses lèvres avec une tendre ferveur. À chacun de ses baisers, à chacune de ses caresses, une fièvre inconnue s'élevait en elle, ponctuée de petits spasmes de plaisir qui se faisaient de plus en plus intenses, de plus en plus fréquents.

— Vous ai-je dit, chuchota-t-il à son oreille, combien j'étais fou de la commissure de vos lèvres ?

— N… non, bégaya Daphné, stupéfaite qu'il se fût donné la peine d'examiner un tel détail.

— Je l'aime à la folie.

Joignant le geste à la parole, il planta ses dents dans sa lèvre inférieure avant de souligner de la pointe de la langue la courbure de sa bouche, jusqu'à son extrémité.

Délicieusement agacée, Daphné esquissa un sourire.

— Arrêtez ! protesta-t-elle, un peu gênée.

— Jamais, rétorqua-t-il d'un ton de fervente promesse.

Il s'écarta légèrement pour cueillir son visage entre ses paumes.

— Vous avez le plus adorable sourire que j'aie jamais vu.

La première réaction de Daphné fut de s'écrier « Ne dites pas n'importe quoi ! », mais elle se ravisa. À quoi bon gâcher un si joli moment ? Aussi se contenta-t-elle d'un :

— Vraiment ?

— Oui.

Il déposa un baiser sur son nez.

— Lorsque vous souriez, il occupe la moitié de votre visage.

— C'est affreux !

— C'est charmant.

— C'est horrible.

— C'est excitant…

Elle fit la moue, mais ne put réprimer une envie de rire.

— Apparemment, vous n'avez aucune notion des critères de beauté féminine.

Il arqua un sourcil, amusé.

— En ce qui vous concerne, les seuls qui comptent à partir d'aujourd'hui sont les miens.

Elle en resta muette de stupeur quelques instants, puis elle appuya son front contre sa poitrine dans un joyeux éclat de rire.

— Oh, Simon ! fit-elle entre deux hoquets. Vous aviez l'air si possessif en disant cela ! Si merveilleusement, si totalement, si ridiculement possessif !

— Pardon ? feignit-il de s'offusquer. Vous me trouvez ridicule ?

Elle se mordit les lèvres pour rester impassible, sans grand succès.

— C'est presque aussi désagréable que d'être pris pour un impotent, grommela-t-il.

Aussitôt, Daphné retrouva son sérieux.

— Simon, vous savez que mon intention n'était pas de…

Elle hésita puis, renonçant à s'expliquer, déclara simplement :

— Je suis désolée.

— Ne le soyez pas, protesta-t-il. Je vais peut-être devoir étrangler votre mère, mais vous n'avez rien à vous reprocher.

Un petit rire nerveux échappa à Daphné.

— Maman a fait de son mieux, et si je n'avais pas été induite en erreur en vous entendant dire que…

— Ah ! Parce que c'est de ma faute, maintenant ?

Il avait parlé d'un ton indigné, mais son visage avait pris une expression canaille. Il se rapprocha d'elle en se penchant, au point qu'elle dut incliner le dos vers l'arrière.

— Je suppose, reprit-il, que je vais devoir redoubler d'efforts pour me montrer à la hauteur de la situation ?

Il passa une main dans ses reins pour la faire basculer sur le lit. Daphné chercha son regard… et crut que son cœur allait s'arrêter de battre. Ses yeux étaient d'un bleu intense, chargé d'électricité comme un ciel avant l'orage. Et comme le monde paraissait différent, lorsqu'on était ainsi étendue ! Il était plus sombre, plus menaçant… et d'autant plus excitant que l'homme penché au-dessus d'elle, emplissant tout son champ de vision, s'appelait Simon.

Il se baissa lentement vers elle, et soudain, plus rien d'autre que lui n'exista.

Cette fois, son baiser ne fut pas léger. Simon ne la taquina pas : il la dévora. Il ne jouait plus. Il prenait.

Il glissa les mains sous ses fesses pour la plaquer contre son ventre.

— Ce soir… chuchota-t-il à son oreille d'une voix rauque. Ce soir, je vous ferai mienne.

Le souffle de la jeune femme s'accéléra, jusqu'à devenir assourdissant. Simon était si proche d'elle, son corps recouvrait si intimement le sien qu'elle en avait le vertige ! Mille fois, depuis ce fameux matin à Regent's Park où il lui avait promis de l'épouser, elle avait imaginé cet instant, mais jamais il ne lui était venu à l'idée que le simple poids de son corps sur le sien éveillerait en elle des sensations aussi extraordinaires. Il était grand, dur comme le roc, délicieusement musclé. Même si elle l'avait voulu, elle n'aurait eu aucun moyen de se soustraire à ses assauts.

Comme c'était étrange d'éprouver une telle joie à être vulnérable ! Il pouvait faire d'elle ce qu'il désirait, et elle n'avait d'autre envie que de le laisser agir selon son bon plaisir…

Toutefois, quand il fut parcouru d'un long frisson et que, tentant de prononcer son prénom, il ne parvint qu'à bégayer « D-Daph… », elle comprit qu'elle aussi exerçait un certain pouvoir sur lui. Il la voulait tant qu'il en perdait la parole !

Elle était encore toute à la joie de cette découverte lorsqu'elle s'aperçut que son corps savait parfaitement ce qu'il convenait de faire. Ses hanches se soulevèrent pour venir à la rencontre de Simon et, tandis que celui-ci relevait ses jupes, ses jambes s'enroulèrent autour des siennes afin de l'attirer vers elle, au plus près de sa féminité.

— Daphné ! s'écria-t-il en se soulevant sur les coudes. Je voudrais… Je ne peux…

Elle tenta de le ramener vers elle. Que l'air lui semblait froid, là où il s'était appuyé sur elle !

— J'ai le plus grand mal à refréner mon impatience, avoua-t-il.

— Peu importe !

— Pas à moi, répondit-il, les yeux brillants de désir. Nous brûlons les étapes.

Daphné leva les yeux vers lui. Il s'était assis et la parcourait du regard tout en effleurant sa cuisse d'une main très tendre.

— En premier lieu, murmura-t-il, nous devons nous occuper de tous ces vêtements en trop.

Dans un hoquet de surprise, elle le vit se redresser, puis la prendre par les mains pour la relever à son tour. Ses jambes la soutenaient à peine, la tête lui tournait, mais il la maintint en équilibre, froissant ses jupes autour de ses hanches.

— Je ne peux pas vous déshabiller si vous êtes étendue, chuchota-t-il à son oreille.

Puis, tout en massant doucement les rondeurs de ses fesses :

— La question est de savoir si je tire vers le haut ou vers le bas.

Daphné pria en secret pour qu'il n'attende pas une réponse qu'elle aurait été bien incapable de formuler.

— Ou bien, poursuivit-il en glissant sa main dans son corsage bordé de rubans, les deux à la fois ?

Avant qu'elle ait eu le temps de comprendre ce qui se passait, il fit coulisser sa robe, la dénudant jusqu'à la taille, à l'exception de son fin caraco de soie.

— En voilà, une surprise ! commenta-t-il.

Il posa une main en coupe sous l'un de ses seins à travers l'étoffe délicate.

— Une surprise bien agréable, certes… La soie n'est jamais aussi douce que la peau, mais elle possède certains avantages.

La respiration coupée, Daphné le regarda passer le pan de tissu d'un côté, puis de l'autre, sur la pointe de son sein, qui se dressa aussitôt sous cette tendre friction.

— Si je m'étais doutée... murmura-t-elle d'une voix mouillée de désir.

— De quoi ? s'enquit-il en appliquant le même traitement à l'autre sein.

— Que vous étiez aussi immoral.

Il lui adressa un sourire étincelant de malice. Puis, approchant ses lèvres de son oreille :

— Vous étiez la sœur de mon meilleur ami, murmura-t-il. Absolument interdite. Qu'étais-je supposé faire ?

Un frisson de volupté parcourut la jeune femme. Le souffle de Simon n'avait effleuré que son oreille, mais son corps tout entier fut envahi d'un délicieux picotement.

— Rien ! enchaîna-t-il en faisant glisser une bretelle du caraco sur son épaule. Rien, sauf imaginer.

— Vous pensiez à moi ? demanda Daphné, curieuse. Vous pensiez à... ceci ?

Sur sa hanche, sa large main se crispa.

— Chaque nuit. Tous les soirs avant de m'endormir, jusqu'à ce que la peau me brûle et que mon corps me supplie d'assouvir mon désir...

Daphné trembla sur ses jambes, mais il la tenait fermement.

— Et lorsque je sombrais dans le sommeil...

Il fit courir ses lèvres dans son cou, la caressant de son souffle aussi brûlant qu'un baiser.

— ... il n'y avait plus aucune limite à mes audaces.

Elle laissa échapper une plainte incohérente, vibrante de volupté.

La seconde bretelle tomba à son tour, à l'instant même où Simon posait les lèvres à la naissance de sa gorge.

— Ce soir, chuchota-t-il en dénudant lentement les rondeurs de son buste, mes rêves se réalisent.

Daphné émit un hoquet de surprise... qui s'étrangla dans sa gorge quand il referma sa bouche sur son sein à la pointe durcie.

— Voilà exactement ce que je m'apprêtais à faire dans les jardins de lady Trowbridge. L'aviez-vous compris ?

Elle secoua vivement la tête en l'agrippant par les épaules pour ne pas chanceler. Elle était prise de vertige, au point qu'elle parvenait tout juste à regarder devant elle. Des spasmes de pure félicité la traversaient, lui faisant perdre son équilibre, ses esprits.

— Non, bien sûr, répondit-il à sa place. Vous êtes si innocente !

D'une main habile, Simon ôta à Daphné ce qui restait de ses vêtements, jusqu'à ce qu'elle soit nue entre ses bras. Puis, avec une infinie douceur car son intuition lui disait que son envie de lui n'avait d'égale que sa nervosité, il l'étendit sur le lit.

À son tour, il se déshabilla, mais ses gestes s'étaient faits impatients. Sa peau était en feu ; son corps tout entier n'était plus qu'un brasier. Cependant, pas un instant il ne la quitta des yeux. Ainsi allongée sur le lit, elle était la vision la plus excitante, la plus éblouissante qu'il eût jamais contemplée. Sa peau luisait d'un éclat laiteux dans la lueur des bougies, et ses cheveux, à présent dénoués, cascadaient librement autour de son visage.

Les doigts de Simon, qui avaient fait preuve de tant de délicatesse pour la dénuder, lui semblait affreusement maladroits maintenant qu'ils s'acharnaient sur les boutons et les attaches de ses propres vêtements.

Alors qu'il s'apprêtait à enlever son pantalon, il vit qu'elle se glissait sous les draps.

— Non ! s'écria-t-il d'une voix qu'il reconnut à peine.

Puis, croisant son regard :

— Je vais vous réchauffer, ajouta-t-il.

Il se débarrassa rapidement du reste de ses vêtements, et avant qu'elle ait eu le temps de répondre, il monta sur le lit pour s'étendre sur elle. Il entendit son petit cri de surprise à son contact, tandis qu'elle se contractait légèrement.

— Chut ! murmura-t-il.

Il passa une main derrière sa nuque pour soutenir sa tête pendant que, de l'autre, il caressait sa cuisse d'un geste circulaire.

— N'ayez crainte.

— J'ai toute confiance en vous, répliqua-t-elle d'une voix tremblante. Seulement…

Sa paume remonta lentement vers les hanches de sa compagne.

— Seulement ?

— J'aimerais ne pas être aussi ignorante.

Un rire grave monta de sa poitrine.

— Arrêtez ! se fâcha-t-elle, avant de lui donner une tape sur l'épaule.

— Je ne me moque pas de vous.

— Vous riez de moi, protesta-t-elle. Et ne venez pas me raconter que vous riez *avec* moi, cela ne prendra pas.

— Je riais, concéda-t-il en se haussant sur les coudes pour qu'elle puisse voir son visage, en songeant combien je suis *ravi* de votre ignorance.

Il se pencha jusqu'à ce que ses lèvres effleurent les siennes en une caresse plus légère qu'une plume.

— Je suis fier d'être le seul homme à pouvoir vous toucher ainsi.

Une telle innocence brilla dans son regard qu'il faillit en perdre ses moyens.

— Vraiment ? s'enquit-elle dans un souffle.

— Vraiment, acquiesça-t-il, surpris par le timbre brutal de sa voix. Bien qu'il ne s'agisse pas uniquement de fierté.

Elle ne répondit pas, mais une délicieuse curiosité éclaira son regard.

— Je crois que je n'hésiterai pas à tuer le prochain qui se permettra ne serait-ce que de vous regarder d'un peu trop près.

À sa grande surprise, elle éclata de rire.

— Oh, Simon ! C'est absolument *merveilleux* d'être l'objet d'une jalousie aussi irrationnelle. Merci.

— Vous me remercierez plus tard, grommela-t-il.

— Peut-être me serez-vous reconnaissant, vous aussi, murmura-t-elle, ses yeux sombres soudain provocants.

Simon sentit ses cuisses s'écarter sous lui tandis qu'il plaquait son membre rigide contre son ventre.

— Je le suis déjà, dit-il en posant ses lèvres au creux de son épaule. Croyez-moi, je le suis déjà.

Jamais Simon ne s'était autant félicité de sa maîtrise de soi, si durement acquise. Tout son corps vibrait d'impatience de plonger en elle pour la posséder enfin, mais il savait que cette nuit, leur nuit de noces, serait pour Daphné et non pour lui-même.

C'était sa première fois. Il était son unique amant – oui, le seul ! songea-t-il avec une sauvagerie inhabituelle – et il avait le devoir de faire en sorte qu'elle ne retire de cette nuit que les plaisirs les plus exquis.

Il savait qu'elle le désirait. Son souffle saccadé, ses yeux étincelants le lui criaient. C'était tout juste s'il avait la force de contempler son visage, car chaque fois qu'il voyait ses lèvres, entrouvertes sur un halètement de volupté, une irrésistible envie de la prendre sur-le-champ montait en lui.

Alors il l'embrassa. Sur toute la surface de son corps, sans prêter attention aux battements furieux de son cœur chaque fois qu'il l'entendait soupirer ou gémir de plaisir. Enfin, lorsqu'elle s'arc-bouta sous lui, ivre de volupté, il glissa une main entre ses cuisses pour la caresser.

Dans un grognement de triomphe, il murmura son prénom. Daphné ! Elle était prête à le recevoir, brûlante et moite, comme dans ses rêves les plus débridés. Toutefois, afin de lever le dernier doute – ou peut-être parce qu'il ne put résister à l'impulsion perverse de se torturer – il introduisit un doigt en elle pour explorer les secrets de sa féminité.

— Simon ! s'écria-t-elle en se tordant de plaisir.

Déjà, un spasme se formait en elle. La jouissance n'était plus loin. Il retira son doigt, malgré ses protestations.

Puis, poussant sur ses cuisses pour les écarter, il souleva les hanches pour se placer à l'orée de sa féminité. Un gémissement d'effort lui échappa.

— Cela p-peut vous faire un peu mal, prévint-il d'une voix rauque, mais je vous p-promets de…

— Allez-y ! supplia-t-elle, tournant fiévreusement la tête de gauche et de droite.

Il ne se fit pas prier. D'un puissant coup de reins, il plongea en elle. Il sentit son hymen qui cédait, mais elle n'eut aucun mouvement de recul.

— Est-ce que ça va ? demanda-t-il d'une voix tendue, s'interdisant au prix d'un effort surhumain de bouger en elle.

Elle hocha la tête dans un soupir saccadé.

— C'est une drôle de sensation, admit-elle.

— Mais pas douloureuse ?

Elle secoua la tête, un léger sourire aux lèvres.

— Non, mais avant… lorsque vous… avec votre main…

Malgré la pénombre qui les enveloppait, il distingua la rougeur d'embarras qui envahissait ses joues.

— Est-ce *cela* que vous voulez ? proposa-t-il en se retirant à moitié.

— Non ! cria-t-elle aussitôt.

— Alors peut-être *ceci* ?

Il plongea de nouveau en elle.

— Oui ! dit-elle dans un hoquet. Non ! Les deux !

Il commença alors à aller et venir en elle, à un rythme délibérément lent et régulier, lui arrachant chaque fois un soupir de félicité qui ne faisait qu'aviver sa propre excitation.

Bientôt, ses soupirs devinrent des halètements, ses halètements des gémissements… Le plaisir était presque là. Il accéléra ses va-et-vient, les dents serrées par l'effort pour garder le contrôle sur lui-même tandis qu'elle basculait dans l'extase.

Elle l'appela, d'abord dans un souffle, puis dans un cri, et tout son corps se tendit. Elle lui agrippa les épaules en soulevant ses hanches vers lui avec une force inattendue, puis, dans un dernier et puissant spasme, elle retomba sur le matelas, inconsciente de tout ce qui n'était pas sa propre jouissance.

Simon s'autorisa encore une fois à plonger profondément en elle pour savourer la tiédeur voluptueuse de sa féminité.

Puis il se retira et roula sur le lit à son côté.

Ce ne fut que la première d'une longue série de nuits de passion. Une fois à Clyvedon, au grand embarras de Daphné, les nouveaux mariés s'enfermèrent dans la chambre de Simon pendant plus d'une semaine – bien entendu, la jeune femme ne fut pas embarrassée au point de vouloir en sortir.

Au terme de cette lune de miel, Simon emmena Daphné faire le tour de Clyvedon – une visite fort nécessaire, car tout ce qu'elle avait vu de la propriété depuis son arrivée était le trajet entre la porte d'entrée et les appartements privés du maître des lieux.

Ce dernier n'était pas venu à Clyvedon depuis des années, aussi un bon nombre des domestiques ne le connaissaient-ils pas. Toutefois, il sembla à Daphné que ceux qui étaient là depuis l'époque de son enfance vouaient à son époux une affection jalouse. Elle s'en amusa quand ils furent seuls dans les jardins, mais à sa surprise, Simon, d'un regard noir, coupa court à son hilarité.

— Je suis resté ici jusqu'à mon départ pour Eton, dit-il pour toute explication.

Il avait parlé d'une voix si monocorde que Daphné en ressentit un malaise immédiat.

— Tu allais tout de même quelquefois à Londres ? Lorsque nous étions enfants…

— Je n'ai vécu qu'à Clyvedon.

Si elle en jugeait à ses inflexions glaciales, il souhaitait – non, il *exigeait* – qu'elle mette un terme à cette conversation. Au mépris de toute prudence, Daphné insista.

— Tu devais être un enfant très choyé, poursuivit-elle d'une voix délibérément légère, ou alors un gamin aussi espiègle qu'adorable, pour inspirer encore aujourd'hui une telle dévotion à ton entourage ?

Il ne répondit pas.

Daphné s'obstina.

— Mon frère – Colin, tu sais ? – était exactement comme toi, un vrai petit diable, mais il était si effrontément charmeur que tous les domestiques l'adoraient. Je me souviens qu'une fois...

Elle se tut, bouche bée. Simon avait tourné les talons et s'éloignait à grands pas.

Il se moquait éperdument des roses, et il n'avait jamais prêté la moindre attention aux violettes. Pourtant, accoudé à la barrière de bois, Simon observait les célèbres parterres fleuris de Clyvedon comme s'il envisageait sérieusement une reconversion dans l'horticulture.

Tout cela parce qu'il ne parvenait pas à supporter les interrogations de Daphné sur son enfance.

La vérité, c'est qu'il haïssait ces souvenirs. Il les avait en horreur. Le simple fait de séjourner ici lui était insupportable. S'il avait amené Daphné dans cette propriété où il avait grandi, ce n'était que par commodité. Parmi toutes ses résidences, celle-ci était la seule qui soit située à moins de deux jours de Londres, et prête à être occupée immédiatement.

Avec les images du passé revenaient les émotions, et Simon ne voulait pas revivre ce qu'il avait enduré, petit garçon. Il refusait de songer aux innombrables lettres qu'il avait vainement envoyées à son père. Il détestait se remémorer les sourires pleins de bonté des domestiques – qui s'accompagnaient toujours de regards navrés. Bien sûr, ces gens l'avaient aimé, mais ils étaient surtout désolés pour lui.

Le fait qu'ils aient méprisé son père à cause de ce qu'il lui faisait subir n'avait en rien allégé sa souffrance. Cela n'avait jamais chassé l'embarras.

Ni la honte.

Car il voulait qu'on l'admire, non qu'on le prenne en pitié. Il avait dû attendre le jour où, s'armant de courage, il s'était rendu à Eton sans y être annoncé, pour découvrir l'ivresse du succès.

Et voilà le résultat ! Il avait beau être allé au bout du monde, il se trouvait de nouveau ici, aussi malheureux qu'autrefois.

Rien de tout cela n'était de la faute de Daphné, bien entendu. Il savait qu'elle n'avait aucune intention en tête en l'interrogeant sur son enfance. Comment l'aurait-elle pu ? Elle ignorait tout de ses difficultés à parler ; il avait déployé assez d'efforts pour les lui cacher !

Quoique… Il laissa échapper un soupir. À la réflexion, il n'avait guère eu à se donner de mal pour dissimuler la vérité à Daphné. Elle avait toujours su le mettre à l'aise. Ces derniers temps, il avait très peu bégayé, et seulement lorsqu'il était anxieux ou en colère.

Or, l'atmosphère que Daphné créait autour d'elle ne provoquait certainement pas l'anxiété ou la colère !

Courbé sous le poids de la culpabilité, il s'appuya un peu plus lourdement sur la barrière. Il s'était montré odieux avec Daphné. Hélas ! Ce ne serait sans doute pas la dernière fois…

— Simon ?

Il avait perçu sa présence avant qu'elle ait parlé. Elle s'était approchée dans son dos sans bruit, foulant l'herbe de ses bottines, mais il savait qu'elle était là. Son doux parfum parvenait jusqu'à lui, porté par les bourrasques qui chantaient dans ses cheveux.

— Ces roses sont superbes, dit-elle.

Il l'avait compris, c'était là sa façon d'apprivoiser son humeur irritable. Il la soupçonnait également de brûler d'envie de l'interroger. Cependant, malgré sa jeunesse, elle possédait une grande maturité. Elle ne dirait rien de plus… du moins pour la journée.

— On m'a raconté que c'est ma mère qui les a plantées, répondit-il.

Il avait parlé d'un ton plus hargneux qu'il ne l'aurait voulu, mais il espéra qu'elle saurait interpréter ses paroles comme ce qu'elles étaient : une offre de paix. Comme elle gardait le silence, il précisa :

— Elle est morte à ma naissance.

— Je l'avais entendu dire. Je suis désolée.

Il haussa les épaules d'un geste fataliste.

— Je ne l'ai pas connue.

— Cela ne signifie pas pour autant que ce ne soit pas une perte pour toi.

Simon songea à l'enfant qu'il avait été. Il n'avait aucun moyen de savoir si sa mère aurait fait preuve de plus de compréhension que son père envers ses difficultés, mais cela n'aurait sans doute pas pu être pire.

— Oui, admit-il dans un souffle. Je suppose que c'est le cas.

Un peu plus tard dans la journée, tandis que Simon était retenu par la gestion de ses affaires, Daphné décida que le moment était venu de faire la connaissance de Mme Colson, la gouvernante. Bien que Simon et elle n'aient pas encore choisi leur résidence principale, elle ne pouvait imaginer qu'ils ne passeraient pas un peu de temps ici, à Clyvedon, la demeure ancestrale de Simon. Et s'il y avait une leçon que sa mère lui avait inculquée, c'était qu'une dame devait *impérativement* entretenir de bonnes relations avec sa gouvernante.

En vérité, Daphné ne nourrissait aucune inquiétude au sujet de ses rapports avec Mme Colson. Elle l'avait brièvement rencontrée lorsque Simon lui avait présenté le personnel, et celle-ci s'était tout de suite révélée une personne amicale et prompte à la discussion.

Peu avant l'heure du thé, elle gagna le bureau de Mme Colson, une toute petite pièce située juste à côté des cuisines. Assise devant son secrétaire, la gouvernante, une assez belle femme d'une cinquantaine d'années, était occupée à établir les menus de la semaine.

Daphné frappa à la porte ouverte.

— Madame Colson ?

Celle-ci leva les yeux et bondit sur ses pieds.

— Madame, dit-elle en esquissant une rapide révérence. Il fallait me faire appeler.

Daphné lui adressa un sourire un peu gêné. Elle ne s'était pas encore habituée à son nouveau statut de maîtresse de maison.

— Si vous avez un moment, madame Colson, j'aimerais discuter un peu avec vous. Vous vivez ici depuis de nombreuses années.

La gouvernante lui adressa un sourire.

— Certainement. Y a-t-il un sujet particulier sur lequel madame souhaite m'interroger ?

— Non, pas vraiment, mais j'ai beaucoup à apprendre si je veux m'occuper correctement de Clyvedon. Pourrions-nous prendre le thé dans le salon jaune ? J'aime beaucoup cette petite pièce. Elle est si claire et chaleureuse à la fois ! J'ai d'ailleurs dans l'idée d'y établir mon boudoir.

Mme Colson lui jeta un regard intrigué.

— La dernière duchesse de Hastings en avait fait de même, madame.

— Oh ! s'exclama Daphné, ne sachant comment interpréter cette réflexion.

— Les années ont passé, mais j'ai continué de prendre un soin particulier de cet endroit, poursuivit la gouvernante. Étant orienté au sud, le salon est très ensoleillé. Je l'ai fait entièrement retapisser voici trois ans.

Elle redressa le menton avec fierté.

— J'ai dû aller jusqu'à Londres pour trouver le même tissu.

— Je vois, répondit Daphné en quittant le bureau. L'ancien duc devait aimer profondément son épouse, pour avoir donné l'ordre que rien ne soit négligé afin de conserver en l'état sa pièce préférée.

Mme Colson détourna les yeux.

— C'est moi qui ai pris cette décision, dit-elle d'une voix sans émotion. Mon employeur avait pour habitude de m'allouer un certain budget pour l'entretien de la propriété. Il m'a semblé que c'était mon devoir d'en consacrer une partie au petit salon jaune.

Daphné attendit que la gouvernante appelle une bonne et lui donne ses instructions pour le thé.

— C'est une très jolie pièce, déclara-t-elle lorsqu'elles eurent quitté la cuisine. Bien que l'actuel duc n'ait pas connu sa mère, je suis sûre qu'il sera très touché que vous ayez jugé utile de vous occuper de sa pièce favorite.

— C'était la moindre des choses, madame, répliqua Mme Colson tandis qu'elles traversaient le hall. Après tout, je n'ai pas toujours travaillé pour les Basset.

— Ah ? demanda Daphné, curieuse.

En général, les domestiques les plus élevés dans la hiérarchie restaient fidèles à une seule famille.

— J'étais la femme de chambre de madame la duchesse.

Mme Colson fit halte devant l'entrée du salon jaune afin de céder le passage à Daphné.

— Et avant cela, j'étais sa compagne de jeux. Ma mère était sa nurse. La famille de madame a eu la bonté de m'autoriser à partager ses leçons.

— Vous deviez être très proches, murmura Daphné.

La gouvernante hocha la tête.

— Après son décès, j'ai occupé un certain nombre de fonctions ici, à Clyvedon, jusqu'à ce que je sois nommée gouvernante.

— Je comprends.

Daphné lui sourit, puis s'assit dans le canapé.

— Je vous en prie, dit-elle en désignant un fauteuil disposé en face.

Mme Colson, sans doute surprise par tant de familiarité, hésita avant de s'asseoir.

— Sa mort m'a brisé le cœur, avoua-t-elle avant de lancer un regard inquiet à Daphné. J'espère que ma franchise ne heurte pas madame ?

— Pas du tout ! s'empressa de répondre Daphné, avide d'en savoir plus au sujet de l'enfance de Simon.

Le peu qu'il lui avait dit sur ses premières années n'avait fait qu'exciter sa curiosité.

— S'il vous plaît, parlez-moi d'elle. J'aimerais savoir qui elle était.

Les yeux de la gouvernante s'embuèrent.

— Elle était la meilleure, la plus généreuse âme qui soit au monde. Elle et monsieur le duc… eh bien, ce n'était pas un mariage d'amour, mais ils s'entendaient assez bien. À leur façon, ils étaient amis.

Elle croisa le regard de Daphné.

— Ils étaient très conscients des devoirs liés à leur titre. Ils prenaient leurs responsabilités au sérieux.

Daphné approuva d'un hochement de tête.

— Madame était absolument résolue à lui donner un fils. Elle a continué d'essayer, sans écouter les médecins qui le lui avaient interdit. Chaque mois, lorsque son cycle revenait, elle pleurait dans mes bras.

Daphné fit de nouveau signe qu'elle comprenait, dans l'espoir de cacher sa nervosité. Ce n'était guère facile d'écouter l'histoire d'une femme qui ne pouvait pas avoir d'enfant, mais elle allait devoir s'y habituer. Ce serait encore plus difficile quand elle devrait répondre à des questions sur le sujet !

Car on ne manquerait pas de lui en poser. D'abord avec tact, puis avec compassion, et peut-être enfin avec une pitié non dissimulée…

Par chance, Mme Colson n'avait pas remarqué la tension qui s'était emparée d'elle. D'une voix émue, elle poursuivit son récit.

— Madame se désolait toujours de ne pas être à la hauteur de ses devoirs de duchesse et de ne pouvoir donner de fils à son époux. Cela me brisait le cœur. Tous les mois, je souffrais avec elle.

Daphné se demanda si son cœur aussi se briserait tous les mois. Peut-être pas. Au moins, elle savait déjà qu'elle ne pourrait avoir d'enfant. La mère de Simon, elle, avait vu à chaque fois ses espoirs anéantis.

— Et bien sûr, enchaîna la gouvernante, tout le monde en parlait comme si *elle* était la seule responsable. Vraiment, comment pouvaient-ils le savoir ? Ce n'est pas toujours la femme qui est stérile. Parfois, c'est l'homme.

Daphné garda le silence.

— Je ne sais combien de fois je le lui ai répété, mais elle se sentait tout de même coupable. Je lui ai dit…

Elle rougit.

— Puis-je parler crûment devant madame ?

— Je vous en prie.

— Eh bien, je lui ai dit ce que ma mère m'avait expliqué. Un ventre ne s'arrondit pas s'il n'est pas ensemencé par de solides graines.

Ne sachant que répondre, Daphné se forgea un masque impassible et hocha imperceptiblement la tête.

— Et finalement, elle a eu notre petit Simon.

Mme Colson laissa échapper un soupir attendri, puis elle leva vers Daphné un regard inquiet.

— Que madame veuille bien m'excuser, ajouta-t-elle aussitôt. Je ne dois plus l'appeler ainsi, à présent.

— Ne changez pas vos habitudes pour moi ! s'exclama Daphné.

— À mon âge, on a du mal à réformer ses habitudes, renchérit la gouvernante. En outre, j'ai bien peur qu'une part de moi-même ne cesse jamais de voir en lui le pauvre petit bonhomme d'autrefois.

Cherchant le regard de Daphné, elle secoua la tête d'un air navré.

— Il aurait bien mieux supporté tout cela si sa mère avait vécu.

— Tout cela ? répéta Daphné, espérant que la gouvernante n'aurait pas besoin d'encouragements supplémentaires pour se montrer plus loquace.

— Monsieur le duc n'a jamais compris cet enfant, s'emporta la gouvernante. Il se fâchait contre lui, le traitait d'idiot, et...

Daphné sursauta.

— Son père croyait que Simon était idiot ? l'interrompit-elle.

Cela n'avait aucun sens. Simon était l'un des hommes les plus intelligents qu'elle connaissait !

— Le duc n'était pas d'une grande patience, dit Mme Colson dans un petit rire sans joie. Il n'a jamais manifesté la moindre indulgence envers cet enfant.

Fascinée par ces paroles, Daphné se pencha en avant. Qu'avait donc fait le vieux duc à Simon ? Était-ce pour cela que ce dernier se glaçait chaque fois que le nom de son père était prononcé ?

La gouvernante prit un mouchoir pour tamponner ses paupières d'un geste délicat.

— Il fallait voir les efforts que déployait le petit pour accomplir des progrès. Cela me brisait le cœur, vraiment.

De frustration, Daphné enfonça ses ongles dans le canapé. Mme Colson allait-elle en venir au fait ?

— Et pourtant, rien de ce qu'il faisait n'était assez bien aux yeux de son père ! Bien sûr, ce n'est que mon avis, mais...

À cet instant, une bonne entra, apportant le thé. Daphné dut presque retenir un gémissement d'irritation. Il fallut deux bonnes minutes à la jeune fille pour disposer les tasses et les emplir, pendant que Mme Colson s'enquérait des préférences de Daphné pour les biscuits : les préférait-elle nature ou avec un glaçage de sucre ?

La jeune femme s'obligea à replier les mains, de peur d'abîmer la toile du sofa que Mme Colson avait pris tant de soin à faire retapisser. Enfin, la bonne se retira. La gouvernante but une gorgée de thé, avant de demander :

— Où en étais-je ?

— Vous parliez du duc, lui rappela Daphné. Le père de mon époux. Vous m'expliquiez que rien de ce que faisait son fils n'était assez bien pour lui, et qu'à votre avis…

— Je vois que madame m'écoutait avec attention, murmura la gouvernante, flattée.

— Oui. Donc, vous disiez… ? l'invita Daphné.

— Oh, tout simplement que monsieur le duc n'a jamais pardonné à son fils ses imperfections.

— Personne n'est parfait, madame Colson, déclara Daphné avec calme.

— Certes, mais…

L'espace d'un instant, la gouvernante leva les yeux au plafond d'un air de dédain.

— Si madame avait connu l'ancien duc, elle comprendrait. Il avait attendu ce fils si longtemps ! Dans son esprit, Basset était synonyme de « parfait ».

— Et mon époux n'était pas l'héritier qu'il attendait ? s'enquit Daphné, incrédule.

— Ce n'était pas un enfant qu'il voulait, mais une réplique de lui-même en miniature.

Daphné ne put refréner sa curiosité.

— Enfin, qu'a donc fait Simon pour lui déplaire à ce point ?

Daphné vit la gouvernante ouvrir des yeux ronds de surprise, puis poser une main sur son cœur.

— Comment, madame ne sait pas… ? demanda-t-elle dans un souffle. Bien sûr. Elle ne peut pas savoir… !

— Quoi donc ?

— Il ne parlait pas.

Daphné la dévisagea, bouche bée.

— Pardon ?

— L'enfant ne pouvait pas parler. Il n'a pas dit un mot jusqu'à l'âge de quatre ans, et encore, uniquement en bégayant et en bafouillant. Chaque fois qu'il ouvrait la bouche, j'en avais le cœur brisé ! Je voyais bien que c'était un petit garçon très intelligent, mais il n'arrivait pas à prononcer correctement une seule parole.

— Lui qui s'exprime si bien ! protesta Daphné. Jamais je ne l'ai entendu buter sur un mot. Ou si c'est le cas, je… je ne l'ai même pas remarqué. Tenez ! Cela vient juste de m'arriver. Nous hésitons tous, lorsque nous sommes troublés.

— Il a travaillé très dur pour apprendre à parler. Cela lui a pris sept ans, si ma mémoire est bonne. Pendant tout ce temps, il n'a rien fait d'autre que des exercices de diction, en compagnie de sa nurse.

Mme Colson fronça les sourcils, pensive.

— Voyons, comment s'appelait-elle ? Oh oui ! Mme Hopkins. Cette femme était une sainte ! Aussi dévouée à l'enfant que si elle l'avait mis au monde. À l'époque, je secondais la gouvernante, mais elle me laissait souvent les rejoindre pour aider le petit à s'entraîner.

— Était-ce si difficile pour lui ? l'interrogea Daphné dans un murmure.

— Certains jours, j'avais l'impression qu'il souffrait tant qu'il allait exploser de rage, mais il avait de la volonté. Une volonté de fer ! Jamais je n'ai vu quelqu'un d'aussi obstiné.

Mme Colson secoua tristement la tête.

— Et son père continuait de le rejeter. Cela…

— … vous brisait le cœur, acheva Daphné à sa place. J'aurais ressenti la même chose.

Un long et inconfortable silence tomba. La gouvernante prit une gorgée de thé.

— Je remercie infiniment madame de m'avoir fait l'honneur de prendre le thé avec moi, murmura-t-elle, se méprenant sur l'attitude songeuse de Daphné. Madame m'a accordé une faveur tout à fait…

Daphné vit la gouvernante hésiter, cherchant le mot juste.

— Exceptionnelle, reprit celle-ci. C'était extrêmement généreux de la part de madame.

— Merci, répliqua Daphné, pensive.

— Oh, mais je m'aperçois que je n'ai pas répondu aux questions de madame au sujet de Clyvedon ! s'exclama alors la brave femme.

Daphné secoua la tête.

— Une autre fois, dit-elle distraitement.

Pour l'instant, elle avait besoin de réfléchir.

Avec tact, la gouvernante se leva et, après une rapide révérence, quitta le petit salon jaune sur la pointe des pieds.

16

Assurément, la chaleur étouffante qui règne sur Londres cette semaine a ralenti la vie mondaine. Votre dévouée chroniqueuse a vu miss Prudence Featherington s'évanouir au bal Huxley, mais il est impossible de préciser si ce manque temporaire de verticalité est à mettre sur le compte de la canicule, ou de la présence de M. Colin Bridgerton, qui ne passe pas inaperçu depuis son retour.

Les températures inhabituellement élevées ont fait une autre victime en la personne de lady Danbury, qui a quitté la ville voici quelques jours, au motif que son chat – une créature à poils longs d'aspect assez broussailleux – ne supportait pas ce climat tropical. Il est probable qu'elle s'est retirée dans sa villégiature du Surrey.

On peut supposer que le duc et la duchesse de Hastings ne souffrent pas de cette vague de chaleur, sur la côte où souffle en permanence une rafraîchissante brise marine. Cependant, votre dévouée chroniqueuse ne peut affirmer que tout se passe bien pour eux. Contrairement à une croyance solidement établie, elle ne dispose pas d'espions dans toutes les grandes maisons, et certainement pas en dehors de Londres !

La Chronique mondaine de lady Whistledown, juin 1813

Comme c'était étrange ! songea Simon. Daphné et lui n'étaient pas mariés depuis deux semaines, mais ils s'étaient déjà installés dans une confortable routine. En cet instant précis, il se tenait pieds nus dans l'entrée de son dressing, ôtant sa cravate tout en observant sa femme qui se brossait les cheveux.

Exactement comme la veille, et l'avant-veille... Cependant, il en retirait un inexplicable sentiment de bien-être.

Et comme la veille et l'avant-veille, se dit-il en la dévorant du regard, il espérait bien l'entraîner vers le lit pour de tendres ébats.

Achevant de dénouer le savant arrangement du foulard, il jeta celui-ci sur le sol et se dirigea vers sa femme.

Ce soir encore, il obtiendrait ce qu'il voulait.

Il s'arrêta près de Daphné, assise devant sa coiffeuse. Levant les yeux vers lui, elle battit des paupières d'un air confus.

Il caressa sa main, avant de refermer les doigts sur les siens autour du manche de la brosse.

— J'adore te contempler quand tu te coiffes, dit-il, mais ce que je préfère, c'est le faire moi-même.

Elle lui décocha un regard curieusement appuyé. Puis, lentement, elle lâcha la brosse.

— As-tu réglé toute ta comptabilité ? Tu es resté enfermé dans ton bureau avec ton régisseur pendant une éternité !

— Oui. C'était assez fastidieux, mais il le fallait et...

Il fronça les sourcils.

— Que regardes-tu ?

Elle détourna les yeux.

— Rien, répondit-elle d'un ton bizarrement inexpressif.

Il hocha la tête, plus pour lui-même que pour elle, et commença à lui brosser les cheveux. L'espace d'un instant, il lui avait semblé qu'elle observait ses lèvres.

Il réprima un désagréable frisson. Toute son enfance, les gens avaient scruté sa bouche. Ils l'étudiaient avec une fascination horrifiée, puis s'obligeaient à lever les yeux vers les siens, avant de redescendre, comme s'ils refusaient de croire que des lèvres d'apparence aussi normale puissent émettre ces affreux borborygmes.

Il devait s'être trompé. Pourquoi Daphné aurait-elle prêté la moindre attention à sa bouche ?

Il passa doucement la brosse dans sa chevelure, avant de peigner de ses doigts les longues mèches soyeuses.

— As-tu eu une conversation intéressante avec Mme Colson ? demanda-t-il.

Elle tressaillit. Son mouvement avait été léger, presque imperceptible, mais il l'avait remarqué.

— Oui, répondit-elle. Elle sait beaucoup de choses.

— Bien sûr, elle est ici depuis… Enfin, que regardes-tu donc ?

Daphné sursauta sur son siège.

— Le miroir, répliqua-t-elle.

Elle disait vrai, mais Simon ne pouvait chasser un doute. Ses yeux étaient restés fixés sur un point précis de son visage.

— Comme je le disais, s'empressa-t-elle de poursuivre, je pense qu'elle me sera d'une aide inestimable, le temps que je sache diriger Clyvedon. La propriété est immense, et j'ai tout à apprendre.

— N'y consacre pas trop d'énergie. Nous ne séjournerons pas longtemps ici.

— Ah ?

— Je pense que nous résiderons à Londres, la plupart du temps.

Devant son expression surprise, il ajouta :

— Tu seras plus proche des tiens. Il m'a semblé que cela te plairait.

— Oui, bien entendu. C'est vrai qu'ils me manquent. Je ne suis jamais restée aussi longtemps loin d'eux. J'ai toujours su qu'un jour, je partirais fonder ma propre famille et que…

Un silence gêné tomba entre eux.

— Eh bien, ma famille c'est toi, désormais, reprit-elle d'une voix teintée de tristesse.

Simon laissa échapper un soupir, tandis que la brosse ornée d'argent s'immobilisait dans la chevelure lustrée.

— Daphné, ta famille demeurera toujours ta famille. Je ne pourrai jamais prendre sa place.

— Non, admit-elle.

Elle se tourna pour lui faire face.

— Non, murmura-t-elle, les yeux brillants de tendresse, mais tu peux être plus que cela.

Simon comprit alors que ses projets de séduction étaient parfaitement inutiles. Manifestement, c'était *elle* qui avait décidé de le séduire…

Elle se leva, faisant glisser de ses épaules son peignoir de soie. Dessous, elle portait un négligé assorti, qui révélait plus son anatomie qu'il ne la dissimulait.

Simon approcha sa main de son sein. Sa propre peau lui semblait encore plus mate contre l'étoffe vert pâle du vêtement.

— Tu aimes cette couleur, on dirait ? s'enquit-il d'une voix aux inflexions rauques.

Elle lui décocha un sourire lumineux.

— Elle est assortie à mes yeux, le taquina-t-elle. Tu te souviens ?

Sans savoir comment, Simon parvint à répondre à son sourire – un véritable exploit pour un homme sur le point de mourir d'asphyxie ! Parfois, son envie d'elle se faisait si violente que le simple fait de la regarder sans la toucher le mettait au supplice…

Il l'attira à lui. Il le fallait ! S'il ne le faisait pas, il allait devenir fou.

— Serais-tu en train de me dire, murmura-t-il en posant ses lèvres dans sa nuque, que tu l'as commandée à ta couturière rien que pour me séduire ?

— Bien sûr. Qui d'autre…

Sa voix se brisa lorsqu'il fit courir la pointe de sa langue sur le lobe de son oreille.

— Qui d'autre que toi me verra la porter ? reprit-elle dans un souffle.

— Personne, déclara-t-il en descendant ses mains vers ses hanches pour la plaquer contre lui, ne lui laissant rien ignorer de son désir. Absolument personne. Jamais !

Elle parut légèrement surprise par ce soudain accès de possessivité.

— De toute façon, ajouta-t-elle, elle fait partie de mon trousseau.

Simon laissa échapper un grondement.

— J'aime ta lingerie… Elle me rend fou ! Te l'ai-je déjà dit ?

— Pas avec des mots, répliqua-t-elle dans un filet de voix, mais ce n'était pas difficile à comprendre.

— Cela dit, poursuivit-il en l'entraînant vers le lit en même temps qu'il arrachait sa chemise, je te préfère sans.

Il ne sut jamais ce qu'elle voulait lui répondre, car ses paroles se perdirent quand elle bascula avec lui sur le lit.

Simon s'étendit aussitôt sur elle. Il la prit d'abord par les hanches puis, en une lente caresse, remonta le long de son buste. Il marqua une pause à la hauteur de ses épaules pour les presser délicatement.

— Tu es forte, dit-il. Bien plus que les autres femmes…

Elle darda sur lui un regard à peine amusé.

— Je ne veux pas entendre parler des autres femmes.

Malgré lui, Simon sourit. Puis, vif comme l'éclair, il saisit ses mains pour les plaquer sur le matelas au-dessus de sa tête.

— … mais pas autant que moi, précisa-t-il d'une voix aux inflexions paresseuses.

Elle laissa échapper l'un de ces petits soupirs de surprise qui avaient le don de l'exciter. D'un geste rapide, il enserra ses poignets dans l'une de ses mains, gardant l'autre libre de parcourir son corps de savantes caresses.

Et il ne s'en priva pas…

— Si tu n'es pas la femme idéale, gémit-il en faisant glisser le bas de son déshabillé sur ses hanches, alors ce monde est…

— Chut ! l'interrompit-elle d'une voix tremblante. Je ne suis pas parfaite, et tu le sais très bien.

— Ah ?

Un sourire gourmand aux lèvres, il passa une main sous ses fesses.

— On t'aura mal informée, car ceci…

Il palpa doucement ses rondeurs.

— … est la perfection même.

— Simon !

— Et ceci…

Soulevant le bras, il referma la main autour de son sein, dont il fit rouler la pointe entre ses doigts à travers la soie.

— Ma foi, je n'ai pas besoin de te dire ce que j'en pense.

— Tu perds la raison.

— Tout à fait possible, admit-il, mais j'ai des goûts très sûrs. Quant à toi…

Il se pencha vivement pour mordre ses lèvres.

— … tu es à croquer.

Daphné ne put réprimer un fou rire.

Aussitôt, il fronça les sourcils.

— Oserais-tu te moquer de moi ?

— En temps normal, oui, rétorqua-t-elle, mais puisque tu me retiens prisonnière…

De sa main libre, Simon entreprit de défaire les attaches de son pantalon.

— Je vois que j'ai épousé une femme pleine de bon sens !

Éperdue d'amour et d'admiration, Daphné l'écouta formuler ses paroles avec une élocution parfaite. À l'entendre aujourd'hui, nul n'aurait deviné qu'il avait bégayé dans son enfance !

Son mari était extraordinaire. Avoir été affligé d'un tel handicap, et l'avoir surmonté par la seule force de la volonté ! Il était l'homme le plus solide, le plus déterminé qu'elle ait jamais connu.

— Je suis si heureuse d'être ta femme, dit-elle, ivre de tendresse. Si fière de te savoir à moi !

Simon se figea, apparemment surpris. Puis, d'une voix qui avait descendu d'une octave, il répondit :

— Moi aussi, je suis fier que tu sois à moi…

Il tira d'un coup sec sur son pantalon.

— … et je compte bien te montrer à quel point, grommela-t-il. Dès que je me serai débarrassé de ces maudits vêtements.

Daphné refoula un nouvel éclat de rire.

— Peut-être qu'en utilisant tes deux mains… ? suggéra-t-elle.

Il lui décocha un regard qui disait clairement : « Me prendrais-tu pour un sot ? »

— Certes, mais cela m'obligerait à te libérer.

Elle pencha la tête de côté avec coquetterie.

— Et si je te promets de ne pas bouger les bras ?

— Je n'en croirai pas un mot.

Le sourire de Daphné se fit franchement coquin.

— Alors, si je te promets de *bouger* les bras ?

— Voilà qui devient intéressant.

Il bondit du lit avec une grâce féline. Trois secondes plus tard, il s'étendait de nouveau à son côté, nu comme Adam.

— Eh bien, où en étions-nous ?

Daphné sourit.

— Exactement là, il me semble.

— Ah, ah ! feignit-il de se fâcher. Tu ne faisais pas attention. Nous en étions précisément…

Il roula sur elle, la plaquant de tout son poids contre le matelas.

— … ici.

Cette fois-ci, elle éclata de rire.

— Personne ne t'a jamais dit de ne pas te moquer d'un homme qui tente de te séduire ?

— Oh, Simon ! dit-elle dans un soupir. Je t'aime tant !

Il sursauta.

— Pardon ?

Daphné se contenta de lui caresser la joue. Elle le comprenait infiniment mieux, à présent. Lui qui avait tant souffert d'être rejeté dans son enfance, il ignorait qu'il méritait d'être aimé, et ne savait sans doute pas rendre cet amour en retour. Elle pouvait attendre. Elle pourrait attendre cet homme toute sa vie.

— Tu n'es pas obligé de répondre, murmura-t-elle. Sache seulement que je t'aime.

Simon lui jeta un regard où se mêlaient une profonde détresse et une joie sans bornes. Lui avait-on jamais dit « Je t'aime » auparavant ? s'interrogea la jeune femme en songeant qu'il avait grandi sans famille, sans ce cocon d'amour et de chaleur qu'elle-même avait connu.

Sa voix, lorsqu'il la retrouva, était brisée.

— D-Daphné, je…

— Chut ! fit-elle en plaçant un doigt sur ses lèvres. Ne dis rien pour l'instant. Attends que cela vienne tout seul.

Elle se demanda soudain si elle ne venait pas de prononcer les paroles les plus blessantes qui soient. Pour Simon, les mots étaient-ils *jamais* venus tout seuls ?

— Embrasse-moi, murmura-t-elle, impatiente de lui faire oublier ce manque de délicatesse. S'il te plaît, embrasse-moi.

Ce qu'il fit.

Il prit ses lèvres avec ardeur, vibrant du désir et de la passion qui les consumaient tous deux. Ses caresses et ses baisers ne laissèrent pas intacte une seule parcelle de son corps, sur lequel il fit courir sa bouche et ses mains, tantôt avec légèreté, tantôt avec insistance, jusqu'à ce que les draps défaits tombent au pied du lit.

Toutefois, contrairement aux autres nuits, il ne lui fit pas perdre totalement ses esprits. La journée avait apporté à la jeune femme tant de sujets de réflexion que rien, pas même les appétits les plus ardents de son corps, ne pouvait enrayer la course folle de ses pensées. Tout en frémissant de désir sous les assauts de son époux, chaque fibre de son être portée à incandescence par ses caresses expertes, elle continuait de réfléchir et d'analyser.

Lorsqu'il plongea dans les siens ses yeux si bleus qu'ils étincelaient même dans la faible lueur des bougies, elle se demanda si leur éclat était dû à des émotions qu'il ne savait exprimer par des mots. Lorsqu'il l'appela dans un murmure, elle ne put s'empêcher de guetter une hésitation, même imperceptible, dans sa voix. Et lorsqu'il plongea en elle, rejetant la tête en arrière avec tant de force qu'elle vit saillir les veines de son cou, elle eut l'impression qu'il était la proie d'une terrible souffrance.

Elle tressaillit.

— Simon ? s'enquit-elle, l'inquiétude l'emportant momentanément sur le désir. Est-ce que tout va bien ?

Il acquiesça, les mâchoires serrées par l'effort, puis nicha la tête au creux de son cou. Sans cesser d'aller et venir en elle, il chuchota à son oreille :

— Je te veux. Tout de suite.

Cela ne lui serait guère difficile, songea Daphné, haletante, alors qu'il refermait ses lèvres sur la pointe de son sein. Cela ne lui était jamais difficile. Il paraissait savoir exactement comment la toucher, quand bouger en elle ou la porter au comble de la frustration par une exaspérante immobilité. Il glissa les doigts entre leurs corps pour effleurer les plis les plus secrets de sa chair, jusqu'à ce qu'elle soulève ses hanches en rythme, au même sauvage tempo que le sien.

Cette fois encore, la vague de plaisir désormais familière monta en elle, la submergeant lentement. Que c'était bon…

— Maintenant ! la supplia-t-il en passant son autre main sous ses fesses pour la plaquer plus fermement contre lui. Je veux que tu… Maintenant, Daphné !

Au même instant, la jouissance déferla en elle. Il sembla à la jeune femme que l'univers tout entier était secoué d'une formidable déflagration. Elle ferma les paupières, si fort que des taches de lumière dansèrent devant ses yeux clos dans une pluie d'étincelles et de diaprures fabuleuses. Une implorante mélopée se fit entendre – le gémissement qui jaillissait de ses lèvres tandis qu'elle sombrait dans le néant de l'extase, si puissant et mélodieux qu'il couvrait les sourds battements de son cœur.

Dans un grognement qui venait du plus profond de lui-même, Simon se retira d'elle, une seconde avant de déverser sa semence, comme il le faisait toujours, sur les draps au bord du lit.

Dans un instant, il allait se tourner vers elle pour la prendre dans ses bras, selon un rituel qu'elle en était venue à chérir. Il la serrerait fort contre lui, plaqué derrière elle, avant d'enfouir son visage dans son cou. Puis, leurs souffles apaisés, ils dériveraient ensemble vers les rivages du sommeil.

Ce soir-là pourtant, Daphné ne parvint pas à trouver le repos. Son corps comblé était rompu de fatigue, mais quelque chose n'allait pas. À la lisière de sa conscience, une insaisissable idée la taraudait.

Simon avait roulé sur lui-même pour se presser contre elle, tout en la poussant vers le côté propre du lit. Il procédait toujours ainsi, faisant écran de son corps entre elle et les draps humides. C'était un geste très attentionné, en vérité, et…

Daphné ouvrit les yeux dans le noir. Elle ravala de justesse un hoquet de stupeur.

Un ventre ne s'arrondit pas s'il n'est pas ensemencé par de solides graines.

Sur le moment, Daphné n'avait pas accordé grand intérêt aux paroles de Mme Colson, cet après-midi-là. Elle était trop absorbée par le récit de l'enfance de Simon, et par la façon dont elle pourrait lui apporter assez d'amour pour bannir à jamais ses mauvais souvenirs.

Elle s'assit brusquement, repoussant les couvertures jusqu'à sa taille. D'une main tremblante, elle alluma la bougie posée sur la table de chevet.

Simon ouvrit un œil.

— Quelque chose ne va pas ? s'étonna-t-il d'une voix ensommeillée.

Sans répondre, elle considéra l'auréole qui maculait les draps, de l'autre côté du lit.

Sa semence.

— Daphné ?

Il lui avait dit qu'il ne pouvait pas avoir d'enfant. Il lui avait *menti*.

— Daphné, qu'est-ce qui ne va pas ? insista-t-il en s'asseyant à son tour, une expression soucieuse sur le visage.

Faisait-il semblant, là aussi ?

Elle tendit le doigt vers la tache.

— Qu'est-ce que c'est ? demanda-t-elle d'une voix à peine audible.

— Qu'est-ce que *quoi* ?

Il suivit du regard la direction qu'elle indiquait, mais ne parut voir que le matelas.

— De quoi parles-tu ?

— Pourquoi ne peux-tu pas avoir d'enfant, Simon ?

Il plissa les yeux et garda le silence.

— *Pourquoi,* Simon ? répéta-t-elle, consciente qu'elle avait presque crié.

— Qu'importent les détails, Daphné ?

Il avait parlé d'un ton calme, un brin condescendant. Il sembla soudain à Daphné que quelque chose se brisait en elle.

— Sors d'ici, ordonna-t-elle.

Il la regarda, bouche bée.

— De ma chambre ?

— Très bien. C'est moi qui m'en vais.

Elle sauta du lit, avant d'arracher l'un des draps pour couvrir sa nudité.

En un éclair, Simon la rattrapa.

— Je t'interdis de quitter cette pièce, siffla-t-il entre ses dents.

— Tu m'as menti.

— Jamais je n'ai…

— Tu m'as menti ! hurla-t-elle. Tu m'as menti, et je ne te le pardonnerai jamais !

— Daphné…

— Tu as profité de ma naïveté.

Elle laissa échapper un soupir incrédule.

— Comme tu as dû te réjouir en découvrant que j'ignorais tout des relations conjugales !

— On appelle cela « faire l'amour », Daphné, rectifia-t-il.

— Oh non, pas entre nous.

Simon tressaillit. Pourquoi tant de rancœur ? Il demeura immobile, nu au milieu de la chambre, cherchant désespérément un moyen de sauver la situation. Il n'était même pas certain de ce qu'elle savait, ou de ce qu'elle *croyait* savoir.

— Daphné, dit-il avec lenteur, afin de ne pas laisser l'émotion brouiller ses paroles. Si tu me disais exactement ce qui se passe ?

— Ah, tu veux jouer à *ce* petit jeu ? ricana-t-elle. Très bien, je vais te raconter une histoire. Il était une fois une…

Les inflexions méprisantes de sa voix étaient comme autant de coups de poignard dans le cœur de Simon.

— Daphné, supplia-t-il en secouant la tête, les yeux clos. Pas comme cela.

— Il était une fois une jeune femme, reprit-elle un ton plus haut. Appelons-la Daphné.

Il se dirigea à grandes enjambées vers le dressing pour arracher une robe de chambre de sa patère. Il y avait des situations qu'un homme ne pouvait affronter nu.

— Cette Daphné était très, très stupide.

— S'il te plaît !

— Oh, très bien, fit-elle avec un geste de dédain. Disons « ignorante », alors. Elle était très, très ignorante.

Simon croisa les bras sur sa poitrine.

— Daphné n'avait aucune idée de ce qui se passe entre un homme et une femme. Elle ignorait tout de ce qu'ils faisaient, sinon que cela se passait dans un lit, et que d'une façon ou d'une autre, un bébé arrivait ensuite.

— Cela suffit, Daphné.

Seul signe qu'elle l'avait entendu, une lueur de rage passa dans son regard.

— Seulement voilà, elle ne savait pas *vraiment* comment on faisait ce bébé. Aussi, lorsque son mari lui annonça qu'il ne pouvait pas avoir d'enfant…

— Je t'ai prévenue avant de t'épouser. Je t'ai donné la possibilité de renoncer à ce mariage, souviens-t'en ! s'emporta-t-il. Ne t'avise jamais de l'oublier !

— J'étais désolée pour toi !

— Allons bon ! Voilà bien le genre d'argument qu'un homme adore entendre, ironisa-t-il.

— Simon, pour l'amour du Ciel. Tu sais que je ne t'ai pas épousé *parce que* j'étais désolée pour toi !

— Pourquoi, alors ?

— Parce que je t'aimais, répondit-elle d'un ton acide. Et aussi parce que je ne voulais pas te voir mourir, ce à quoi tu semblais ridiculement résolu.

Faute de réplique cinglante, il se contenta de darder sur elle un regard sarcastique.

— Cela dit, n'essaie pas de retourner tout ceci contre *moi*, poursuivit-elle d'un ton furieux. Ce n'est pas moi qui ai menti. Tu as prétendu que tu ne peux pas avoir d'enfant, mais la vérité, c'est que tu ne *veux* pas en avoir.

À quoi bon riposter ? songea Simon.

Elle fit un pas vers lui, visiblement incapable de maîtriser sa colère.

— Si tu ne pouvais vraiment pas avoir d'enfants, peu importerait où va ta semence, n'est-ce pas ? Tu ne prendrais pas tant de précautions, chaque soir, pour qu'elle tombe n'importe où sauf en moi.

— Tu ne sais r-rien de tout cela, Daphné.

Il avait parlé à voix basse et, malgré sa fureur, il avait à peine écorché ses mots.

Elle croisa les bras sur sa poitrine.

— Eh bien, apprends-moi !

— Je n'aurai jamais d'enfants, grinça-t-il entre ses dents. *Jamais*. Comprends-tu ?

— Non.

Une vague de rage déferla en lui, nouant son estomac. Elle n'était pas tournée contre Daphné, ni même contre lui. Comme toujours, elle était dirigée vers l'homme dont la présence, ou l'absence, avait toujours régi sa propre vie.

— Mon père, dit-il, luttant pour conserver son empire sur lui-même, n'était pas un homme aimant.

Daphné soutint son regard.

— Je suis au courant.

Il la dévisagea, stupéfait.

— Que sais-tu ?

— Je sais qu'il t'a fait du mal. Qu'il t'a rejeté…

Il vit une lueur passer dans ses grands yeux noisette – pas tout à fait de la pitié, mais presque.

— Qu'il te croyait stupide.

Le cœur de Simon s'emballa. Par quel miracle parvint-il à parler, et même à respirer ? Toujours est-il qu'il réussit à répondre :

— Alors tu as appris, pour…

— Ton bégaiement ? finit-elle à sa place.

Il lui adressa un remerciement silencieux. Étrangement, il n'avait jamais maîtrisé les mots « bégaiement » et « balbutiement ».

Elle esquissa un haussement d'épaules.

— Cet homme était un sot.

Simon la regarda, bouche bée. Comment pouvait-elle, d'un simple revers de main, balayer des années de rancœur ?

— Tu ne comprends pas, dit-il en secouant la tête, mais je suppose que c'est normal, étant donné la famille dont tu viens... Tout ce qui comptait aux yeux de mon père, c'était la lignée. Le sang et le titre. Quand il s'est avéré que je n'étais pas parfait... Daphné, il a raconté autour de lui que j'étais mort !

À ces mots, elle devint livide.

— Je l'ignorais, avoua-t-elle dans un souffle.

— Ça a été pire que ça, poursuivit-il. Je lui ai envoyé des lettres – des centaines de lettres, où je le suppliais de venir me voir. Il n'a jamais répondu à une seule.

— Simon...

— Savais-tu que je n'ai pas prononcé un mot avant l'âge de quatre ans ? Les rares fois où il me rendait visite, il me secouait, il menaçait de me battre jusqu'à ce que je p-parle. Voilà quel p-père j'ai eu.

Daphné fit mine de ne pas remarquer qu'il avait recommencé à buter sur les mots. Elle tenta de chasser le sentiment de malaise qui l'oppressait, et la colère qui montait en elle contre l'homme qui avait maltraité Simon.

— Il n'est plus là, maintenant, répondit-elle. Il est parti, mais toi, tu es vivant.

— Il disait qu'il ne supportait pas de me voir. Il avait prié pendant des années pour avoir un héritier. Pas un *fils,* précisa-t-il en haussant dangereusement le ton. Un héritier. Et p-pour quel résultat ? Pour transmettre Hastings à un simple d'esprit. Son p-précieux duché allait tomber entre les mains d'un crétin !

— Il avait tort, dit Daphné d'une voix très douce.

— Là n'est pas la question ! gronda Simon. Tout ce qu'il voyait, c'était le titre. Il ne m'a jamais accordé une seule pensée, ni à ce que je ressentais, emmuré dans mon silence !

Daphné recula d'un pas, désemparée par un tel déferlement de rage. Que pouvait-elle, face à une colère nourrie par des années de ressentiment ?

Simon franchit l'espace qui les séparait pour presser son visage contre le sien.

— Mais tu sais quoi ? murmura-t-il avec un calme effrayant. C'est moi qui aurai le dernier mot. Il croyait qu'il ne pouvait rien lui arriver de pire que de laisser Hastings à un crétin.

— Simon, tu n'es pas un…

— M'écoutes-tu, oui ou non ? tonna-t-il.

Effrayée pour de bon, elle bondit en arrière en cherchant à tâtons la poignée de la porte, au cas où elle aurait besoin de s'enfuir.

— Je sais très bien que je ne suis p-pas un imbécile, et vers la fin, je p-pense qu'il l'avait compris. Je suppose que cela le réconfortait. Hastings était en sécurité. L'important, pour lui, n'était pas que je ne souffre plus autant qu'autrefois. Hastings… *voilà* ce qui comptait !

Daphné réprima un haut-le-corps. Elle avait deviné ce qu'il allait dire.

Au même instant, un sourire étira les lèvres de Simon – un sourire cruel, effrayant, qu'elle n'avait jamais vu sur son visage.

— Eh bien, Hastings mourra avec moi ! poursuivit-il. Et tous ces cousins entre les mains de qui il craignait tant de voir tomber l'héritage…

Il laissa échapper un rire sans joie.

— Ils ont tous eu des filles ! Est-ce que ce n'est pas formidable, ça ?

Il esquissa un haussement d'épaules fataliste, avant de poursuivre :

— C'est sans doute p-pour cette raison qu'il a finalement décidé que je n'étais p-pas si bête que cela. Il avait compris que j'étais son dernier espoir.

— Il avait compris qu'il s'était trompé, rectifia Daphné avec une calme détermination.

Elle venait de se souvenir du paquet de lettres que le duc de Middlethorpe lui avait fait parvenir. Celles que le père de Simon lui avait écrites. Elle les avait laissées à Londres, à Bridgerton House… ce en quoi elle avait été bien inspirée, puisque cela lui laissait le temps de décider de ce qu'elle en ferait.

— Peu importe, rétorqua Simon d'un ton désinvolte. À ma mort, le titre s'éteindra. Et j'aurai enfin ma revanche.

Sur ce, il quitta la pièce à grands pas et sortit par le dressing, puisque Daphné bloquait l'entrée.

Toujours vêtue du drap qu'elle avait arraché au lit, celle-ci se laissa tomber dans un fauteuil, désemparée.

Son corps fut parcouru de frissons, puis d'un irrépressible tremblement. Elle comprit alors qu'elle pleurait. Sans un bruit, sans même un hoquet, les larmes jaillissaient de ses yeux et roulaient sur ses joues.

Au nom du Ciel, qu'allait-elle faire à présent ?

17

Affirmer que les hommes sont des têtes de mule serait insultant. Pour les mules.

La Chronique mondaine de lady Whistledown, 2 juin 1813

En dernier ressort, Daphné opta pour la seule solution qu'elle connaissait. Les Bridgerton avaient toujours constitué un clan bruyant et exubérant, dont aucun des membres n'était enclin à ruminer ses griefs en silence.

Aussi tenta-t-elle de parler avec Simon, dans l'espoir de lui faire entendre raison.

Le matin suivant – elle n'avait aucune idée de l'endroit où il avait passé la nuit, sinon que ce n'était pas dans le lit conjugal –, elle le trouva dans son cabinet de travail. La pièce, fort sombre, était si masculine que c'en était presque agressif ; sans doute avait-elle été décorée par le père de Simon. Daphné fut très surprise de constater que celui-ci puisse être à l'aise dans un tel environnement, lui qui détestait tout ce qui rappelait le vieux duc.

Car manifestement, il ne ressentait pas le moindre inconfort. Il était assis derrière le bureau, se balançant sur son fauteuil, les pieds insolemment posés sur le sous-main de cuir destiné à protéger le somptueux plateau en bois de cerisier. Entre ses doigts, il faisait rouler un galet poli. Avisant le flacon de whisky qui se trouvait à portée de sa main, Daphné eut la nette impression que celui-ci lui avait tenu compagnie une bonne partie de la nuit.

Simon n'en avait pas bu beaucoup, toutefois, remarqua-t-elle. C'était là une maigre consolation, mais elle en fut soulagée.

Le battant étant entrouvert, elle n'eut pas besoin de frapper à la porte.

— Simon ? appela-t-elle en demeurant prudemment sur le seuil.

Il leva les yeux et haussa un sourcil interrogateur.

— Es-tu occupé ?

— Visiblement pas, répondit-il en posant la pierre.

Daphné désigna celle-ci d'un geste.

— Un souvenir de voyage ?

— Elle vient des Caraïbes. Je l'ai ramassée sur une plage.

Il s'exprimait avec une élocution parfaite, nota la jeune femme. Toute trace de son bégaiement de la veille avait disparu. À présent, il était calme… si calme que c'en était presque inquiétant.

— J'imagine que les rivages là-bas sont très différents des nôtres…

— Ils sont plus chauds, répliqua-t-il avec une pointe d'arrogance.

— Oh. Ma foi, je m'en doutais un peu.

Il la scruta d'un regard intense.

— Je présume que tu n'es pas venue me trouver pour un cours de géographie ?

Il avait raison, bien entendu, mais la conversation risquait de ne pas être facile, et en la repoussant de quelques instants, Daphné s'était donné un peu de courage.

Elle prit une profonde inspiration.

— Il est urgent que nous parlions de ce qui s'est passé la nuit dernière.

— Apparemment, tu en es persuadée.

Daphné refoula l'envie soudaine de s'approcher de lui pour effacer d'un soufflet son masque d'impassibilité.

— Je n'en suis pas persuadée, je le *sais*.

Il ne répondit pas immédiatement.

— Je suis désolé si je t'ai donné l'impression de t'avoir trahie…

— Ce n'est pas cela, l'interrompit-elle.

— … mais souviens-toi que j'ai tout fait pour te décourager de m'épouser.

— Voilà une élégante façon de dire les choses ! marmonna-t-elle.

— Tu sais que j'étais bien décidé à ne jamais me marier, rétorqua-t-il comme s'il lui faisait la leçon.

— Là n'est pas la question, Simon.

— C'est au contraire toute la question.

Il posa les pieds sur le plancher, faisant retomber son fauteuil dans un bruit sourd.

— Pourquoi crois-tu donc que j'aie fui le mariage avec une telle détermination ? Tout ce que je voulais, c'était éviter de briser le cœur d'une femme en l'empêchant d'avoir des enfants.

— Ce n'est pas à je ne sais quelle hypothétique épouse que tu pensais, répliqua-t-elle, mais à toi-même !

— Peut-être, concéda-t-il. Seulement, quand tu es devenue celle-là, Daphné, tout a changé.

— On ne dirait pas, commenta-t-elle d'un ton amer.

Il esquissa un geste vaguement désolé.

— Tu sais que je te tiens en très haute estime. Jamais je n'ai voulu te faire souffrir.

— Eh bien, c'est raté, murmura-t-elle.

L'ombre d'un remords passa dans son regard, promptement remplacé par une résolution de fer.

— Souviens-toi que j'ai refusé de demander ta main, même lorsque ton frère l'a exigé. Même, ajouta-t-il acerbe, si cela me condamnait à une mort certaine.

Daphné ne tenta pas de le contredire ; ils savaient aussi bien l'un que l'autre qu'il n'aurait pas survécu à ce duel. Quoi qu'elle pensât de lui à présent, quel que fût son mépris pour la haine qui le dévorait encore aujourd'hui, elle en était consciente : Simon n'aurait pas fait feu sur Anthony.

Quant à ce dernier, il accordait trop de valeur à la réputation de sa sœur pour viser ailleurs qu'en plein cœur de l'homme qui l'avait compromise, fût-il son meilleur ami…

— J'ai agi ainsi, poursuivit Simon, parce que j'étais conscient que jamais je ne pourrais être un bon mari pour toi. Je savais que tu voulais des enfants. Tu me l'avais dit à de nombreuses reprises, et je n'ai aucune raison de te le reprocher. Tu viens d'une famille nombreuse et aimante, *toi*.

— Tu peux très bien en fonder une à ton tour.

Il enchaîna comme s'il ne l'avait pas entendue.

— Ensuite, quand tu as interrompu le duel et m'as supplié de t'épouser, je t'ai avertie. Je t'ai dit que je n'aurais pas d'enfant…

— Que tu ne le *pouvais* pas, rectifia-t-elle, incapable de refréner sa colère. La nuance est de taille !

— Pas pour moi, répliqua-t-il d'un ton glacial. Je ne *peux* pas avoir d'enfant. Ma conscience ne le supporterait pas.

— Je vois.

À cet instant, quelque chose se recroquevilla en elle, et Daphné eut l'inquiétante impression qu'il s'agissait de son cœur. Qu'était-elle censée opposer à un tel argument ? La haine que Simon vouait à son père l'emportait manifestement sur l'amour qu'il éprouverait peut-être un jour envers elle.

— Très bien, dit-elle sèchement. Il est clair que tu refuses tout débat sur ce sujet.

Il lui adressa un bref hochement de tête, auquel elle répondit.

— Bonne journée, Simon.

Et elle s'en alla.

Simon demeura seul jusqu'au soir. Il n'avait pas particulièrement envie de voir Daphné ; cela n'aurait fait qu'éveiller en lui un sentiment de culpabilité. Or, il n'avait rien à se reprocher, n'est-ce pas ? Il l'avait avertie avant le mariage qu'il ne pouvait avoir d'enfant. Il lui avait amplement laissé l'occasion de renoncer, mais elle avait tenu à l'épouser malgré tout. Il ne l'avait obligée à rien. Était-ce de *sa* faute si elle avait interprété ses propos de travers, et s'était persuadée qu'il était *physiquement* inapte à la procréation ?

Pourtant, même si une bouffée de regrets montait en lui chaque fois qu'il pensait à elle – c'est-à-dire à peu près depuis l'aube, sans discontinuer – et même si son cœur se serrait chaque fois qu'il revoyait son expression de détresse absolue, il lui semblait qu'un poids venait d'être ôté de ses épaules, à présent que tout était dit.

Certains secrets sont trop lourds à porter. Désormais, ce fardeau ne s'interposerait plus entre elle et lui. Cela était certainement un point positif.

Lorsque le soir tomba, Simon avait presque la conscience en paix. Presque. Il avait contracté cette union avec la certitude de briser le cœur de Daphné, et depuis le début, il en concevait une sourde inquiétude. Il éprouvait un profond respect envers elle. Diable ! Elle était peut-être même la personne qu'il estimait le plus au monde ! C'était d'ailleurs pour cela qu'il avait eu tant de réticences à l'épouser. Il n'éprouvait aucun plaisir à briser ses rêves, ni à la priver de la famille qu'elle avait espéré fonder. En vérité, il aurait préféré se retirer du jeu et la voir en épouser un autre, qui lui aurait donné la nombreuse progéniture qu'elle souhaitait.

Soudain, il frémit. Daphné, entre les bras d'un autre ? L'idée lui semblait beaucoup moins facile à accepter qu'un mois auparavant !

Ce qui était normal, songea-t-il en essayant de se montrer rationnel. Elle était sa femme, à présent. Elle était *à lui*.

Tout était différent.

En l'épousant, il avait su qu'elle désirait plus que tout avoir des enfants, et qu'il ne lui en donnerait pas.

Tu l'avais avertie ! protesta une petite voix en lui. Elle savait exactement à quoi elle s'engageait !

Simon, qui depuis des heures était resté assis à son bureau, faisant rouler ce stupide galet entre ses doigts, se redressa d'un bond. Il avait prévenu Daphné qu'ils n'auraient pas d'enfant, et elle avait accepté de l'épouser malgré tout. Il comprenait qu'elle ait été contrariée en apprenant quelles étaient ses raisons, mais elle ne pouvait prétendre avoir eu la moindre illusion en devenant sa femme.

Il était temps qu'ils aient une nouvelle discussion… à son initiative, cette fois. Il ne l'avait pas vue depuis le matin ; cela avait assez duré.

Elle était *son épouse,* se répéta-t-il. Il devait pouvoir la voir lorsque cela lui chantait !

Il remonta le corridor à grands pas et ouvrit à la volée la porte de sa chambre, bien décidé à la sermonner au sujet de… eh bien, il ne le savait pas exactement, mais l'inspiration, il n'en doutait pas, lui viendrait en temps utile.

La pièce était vide.

Simon cligna des yeux, incrédule. Où était-elle donc ? Minuit allait bientôt sonner ; elle aurait dû être au lit.

Le dressing, songea-t-il. C'est là qu'elle devait se trouver ! Elle s'obstinait à passer chaque soir une chemise de nuit, alors qu'elle savait qu'il la lui ôterait quelques minutes plus tard.

— Daphné ? appela-t-il en traversant la chambre. Daphné !

Elle ne répondit pas. En outre, aucun rai de lumière ne filtrait sous la porte. Elle ne s'habillait tout de même pas dans l'obscurité !

Simon poussa le battant. Daphné n'était décidément pas là.

Il tira sans ménagement sur le cordon de la sonnette, puis revint dans le couloir pour y attendre le domestique qui aurait l'infortune de répondre à son appel.

Il vit arriver l'une des bonnes, une frêle créature blonde dont le prénom lui échappait totalement.

— Où est ma femme ? aboya-t-il.

— Votre femme, monsieur ?

— Oui, répondit-il d'un ton impatient. Mon épouse.

Elle lui jeta un regard vide.

— Je suppose que vous voyez de qui je parle ? À peu près votre taille, cheveux brun-roux, longs…

Simon aurait continué ses sarcasmes si l'expression terrifiée de la petite bonne n'avait éveillé en lui une vague culpabilité. Il laissa échapper un soupir de frustration.

— Savez-vous où elle se trouve ? reprit-il d'un ton radouci.

— N'est-elle pas couchée, monsieur ?

Simon désigna d'un brusque coup de tête la chambre déserte.

— Manifestement pas.

— Ce n'est pas là que madame dort, monsieur.

Simon arqua les sourcils.

— Plaît-il ?

— Madame n'est-elle pas…

Les yeux agrandis par l'horreur, la domestique parcourut le couloir d'un regard frénétique. À la recherche d'une sortie de secours, comprit Simon. Ou bien d'un hypothétique sauveteur qui viendrait la protéger de son maître…

— Parlez donc ! tonna-t-il.

— Madame n'est-elle pas dans la chambre à coucher de la duchesse ? demanda la soubrette d'une toute petite voix.

— Dans la chambre de…

Un rugissement de rage monta de ses lèvres.

— Depuis quand ?

— Depuis… aujourd'hui, je crois, monsieur. Nous avons tous supposé que madame et monsieur occuperaient des appartements séparés, une fois passé la lune de miel.

— Ah oui ? gronda-t-il.

La domestique se mit à trembler.

— Les parents de monsieur faisaient ainsi, et...

— *Nous ne sommes pas mes parents !* hurla-t-il.

La petite bonne recula d'un bond.

— Et surtout, ajouta Simon d'une voix coupante, je ne suis pas mon père !

— Bien... bien sûr, monsieur.

— Veuillez m'indiquer quelle pièce la duchesse a choisie comme nouvelle chambre à coucher, je vous prie.

D'un doigt tremblant, la bonne désigna une porte située un peu plus loin dans le couloir.

— Merci.

Il fit trois pas, avant de pivoter sur ses talons.

— Vous pouvez vous retirer.

Le déménagement de Daphné, songea-t-il, avait de quoi occuper les conversations du personnel pour la journée du lendemain. Inutile d'en rajouter en laissant une domestique assister à ce qui promettait d'être une scène de ménage d'anthologie !

Après s'être assuré qu'elle avait disparu en bas des escaliers, Simon se dirigea d'un pas furieux vers la chambre de Daphné. Il pila net sur le seuil, réfléchit à ce qu'il allait dire, s'aperçut qu'il n'en avait pas la moindre idée, décida de ne pas s'arrêter pour autant et frappa.

Pas de réponse.

Il abattit son poing fermé sur la porte.

Toujours rien.

Il leva une troisième fois la main, avant de s'aviser que Daphné n'avait peut-être pas fermé à clef. De quoi aurait-il l'air si...

Il tourna la poignée.

Elle *avait* fermé à clef. Simon laissa échapper un chapelet de jurons. Curieusement, jamais sa langue n'avait buté sur une grossièreté.

— Daphné ? Daphné !

Ce n'était pas exactement un hurlement, mais c'était bien plus qu'un appel.

— *Daphné !*

Enfin, il distingua des bruits de pas à l'intérieur.

— Oui ? répondit-elle.

— Laisse-moi entrer.

Il y eut un bref silence, puis la voix de Daphné s'éleva :

— Non.

Incrédule, il considéra le lourd battant de bois. Jamais il ne lui était venu à l'idée qu'elle pourrait lui désobéir. Elle était sa femme, bon sang ! N'avait-elle pas promis de lui être loyale ?

— Daphné, ordonna-t-il, ouvre cette porte immédiatement.

Elle devait se tenir juste derrière, car il l'entendit soupirer :

— Simon, la seule raison de te laisser entrer serait que j'envisage de t'inviter à partager mon lit, ce qui n'est pas le cas. Par conséquent, j'apprécierais… ou, plus exactement, toute la maisonnée apprécierait que tu ailles te coucher. Dans *ta* chambre.

Simon en demeura bouche bée. Il réfléchit rapidement. Quel était le poids de cette maudite porte, et combien de coups de pied lui faudrait-il pour la mettre en pièces ?

— Daphné, déclara-t-il avec un calme qui l'effraya lui-même, si tu n'ouvres pas sur-le-champ, j'entre de force.

— Tu ne le feras pas.

Pour toute réponse, il se contenta de croiser les bras, le regard fixe, persuadé qu'elle saurait *exactement* quelle était son expression.

— Tu ne le ferais pas, n'est-ce pas ?

De nouveau, il décida que le silence était la meilleure stratégie.

— J'*espère* que tu ne le ferais pas, reprit-elle d'une voix où perçait une sourde inquiétude.

Il considéra le battant d'un air buté.

— Tu risques de te faire mal, ajouta Daphné.

— Alors ouvre cette fichue porte, grinça-t-il entre ses dents.

Il y eut un silence, suivi par le lent déclic de la clef qui tournait dans la serrure. Simon eut tout juste assez de présence d'esprit pour s'interdire d'ouvrir la porte à la volée ; Daphné devait se tenir derrière.

Il se rua à l'intérieur. Elle se trouvait à quelques pas de lui, les bras croisés sur la poitrine, campée sur ses jambes en une attitude défensive.

— Ne m'interdis plus jamais l'accès de ta chambre, maugréa-t-il.

Elle haussa les épaules. Comment osait-elle ?

— J'avais besoin de tranquillité.

Il s'approcha.

— Je veux que toutes tes affaires soient rapportées dans notre chambre demain matin. Quant à *toi*, c'est ce soir que tu reviens.

— Non.

— Que veux-tu fichtre dire par *non* ?

— Que crois-tu fichtre que je dise ? rétorqua-t-elle.

Simon ne savait pas ce qui le choquait et le contrariait le plus : le fait qu'elle le défie, ou celui de l'entendre parler de la sorte.

— Non, poursuivit-elle en haussant le ton, signifie *non*.

— Tu es ma femme, tonna-t-il. Tu dormiras avec moi. Dans mon lit.

— Non.

— Daphné, je t'avertis…

Les paupières de Daphné se plissèrent.

— Tu m'as volontairement privée de quelque chose, l'interrompit-elle. Je te prive volontairement d'autre chose. Ma personne.

Il en demeura sans voix. Littéralement.

Elle, en revanche, n'avait pas perdu sa langue. S'étant dirigée vers la porte, elle l'invita d'un geste impatient à quitter les lieux.

— Maintenant, sors de chez moi.
Une bouffée de colère étrangla Simon.
— Cette pièce est ma propriété. Et *toi* aussi, tu es à moi !
— Tu ne possèdes rien d'autre que le titre de ton père, répliqua-t-elle. Tu ne t'appartiens même pas !
Simon était dans une telle fureur qu'il tremblait de la tête aux pieds. Il recula d'un pas, de peur de faire mal à Daphné.
— Que veux-tu d-dire ? bégaya-t-il.
Elle le nargua d'un nouveau haussement d'épaules désinvolte.
— Devine, répondit-elle simplement.
Toutes ses bonnes intentions s'évanouirent en un éclair. Il s'élança pour la prendre par le bras. Il savait qu'il la serrait trop fort, mais il était ivre de rage.
— Explique-toi, siffla-t-il entre ses dents. Allons !
Elle soutint son regard avec une telle fermeté d'âme qu'il en fut décontenancé.
— Tu n'es pas maître de toi, dit-elle. Ton père te dicte encore ta conduite depuis la tombe.
Simon fut parcouru d'un violent tremblement. Elle recula.
— Tes actes, tes choix… poursuivit-elle tandis qu'une expression navrée passait sur son visage. Ils n'ont rien à voir avec toi, avec tes désirs, tes besoins. Tout ce que tu fais, Simon, chacune de tes décisions, chacune de tes paroles, ne visent qu'à le contrarier.
Sa voix se brisa.
— Alors qu'il n'est même plus *vivant*.
Il se rapprocha d'elle avec une grâce féline.
— Pas tous mes gestes, dit-il très bas. Pas tous mes mots.
Elle recula de nouveau, déconcertée par la lueur carnassière qui venait de s'allumer dans ses yeux.
— Simon ? demanda-t-elle, inquiète.
Il lui sembla que la bravoure avec laquelle elle l'avait défié, lui qui était deux fois plus grand et sans

doute trois fois plus fort qu'elle, fondait soudain comme neige au soleil.

Du bout de l'index, il traça un sillon de feu sur son bras. Malgré la barrière de sa manche de soie, elle frémit, comme brûlée par la chaleur et la puissance qui émanaient de lui. Il l'enlaça, avant de poser sur son séant une main de propriétaire.

— Quand je te touche comme cela, murmura-t-il, ses lèvres dangereusement proches de son oreille, cela n'a rien à voir avec lui.

Daphné frémit, furieuse contre elle-même du désir qui montait en elle. Furieuse contre lui d'éveiller ses appétits.

— Quand je t'embrasse comme ça, reprit-il en imprimant une délicate morsure au lobe de son oreille, cela n'a rien à voir avec lui.

Elle voulut le repousser, mais lorsque ses mains trouvèrent ses épaules, elles ne purent que l'agripper.

Il commença à l'acculer vers le lit, lentement, inexorablement.

— Et quand je m'étends sur toi, enchaîna-t-il, son souffle brûlant contre la peau de son cou, et que tu es nue dans mes bras, il n'y a que toi et…

— Non ! s'écria-t-elle en l'écartant de toutes ses forces.

Décontenancé, il tressaillit.

— Même dans ces moments-là, dit-elle d'une voix étranglée, nous ne sommes jamais seuls. L'ombre de ton père plane *toujours* sur nous.

Simon, qui avait glissé une main sous le volant de sa manche, imprima une brutale pression sur son bras. Il ne dit rien – c'était inutile. La colère froide que reflétaient ses iris bleu pâle était assez éloquente.

— Peux-tu me regarder dans les yeux, murmura-t-elle, et me dire que c'est à *moi* que tu penses lorsque tu te retires de moi pour déverser ta semence sur le drap ?

Le visage grave, les traits tirés, il fixa ses lèvres.

Secouant la tête, elle se libéra de sa poigne, qui avait soudain perdu toute sa puissance.

— Moi, je ne le crois pas, poursuivit-elle dans un souffle.

Elle s'éloigna de lui en veillant à rester loin du lit. Il était encore capable de la séduire, s'il le voulait. Il saurait l'embrasser, la caresser, l'entraîner vers d'étourdissants sommets de jouissance… et au matin, elle le haïrait.

Et se haïrait encore plus.

Ils se défièrent du regard dans un silence effrayant. Simon se tenait les bras ballants, une expression de stupeur, de rage et de douleur sur le visage. On aurait dit un petit garçon perdu, songea-t-elle, le cœur brisé.

— Je crois, dit-elle très doucement, que tu ferais mieux de t'en aller.

Il soutint son regard d'un air fiévreux.

— Tu es ma femme.

Elle ne répondit pas.

— D'un point de vue légal, tu m'appartiens.

Elle plongea ses yeux dans les siens.

— C'est possible.

Soudain, il fondit sur elle et la saisit par les épaules.

— Si je le veux, je peux te donner envie de moi, murmura-t-il.

Sa voix, qui avait baissé d'une octave, avait pris des inflexions rauques, impérieuses.

— Et même si je n'y arrive pas, tu es tout de même à moi. Je te possède. Je peux t'imposer ma présence.

Daphné eut l'impression d'avoir vieilli d'un siècle lorsqu'elle répliqua :

— Tu ne le feras pas.

Sans doute savait-il qu'elle disait vrai, car il se détourna et se rua hors de la chambre.

18

Votre dévouée chroniqueuse est-elle la seule à l'avoir remarqué, ou ces messieurs du beau monde auraient-ils bu plus que de coutume, ces jours-ci ?

LA CHRONIQUE MONDAINE DE LADY WHISTLEDOWN, 4 juin 1813

Simon sortit et s'enivra. Ce n'était pas dans ses habitudes. Ce n'était même pas un plaisir pour lui, mais il le fit tout de même.

La côte ne manquait pas de tavernes aux alentours de Clyvedon. Et les tavernes ne manquaient pas de marins prompts à la querelle. Deux d'entre eux s'en prirent à Simon.

Et le regrettèrent assez vite.

Voilà des années qu'une sourde colère bouillonnait à petit feu au plus profond de lui. Tel un volcan en furie, elle trouva son chemin vers la surface, et il suffit de la plus infime provocation pour le jeter dans la bagarre.

À ce moment-là, il avait déjà tant bu que lorsqu'il frappait, ce n'étaient plus les marins au teint rouge brique qu'il voyait, mais le fantôme du vieux duc. À chaque coup de poing, c'étaient ses remarques blessantes, ses regards dédaigneux qu'il écrasait. Et cela lui fit un bien fou. Il ne s'était jamais considéré comme un homme particulièrement violent, mais bon sang, quel plaisir c'était !

Quand il en eut fini avec les deux matelots, personne d'autre n'osa le défier. Les gens du coin savaient reconnaître plus fort qu'eux – mais surtout, ils savaient reconnaître plus fou qu'eux. Et ils n'ignoraient pas que cette seconde éventualité était de loin la plus à craindre.

Simon resta au pub jusqu'à ce que les premières lueurs du jour strient le ciel. Il vida consciencieusement la bouteille qu'il avait achetée, puis il se dressa sur ses jambes tremblantes, glissa une autre flasque dans sa poche et rentra chez lui.

Tout en chevauchant, il continua de boire le mauvais whisky qui lui brûlait les entrailles. À mesure qu'il s'enivrait, une unique pensée émergeait du brouillard qui noyait son esprit.

Il fallait que Daphné revienne vers lui.

Elle était sa femme, nom de nom ! Il s'était habitué à l'avoir à ses côtés. Elle ne pouvait pas s'en aller comme cela de leur chambre !

Il la persuaderait. Il la cajolerait, il la séduirait, il…

Simon laissa échapper un rot de légionnaire. Eh bien, cela devrait suffire. Il était bien trop soûl pour entreprendre quoi que ce soit d'autre.

Lorsqu'il parvint à Clyvedon Castle, il était parfaitement ivre, et persuadé de son irréprochable droiture morale. Il arriva, tanguant et trébuchant, devant la porte de la chambre de Daphné, faisant un raffut à réveiller les morts.

— Daphnéééé ! hurla-t-il en essayant de masquer les accents désespérés de sa voix.

Il n'avait pas besoin d'avoir l'air pathétique ! Il fronça soudain les sourcils, pensif. D'un autre côté, s'il paraissait très, très malheureux, peut-être Daphné lui ouvrirait-elle plus facilement sa porte ? Il émit quelques reniflements sonores, avant d'appeler d'une voix geignarde :

— Daphnéééé… ?

Comme elle ne répondait pas immédiatement, il s'appuya contre le lourd panneau de bois – en grande partie parce que son sens de l'équilibre avait depuis longtemps disparu dans les vapeurs de l'alcool.

— Oh, Daphné ! gémit-il, le front contre le battant. Si tu…

La porte s'ouvrit alors. Privé de soutien, il roula sur le plancher.

— Tu n'étais paj… paj obligée d'ouvrir ch… chi *vite* ! marmonna-t-il.

Daphné plaqua sa robe de chambre contre sa poitrine et regarda la loque humaine vautrée à ses pieds. Elle reconnaissait à peine son mari.

— Juste Ciel, Simon ! Qu'as-tu donc…

Elle se pencha pour l'aider à se relever, mais à peine eut-elle humé son haleine qu'elle recula d'un bond.

— Tu es ivre ! s'exclama-t-elle.

Il approuva d'un hochement de tête solennel.

— Ch'est bien pochible.

— Où étais-tu ?

Il cligna des yeux, avant de la regarder comme s'il n'avait jamais entendu une question aussi inepte.

— Parti voir ailleurs chi j'y étais, rétorqua-t-il dans un hoquet.

— Simon, tu devrais être au lit.

Il acquiesça de nouveau, avec plus de vigueur et d'enthousiasme.

— Oui, cha ch'est chûr.

Il tenta de se redresser, mais ne parvint qu'à se mettre à quatre pattes, avant de s'étaler de nouveau de tout son long sur le tapis.

— Hum ! gronda-t-il en considérant ses membres d'un œil rond. N'ai plus mes jambes.

— Tu n'as plus ta *tête* ! rectifia Daphné. Que vais-je faire de toi ?

Il leva les yeux vers elle, un sourire béat aux lèvres.

— M'aimer ? suggéra-t-il. Tu m'as dit que tu m'aimais, tu t'en chouviens ?

Il marqua un silence pensif.

— Et che qui est dit est dit, commenta-t-il d'un ton sentencieux.

Daphné poussa un soupir de lassitude. Elle aurait dû être furieuse contre lui – Dieu du ciel, elle l'*était* ! – mais comment rester suffisamment en colère alors qu'il était si pitoyable ?

Par ailleurs, grâce à ses trois frères aînés, elle avait acquis une certaine expérience des crises de soûlographie. Le seul remède efficace était une bonne nuit de sommeil. Il se réveillerait avec une épouvantable migraine, sans doute bien méritée, puis il insisterait pour boire quelque douteuse mixture de sa composition, supposée chasser les conséquences de l'ébriété.

— Simon ? l'interrogea-t-elle, résignée. Combien d'alcool as-tu bu ?

Il lui adressa un sourire d'idiot du village.

— Une chertaine quantité.

— Je m'en doutais un peu, maugréa-t-elle.

Elle se pencha de nouveau vers lui et glissa les mains sous ses bras.

— Allons, debout ! Je vais t'aider à te coucher.

Il ne bougea pas d'un pouce. Assis sur son séant, il la considéra d'un air parfaitement stupide.

— Pourquoi est-che que je me lèverais, d'abord ? s'enquit-il d'une voix pâteuse. Deschends plutôt, toi !

Il enlaça maladroitement les genoux de Daphné.

— Allons, Daphné, achieds-toi avec moi.

— Simon !

Il tapota le tapis près de lui.

— On est très bien, ichi.

— Non, Simon, je ne peux pas m'asseoir avec toi, protesta-t-elle en essayant de se libérer de l'étau de ses bras. Tu dois aller te coucher.

Elle fit une nouvelle tentative pour le soulever, sans plus de résultat.

— Au nom du Ciel ! marmonna-t-elle. Quel besoin avais-tu d'aller te soûler ?

Elle n'avait parlé que pour elle-même, mais il dut entendre car il déclara, inclinant la tête de côté :

— Je voulais que tu reviennes.

Daphné préféra ne pas répondre. Ils savaient l'un comme l'autre ce qu'il devait faire pour être pardonné, mais il était trop éméché pour suivre une quelconque discussion sur ce point. Aussi se contenta-t-elle de le tirer par le bras :

— Nous parlerons de tout ceci demain, Simon.

Il battit plusieurs fois des paupières.

— Ch'est *déjà* demain, non ?

Elle le vit tourner la tête d'un côté, puis de l'autre, cherchant la fenêtre.

— Fait jour, marmonna-t-il. Tu vois ?

Il agita un bras vers la croisée.

— On est demain.

— Alors nous discuterons ce soir, décréta Daphné, à bout.

Il lui semblait que son cœur était en miettes. Elle ne pouvait en supporter davantage.

— Je t'en prie, Simon. N'en parlons plus pour l'instant.

— Le problème, Daphrey...

Il secoua la tête comme un chien qui s'ébroue.

— Daphné, corrigea-t-il en articulant avec soin. Daphné, Daphné...

Elle ne put retenir un sourire attendri.

— Oui, Simon ?

— Le problème, tu vois...

Il se gratta la tête.

— Ch'est que tu ne comprends pas.

— Quoi donc ? demanda-t-elle avec douceur.

— Pourquoi je ne peux pas...

Il leva les yeux vers elle. Elle tressaillit en voyant la détresse qui hantait son regard.

— Je n'ai jamais voulu te faire de mal, Daph', dit-il d'une voix enrouée. Tu le chais, n'est-che pas ?

Elle hocha la tête.

— Oui, Simon.

— Tant mieux, parche que le problème, ch'est que...

Il laissa échapper un soupir qui semblait jaillir du plus profond de son âme.

— … je ne peux pas te donner che que tu veux.

Elle ne répondit pas.

— Toute ma vie, poursuivit-il tristement, toute ma vie, ch'est lui qui a gagné. Tu le chais ? Toujours lui. Chette fois, ch'est moi le plus fort !

D'un geste inutilement ample, il décrivit de la main un long arc de cercle avant de pointer le pouce sur sa poitrine.

— Moi. Pour une fois, je veux être le plus fort.

— Oh, Simon ! murmura-t-elle. Il y a longtemps que tu as gagné ! Dès que tu as prouvé que tu valais mieux que ce qu'il croyait, tu as gagné. Chaque fois que tu as déjoué ses prévisions, que tu t'es fait un ami, que tu as visité un nouveau pays, tu as gagné.

Le souffle court, elle lui pressa tendrement l'épaule.

— Tu l'as battu. Tu as gagné. Ne le vois-tu donc pas ?

Il remua la tête.

— Je refuse de devenir ce qu'il voulait. Même si…

Il fut secoué d'un hoquet.

— Même s'il ne comptait p-pas sur moi, ce qu'il voulait, c'était un fils p-parfait, qui serait devenu un duc p-parfait, aurait épousé une duchesse p-parfaite et eu des enfants p-parfaits.

Daphné se mordit les lèvres. Il bégayait de nouveau. Il devait être profondément en colère. Son cœur se brisa pour lui, pour le petit garçon qui toute sa vie avait guetté l'approbation paternelle.

Penchant la tête, il l'observa d'un regard étonnamment ferme.

— Tu es un choix qu'il aurait approuvé, mais…

— Voyons ! s'exclama Daphné, ne sachant comment interpréter ces paroles.

— … je t'ai quand même épousée, poursuivit-il en lui adressant un petit sourire espiègle.

Il semblait si sincère, plein de sérieux enfantin, qu'elle eut toutes les peines du monde à se retenir de jeter ses bras autour de son cou pour le consoler. Même si sa souffrance était réelle, même si son âme avait été profondément blessée, il s'y prenait de façon désastreuse. La meilleure revanche sur son père aurait été de mener une vie heureuse et épanouie, d'atteindre les sommets de réussite dont celui-ci avait voulu le priver.

Daphné ravala un sanglot de frustration. Comment pourrait-il trouver le bonheur si tous ses choix ne visaient qu'à s'opposer aux désirs d'un homme mort ?

Ils aborderaient ce débat plus tard, songea-t-elle. Elle était épuisée, il était ivre, le moment était fort mal choisi.

— Allons, viens te coucher, dit-elle.

Il la scruta longuement, tandis que ses yeux s'emplissaient d'une détresse infinie.

— Ne me quitte pas, murmura-t-il.

— Simon ! s'écria-t-elle d'une voix étranglée par l'émotion.

— S'il te plaît, ne t'en va pas. Il est parti. Tout le monde est parti. Même moi, je suis parti.

Il pressa sa main entre ses doigts.

— Reste.

Elle acquiesça, tremblante, et se mit sur ses pieds.

— Tu peux t'installer dans mon lit, le temps de te remettre. Je suis sûre que demain, tu seras parfaitement rétabli.

— Oui, mais tu restes avec moi ?

Daphné commettait une erreur. Elle le savait, mais elle s'entendit répliquer :

— D'accord, je reste avec toi.

— Merci.

Il se redressa avec peine.

— Parce que je ne pourrais pas… J'ai vraiment…

Dans un soupir, il leva vers elle un regard agrandi par l'angoisse.

— J'ai besoin de toi, Daphné.

Elle le guida jusqu'au lit, et faillit tomber avec lui lorsqu'il roula sur le matelas.

— Tiens-toi tranquille, ordonna-t-elle en s'agenouillant pour lui ôter ses bottes.

Elle avait déjà fait cela pour ses frères, aussi savait-elle comment prendre le talon, et non la pointe, mais la chaussure épousait si étroitement le pied de son propriétaire que Daphné s'étala de tout son long sur le tapis quand la botte céda enfin.

— Bonté gracieuse, marmonna-t-elle en s'apprêtant à répéter la manœuvre. Et on dit que les femmes sont esclaves de la mode !

Simon émit un son qui ressemblait à s'y méprendre à un ronflement.

— Tu dors ? demanda-t-elle, incrédule.

Elle tira sur la seconde botte, qui vint un peu plus facilement que la première, et souleva les jambes de Simon, lourdes et inertes, pour les déposer sur le lit.

Qu'il semblait jeune et paisible, avec ses longs cils bruns qui ombraient ses joues ! Tendant une main vers lui, elle écarta une mèche de son front.

— Dors, mon chéri, chuchota-t-elle.

Elle se détourna… mais, vif comme l'éclair, il tendit le bras pour l'enlacer.

— Tu m'as promis de rester, dit-il d'un ton accusateur.

— Je pensais que tu t'étais assoupi.

— Cela ne te donne pas le droit de manquer à ta parole.

Comme il tirait sur son bras avec insistance, elle renonça et s'étendit à son côté. Son corps était chaud, familier, et même si elle éprouvait de vives inquiétudes quant à leur avenir commun, elle ne trouva pas la force de résister à sa tendre insistance.

Daphné se réveilla environ une heure plus tard, étonnée de s'être endormie. Près d'elle, Simon respirait doucement. Ils étaient tous deux habillés, lui dans ses vêtements imbibés de senteurs d'alcool, elle dans sa robe de chambre.

D'un geste léger, elle lui caressa la joue.

— Que vais-je faire de toi ? murmura-t-elle. Je t'aime, tu le sais. Je t'aime, mais je ne supporte pas de voir le mal que tu t'infliges.

Elle prit une longue inspiration saccadée.

— Et à moi aussi. Je n'accepte pas ce que tu me fais subir.

Il s'agita dans un demi-sommeil, et l'espace d'un instant elle songea, alarmée, qu'il ne dormait peut-être pas.

— Simon ? l'appela-t-elle.

Un soupir de soulagement lui échappa lorsqu'elle constata qu'il ne répondait pas. Elle savait qu'elle n'aurait pas dû prononcer à haute voix des paroles qu'elle n'était pas prête à lui dire, mais il semblait si innocent, étendu sur les oreillers à la blancheur de neige ! C'était si naturel d'épancher ses pensées les plus secrètes quand il arborait cette expression sereine !

— Oh, Simon, gémit-elle en fermant les yeux pour retenir les larmes qui perlaient à ses paupières.

Elle devait se lever. Elle devait impérativement se lever et le laisser se reposer. Certes, elle comprenait les raisons qui le poussaient à refuser toute perspective de concevoir un enfant, mais elle ne pouvait en aucun cas être d'accord avec lui. S'il la trouvait encore dans ses bras en se réveillant, il serait tenté de croire qu'elle était disposée à accepter ses conditions, ainsi que l'idée qu'il se faisait d'une famille.

Lentement, à contrecœur, elle entreprit de se redresser. Aussitôt, il resserra son étreinte en marmonnant « non » d'une voix ensommeillée.

— Simon, je…

Il l'attira plus près de lui… et elle s'aperçut qu'il la désirait violemment.

— Simon ? chuchota-t-elle. Est-ce que tu dors ?

Il répondit par des paroles indistinctes. Sans autre tentative de la séduire, il se contenta de la presser contre lui.

Daphné battit des cils, stupéfaite. Jamais elle n'avait imaginé qu'un homme puisse ressentir une telle excitation dans son sommeil.

Reculant la tête pour scruter le visage de Simon, elle souligna d'un geste léger la ligne de sa mâchoire. Il laissa échapper un petit soupir aux inflexions graves, presque rauques. Daphné tressaillit. Très lentement, avec une sensualité qu'elle ne se connaissait pas, elle défit les boutons de sa chemise, ne s'arrêtant qu'une fois pour effleurer du bout du doigt son abdomen.

En le voyant tressaillir d'impatience, elle ressentit une enivrante sensation de pouvoir. Comme c'était étrange de constater qu'il était sous sa domination ! Il était endormi, probablement encore sous l'effet de l'alcool… Elle pouvait faire de lui ce qu'elle voulait.

Elle pouvait *obtenir* de lui ce qu'elle voulait.

D'un bref regard, elle s'assura qu'il sommeillait toujours, puis elle le débarrassa de son pantalon. Il était tendu par le désir. Elle referma sa main sur lui. Sous ses doigts, son sexe durcit encore.

— Daphné, gémit-il.

Dans un soupir saccadé, il battit des paupières.

— Oh ! Que c'est bon !

— Chut, murmura-t-elle en ôtant sa robe de chambre. Laisse-moi faire…

Étendu sur le dos, il serra les poings lorsqu'elle imprima une plus forte pression de ses doigts. Elle avait acquis une certaine expérience au cours de leurs deux semaines de mariage ! Bientôt, il gémit de plaisir sous ses savantes caresses, tout en laissant échapper de petits halètements de volupté.

Sur son âme, elle aussi le désirait ! C'était elle qui décidait, et c'était là le plus formidable aphrodisiaque qu'elle eût imaginé. Quelque chose en elle tressaillit, son cœur s'accéléra. Elle avait faim de lui.

Elle n'avait qu'une envie, qu'il entre en elle, l'emplisse totalement… et lui donne tout ce qu'un homme était supposé offrir à sa femme.

— Oh, Daphné ! supplia-t-il, agitant sa tête sur l'oreiller. Je te veux. Tout de suite !

Elle se plaça sur lui et, s'appuyant sur ses épaules, se plaça à califourchon sur son bassin. Puis, d'une main ferme, elle le guida jusqu'en elle. Elle était déjà humide de désir.

Simon se cambra tandis que, très lentement, elle glissait le long de son membre, jusqu'à ce qu'il soit presque complètement en elle.

— Plus loin, gémit-il. Vite !

Rejetant la tête en arrière, elle obtempéra. Elle l'agrippa un peu plus fermement en cherchant son souffle. Il la comblait si profondément qu'elle aurait pu en mourir de plaisir. Jamais elle n'avait ressenti aussi pleinement le bonheur d'être femme !

Dans un gémissement, elle creusa les reins, puis commença à bouger au-dessus de lui. Tout en continuant sa danse sensuelle, elle posa les mains sur son propre ventre, avant de remonter vers sa poitrine.

Simon ouvrit les yeux et émit un hoquet de ravissement en suivant son geste d'un regard fasciné. Jaillissant de ses lèvres entrouvertes, son souffle se fit plus lourd, plus impatient.

— Daphné ! Que fais-tu ? Qu'as-tu…

Au même instant, elle effleura la pointe de son sein. Sous elle, il s'arc-bouta violemment.

— Où as-tu appris cela ?

Baissant les yeux, elle lui adressa un sourire mutin.

— Je ne sais pas.

— Caresse-toi encore, ordonna-t-il. Je veux te voir.

Ne sachant exactement ce qu'elle était supposée faire, Daphné s'en remit à son instinct. Elle se cambra tout en imprimant à ses hanches un sensuel mouvement de bascule, faisant fièrement saillir ses seins. Puis elle prit ceux-ci en coupe dans ses paumes pour en éprouver la lourdeur voluptueuse, avant de faire rouler leurs pointes entre ses doigts… tout cela sans quitter un instant Simon du regard.

Celui-ci s'arqua de nouveau, cette fois plus vivement, et se mit à aller et venir en elle avec une ardeur renouvelée, les mains crispées sur les draps. Daphné comprit alors qu'il avait presque atteint la jouissance. D'habitude, il se montrait attentif à elle et prenait toujours soin de l'emporter jusqu'au summum du plaisir avant de s'accorder le même privilège. Cette fois-ci, il plongerait le premier dans l'extase.

Elle n'en était pas loin, mais il la devançait.

— Ah ! s'écria-t-il d'une voix aux intonations sauvages, presque primitives. Je vais… je ne peux plus…

Fixant sur elle un regard étrangement suppliant, il tenta de se retirer.

Daphné appuya sur lui de tout son poids.

Il jouit en elle, si violemment que son bassin se souleva du lit, imprimant à Daphné une brusque poussée. Elle referma les mains sur ses hanches et les serra aussi fort qu'elle en était capable pour le garder en elle. Elle ne voulait pas perdre une goutte de lui. Cette fois-ci, elle ne laisserait pas échapper sa chance !

Tandis que le plaisir explosait en lui, Simon rouvrit les yeux, comprenant, mais trop tard, son erreur. Son corps n'avait plus la force de s'arrêter : la volupté qui l'emportait était d'une telle puissance qu'il ne pouvait lutter. S'il avait été au-dessus, peut-être aurait-il réussi à se retirer à temps mais, étendu sous Daphné, hypnotisé par le jeu de ses petites mains courant sur son corps, il avait été le jouet du prodigieux désir qu'elle avait éveillé en lui.

Il serra les dents sous la violence du spasme, puis il vit l'expression extatique de son visage aux traits délicats… et retrouva sa lucidité. Daphné avait agi à dessein. Elle avait tout manigancé !

Elle avait profité de son sommeil et de son ivresse pour l'exciter, avant de l'introduire en elle afin de lui voler sa semence.

Les yeux agrandis par l'horreur, il chercha le regard de la jeune femme.

— Comment as-tu pu… ? murmura-t-il.

Elle ne répondit pas, mais il lut sur son visage qu'elle l'avait entendu.

Il s'arracha à son étreinte à l'instant même où elle commençait à se resserrer autour de lui, lui refusant le plaisir qu'il venait de connaître.

— Comment as-tu pu ? répéta-t-il. Tu savais. Tu savais q-que j-j-j…

Elle ne l'écoutait plus, roulée sur elle-même, les genoux remontés sur sa poitrine.

Dans un juron de rage, il sauta sur ses pieds, prêt à l'accabler d'insultes pour l'avoir si lâchement trahi, mais sa gorge se noua, sa langue se bloqua. Plus un mot ne pouvait franchir la barrière de ses lèvres.

— T… t-tu… ! bégaya-t-il, avant de renoncer.

Daphné lui jeta un regard effrayé.

— Simon ?

Il ne voulait pas cela. Il refusait qu'elle le dévisage ainsi, comme s'il était quelque créature monstrueuse. Seigneur, oh, Seigneur ! Il avait l'impression d'avoir de nouveau sept ans. Il ne pouvait pas parler. Son propre corps ne lui obéissait plus. Il était perdu.

Une expression inquiète, vaguement apitoyée, passa sur le visage de Daphné. C'était insupportable !

— Est-ce que ça va ? demanda-t-elle dans un filet de voix. Peux-tu respirer ?

— G… g-ga…

C'était bien loin du « garde ta pitié ! » qu'il aurait voulu hurler. Il lui semblait presque percevoir le regard ironique de son père, dont la seule présence lui nouait la gorge et paralysait sa langue.

— Simon ? appela-t-elle en se ruant vers lui.

L'affolement perçait à présent dans sa voix.

— Simon, dis quelque chose !

Elle fit mine de le prendre par le bras, mais il la rejeta brutalement.

— Ne me touche pas ! cria-t-il d'un trait.

Elle recula aussitôt.

— Je constate que tu peux encore prononcer certaines paroles, commenta-t-elle d'un ton infiniment triste.

Simon se détestait. Il détestait sa voix qui l'avait abandonné. Il détestait sa femme, qui possédait le pouvoir de réduire en miettes son contrôle. Ce mutisme total, cette sensation d'étranglement, d'étouffement, il avait consacré sa vie à les fuir, et voilà qu'*elle* les faisait revenir au centuple.

Il ne pouvait accepter cela. Il ne pouvait redevenir celui qu'il avait été autrefois.

Il tenta de prononcer son prénom, mais pas une syllabe ne dépassa ses lèvres.

Il devait partir. Il ne supportait pas de la regarder. Il ne tolérait pas sa présence. Sa propre présence lui était tout aussi inacceptable, mais contre cela, hélas ! il n'y avait guère de remède.

— N... ne t-t'approche p-pas de moi, bégaya-t-il en l'arrêtant d'une main, tandis que de l'autre il enfilait son pantalon. T... t-tu as fait ça !

— Quoi donc ? s'écria Daphné en s'enveloppant du drap. Simon, calme-toi et dis-moi ce que j'ai fait de mal. Tu me désirais. Tu le sais, n'est-ce pas ?

— C... c... ceci ! éructa-t-il en montrant sa gorge du doigt.

Puis, désignant le ventre de Daphné :

— Et cela !

Enfin, incapable de supporter cette scène plus longtemps, il quitta la chambre en trombe.

Si seulement, songea-t-il, il pouvait échapper à lui-même avec la même facilité !

Dix heures plus tard, Daphné trouva la note suivante :

Des affaires pressantes m'appellent dans une autre de mes propriétés. J'ose espérer que si tes tentatives pour concevoir un enfant s'avéraient fructueuses, tu m'en informerais.

Mon régisseur te transmettra mes instructions en cas de besoin.

Simon

La feuille de papier glissa des doigts de Daphné et flotta quelques instants dans les airs avant de tomber sur le parquet. La jeune femme porta la main à ses lèvres pour comprimer un sanglot de détresse, dans le vain espoir d'apaiser la violence des émotions qui déferlaient en elle.

Il l'avait quittée. Il l'avait réellement quittée ! Elle savait qu'il était en colère, et même qu'il ne lui pardonnerait peut-être pas, mais jamais elle n'avait songé qu'il s'en irait pour de bon.

Elle avait cru... Oui, même lorsqu'il était sorti précipitamment de sa chambre, elle avait cru qu'ils pourraient résoudre ce différend. À présent, elle ne savait plus.

Peut-être s'était-elle montrée trop optimiste. Non sans une certaine arrogance, elle avait pensé être capable de le guérir, de panser les blessures de son cœur. À présent, elle comprenait qu'elle avait dangereusement surestimé ses propres capacités. Elle s'était imaginé que par la seule force de son amour si pur, Simon oublierait les années de souffrance et de ressentiment qui avaient donné un sens à sa vie.

Comme elle avait manqué de modestie ! Et comme elle avait honte de sa stupidité !

Certaines choses n'étaient pas à sa portée. Elle avait mené une existence si protégée que, jusqu'à présent, elle n'en avait jamais pris conscience.

Certes, elle n'avait pas cru qu'il lui suffirait de tendre la main pour obtenir tout ce qu'elle désirait, mais elle avait toujours supposé qu'à condition de s'en donner la peine et de traiter les autres comme elle souhaitait être traitée elle-même, elle serait récompensée de ses efforts.

Cette fois-ci, ce n'était pas le cas. Elle ne pouvait rien pour Simon.

Un silence surnaturel semblait planer autour d'elle tandis que Daphné se rendait au rez-de-chaussée, dans le petit salon jaune. Les domestiques, ayant appris le départ de son mari, prenaient-ils un soin méticuleux à ne pas la croiser ? Sans doute avaient-ils entendu des bribes de leur dispute la nuit passée.

Elle poussa un soupir. Le chagrin était encore plus pénible à endurer sous le regard des autres.

Des autres qui demeuraient décidément invisibles ! songea-t-elle en tirant sur le cordon de la sonnette. Elle ne pouvait les voir mais elle savait qu'ils étaient là, murmurant dans son dos, la prenant en pitié.

Curieusement, jamais jusqu'alors elle n'avait prêté une grande attention aux ragots des domestiques. À présent, se dit-elle en s'asseyant sur le canapé, elle était désespérément seule. À quoi d'autre pouvait-elle occuper ses pensées ?

— Madame ?

Levant les yeux, elle aperçut une petite bonne qui se tenait, hésitante, sur le seuil.

— Du thé, s'il vous plaît, demanda Daphné d'un ton calme. Pas de biscuits, juste du thé.

La soubrette hocha la tête et s'enfuit.

Avec un soupir, Daphné effleura son ventre de la main. Fermant les yeux, elle formula une prière muette. Seigneur, implora-t-elle, faites qu'il y ait un enfant…

Elle n'aurait peut-être pas d'autre chance.

Daphné ne ressentait aucun scrupule d'avoir agi comme elle l'avait fait. Peut-être aurait-elle dû, mais ce n'était pas le cas !

Elle n'avait rien manigancé. Jamais elle n'avait posé les yeux sur Simon endormi en se disant : « Il est probablement encore ivre ; je vais lui faire l'amour et lui voler sa semence sans qu'il s'en aperçoive… »

Cela ne s'était pas passé ainsi.

Daphné avait oublié de quelle façon c'était arrivé, mais elle se souvenait de l'instant où elle s'était trouvée au-dessus de lui et de celui où, comprenant qu'il ne se retirerait pas à temps, elle avait fait en sorte de le retenir en elle.

Ou peut-être... Elle ferma les yeux de toutes ses forces. Peut-être était-ce le contraire. Peut-être n'avait-elle pas profité de l'instant... mais plutôt de Simon.

Elle ne savait plus. Tout était confus, à présent. Le bégaiement de Simon, le besoin désespéré qu'elle ressentait d'avoir un bébé, la haine de Simon envers son propre père... tout se mélangeait dans son esprit, de sorte qu'elle était incapable de distinguer un fait d'un autre.

Et elle était si seule !

Entendant du bruit à la porte, elle leva la tête. Elle s'attendait à voir la timide petite bonne apportant le plateau de thé, mais à sa place elle reconnut Mme Colson, les traits tirés, le regard inquiet.

Daphné adressa un faible sourire à la gouvernante.

— Je croyais que c'était la domestique, dit-elle dans un souffle.

— Comme j'avais à faire dans la pièce voisine, expliqua Mme Colson, j'en ai profité pour servir madame moi-même.

Daphné comprit qu'elle mentait, mais elle hocha tout de même la tête.

— La bonne m'a bien précisé que madame ne désirait pas de biscuits, mais je me suis permis d'en ajouter quelques-uns sur le plateau, car j'ai remarqué que madame n'avait pas mangé ce matin.

— C'est très attentionné de votre part, répondit Daphné d'une voix méconnaissable.

Son timbre lui semblait monocorde, étranger.

— Madame est trop bonne.

La gouvernante parut vouloir ajouter quelque chose, mais n'en fit rien. Se redressant, elle demanda :

— Puis-je faire autre chose pour le service de madame ?

Daphné secoua la tête.

Mme Colson se dirigea vers la porte, et l'espace d'un instant, Daphné faillit la rappeler. Elle était sur le point de la prier de s'asseoir avec elle pour prendre le thé en sa compagnie. Alors, elle lui aurait confié sa honte et son chagrin, et elle aurait laissé couler ses larmes…

Non parce qu'elle se sentait proche de la gouvernante, mais parce qu'elle n'avait personne d'autre.

Finalement, elle ne dit rien, et Mme Colson quitta la pièce.

Daphné prit un biscuit. Peut-être, songea-t-elle en mordant dedans, le temps était-il venu de rentrer chez elle.

19

La nouvelle duchesse de Hastings a été aperçue dans Mayfair aujourd'hui. Philipa Featherington, voyant la ci-devant miss Bridgerton marcher d'un pas rapide dans la rue, l'a appelée, mais lady Hastings a feint de ne pas l'entendre.

Et nous savons qu'elle faisait semblant, car tout de même, il faut être sourd pour ne pas remarquer les cris de miss Philipa Featherington !

LA CHRONIQUE MONDAINE DE LADY WHISTLEDOWN, 9 juin 1813

Les peines de cœur, apprit Daphné, ne disparaissaient jamais complètement ; tout au plus s'atténuaient-elles. La pointe acérée qui semblait vous transpercer à chaque inspiration finissait par céder la place à une douleur plus sourde – de celles que l'on pouvait presque ignorer. Presque.

Daphné avait quitté Clyvedon Castle le lendemain du départ de Simon et pris la route de Londres, bien décidée à rentrer à Bridgerton House. Puis, s'étant avisée qu'un retour au bercail apparaîtrait comme un aveu d'échec, au dernier instant elle avait ordonné au cocher de l'emmener plutôt à Hastings House. Elle serait près des siens, si elle ressentait le besoin de leur soutien et de leur solidarité, mais en tant que femme mariée, elle se devait de résider dans sa propre demeure.

Elle se présenta elle-même au personnel qui la reçut sans poser la moindre question – mais non sans une vive curiosité – et s'établit dans sa nouvelle vie d'épouse abandonnée.

Sa mère fut la première à lui rendre visite. Daphné ne s'étant pas donné la peine d'informer qui que ce soit d'autre de son retour à Londres, elle ne fut pas surprise outre mesure par son arrivée.

— Où est-il ? demanda Violet sans autre préambule.

— Je présume que vous parlez de mon époux ?

— Non, de votre grand-oncle Edmund, riposta sa mère d'un ton sec. Bien entendu, votre mari !

Évitant le regard maternel, Daphné répondit :

— Je crois qu'il s'occupe de l'une de ses propriétés à la campagne.

— Vous *croyez* ?

— Disons que je le sais, rectifia Daphné.

— Et *savez*-vous pour quelle raison vous n'êtes pas à ses côtés ?

Daphné envisagea de mentir. Elle songea à raconter crânement quelque fable où elle ferait figurer des fermiers affolés, des troupeaux malades, ou *n'importe quoi* d'autre. Puis ses lèvres se mirent à trembler, ses paupières à la brûler. D'une toute petite voix, elle avoua :

— Parce qu'il n'a pas voulu m'emmener avec lui.

Violet la prit par les mains.

— Oh, ma chérie ! s'exclama-t-elle. Que s'est-il passé ?

Daphné s'assit sur un canapé et invita sa mère à s'installer auprès d'elle.

— Plus que je ne pourrais l'expliquer.

— Voulez-vous essayer ?

Elle secoua la tête. Jamais de sa vie elle n'avait eu de secrets pour sa mère. Jamais il n'y avait eu un sujet qu'elle avait hésité à aborder avec elle…

Seulement, jamais elle ne s'était trouvée dans pareille situation !

Elle tapota la main de Violet.

— Ça va aller.

Celle-ci ne sembla pas convaincue.

— En êtes-vous certaine ?

— Non, dit Daphné en laissant son regard errer sur le plancher, mais il faut bien que je le croie.

Après le départ de Violet, Daphné posa une main sur son ventre et murmura une prière.

Le second à passer la voir fut Colin. Une semaine après la visite de sa mère, alors qu'elle rentrait d'une brève promenade dans les allées du parc, Daphné le découvrit dans son séjour, les bras croisés, l'air furieux.

— Tiens ? fit-elle en ôtant ses gants. Tu as appris mon retour.

— Que se passe-t-il, nom de nom ? grommela-t-il.

Colin, songea-t-elle avec ironie, n'avait manifestement pas hérité de la subtilité toute diplomatique de leur mère.

— Réponds ! tonna-t-il.

Elle ferma les paupières quelques instants, dans l'espoir de chasser la migraine qui la tenaillait depuis plusieurs jours. Elle n'avait pas l'intention de révéler ses tourments à Colin, ni même de lui en dire autant qu'à Violet, même s'il était sans doute déjà au courant. Les nouvelles voyageaient vite à Bridgerton House.

Daphné ne savait pas où elle trouva la force de résister, mais elle puisa un certain réconfort dans le simple fait de montrer bonne figure. Redressant les épaules, elle haussa les sourcils :

— Qu'entends-tu par là ?

— Je veux savoir, répliqua Colin entre ses dents serrées, où est ton mari ?

— Occupé ailleurs.

Une bien meilleure explication, songea-t-elle, que : « Il m'a abandonnée. »

— Daphné ! insista-t-il d'une voix aux intonations lourdes de menace.

— Tu es venu seul ? demanda-t-elle.

— Anthony et Benedict sont à la campagne ce mois-ci, si c'est ce que tu veux savoir.

Elle réprima de justesse un soupir de soulagement. Une confrontation avec son frère aîné était la dernière chose dont elle avait besoin ! Certes, elle avait réussi à l'empêcher d'occire Simon une première fois, mais elle n'était pas certaine de pouvoir renouveler cet exploit.

Colin ajouta :

— Daphné, je t'ordonne de me dire sur-le-champ où se cache ce misérable.

Elle tressaillit sous l'insulte. Si elle s'accordait le droit de traiter de tous les noms son époux, elle ne tolérait pas que son frère se permette les mêmes libertés.

— Je présume, rétorqua-t-elle d'un ton glacial, que le terme « misérable » se réfère à mon mari ?

— Tu vas me dire immédiatement…

— Je vais surtout te prier de partir d'ici, l'interrompit-elle.

Colin la dévisagea comme s'il venait de lui pousser des cornes.

— Pardon ?

— Je n'ai aucune envie de discuter de ma vie conjugale avec toi. Si tu ne peux pas t'empêcher de donner un avis que personne n'a sollicité, il est préférable que tu t'en ailles.

— Tu ne peux pas me demander une chose pareille ! s'exclama-t-il, incrédule.

Elle croisa les bras sur sa poitrine.

— Je suis chez moi.

Colin la scruta longuement, puis il parcourut la pièce – le salon de la duchesse de Hastings – d'un regard stupéfait avant de la fixer de nouveau, comme s'il venait seulement de prendre conscience que sa petite sœur était devenue une femme libre.

Il s'approcha d'elle et prit sa main.

— Daph', déclara-t-il calmement. Je vais te laisser régler ceci comme tu l'entends.

— Merci.

— *Pour l'instant,* précisa-t-il. Ne crois pas que je tolérerai longtemps cette situation.

Il n'en aurait pas besoin, songea Daphné une demi-heure plus tard, alors que Colin quittait l'hôtel particulier. Son attente ne durerait pas indéfiniment. Dans deux semaines, elle saurait.

Chaque matin, Daphné se réveillait en retenant son souffle. Bien avant le premier jour prévu de son cycle, déjà, elle murmurait une brève prière puis, se mordant les lèvres, soulevait les couvertures d'une main tremblante pour voir si elle avait perdu du sang.

Et chaque matin, elle ne voyait que les draps d'une blancheur immaculée.

Une semaine après la date fatidique, elle commença à entrevoir une lueur d'espoir. Mais son cycle n'avait jamais été très régulier. Il pouvait encore arriver n'importe quand. Tout de même, *jamais* il n'avait pris un tel retard...

Une autre semaine passa. À présent, elle s'éveillait le sourire aux lèvres, veillant sur son secret comme sur le plus précieux des trésors. Elle n'était pas encore prête à le partager avec qui que ce soit – ni avec sa mère, encore moins avec ses frères, et certainement pas avec Simon.

Elle ne ressentait pas une grande culpabilité à l'idée de priver ce dernier de la bonne nouvelle. Ne l'avait-il pas privée de sa semence ? En outre, elle craignait une réaction violemment négative de sa part, et elle n'avait aucune envie qu'il ruine ce bonheur par une explosion de colère. Toutefois, elle adressa un billet à son régisseur pour qu'il lui indique la nouvelle adresse de Simon.

À la fin de la troisième semaine, sa conscience finalement l'emporta. Daphné s'installa à son secrétaire pour écrire à Simon.

Hélas ! Elle était occupée à faire sécher la cire à cacheter sur l'enveloppe lorsque Anthony, de retour de son séjour campagnard, effectua une entrée fracassante dans la pièce. Daphné se trouvait à l'étage, dans ses appartements privés, où elle n'était *pas* supposée recevoir de visiteurs. Elle préféra ne pas songer au nombre de domestiques qu'Anthony avait molestés sur son passage.

Il paraissait furieux. Daphné était consciente de commettre une erreur en le provoquant, mais son frère avait toujours eu le don de la rendre sarcastique.

— Que fais-tu ici ? N'ai-je pas un majordome ?

— Tu *avais* un majordome, rectifia Anthony.

— Diable !

— Où est-il ?

— Pas ici, comme tu peux le constater.

À quoi bon prétendre ignorer de qui il parlait ?

— Je vais le tuer.

Daphné se leva, agacée.

— Certainement pas !

Les poings sur les hanches, Anthony se pencha vers elle pour la transpercer d'un regard meurtrier.

— J'ai posé une condition à Hastings avant qu'il t'épouse, si tu t'en souviens.

Elle secoua la tête.

— Je lui ai rappelé que je n'aurais pas hésité à le tuer pour avoir ruiné ta réputation. Que le Ciel lui vienne en aide s'il te brisait le cœur !

— Il n'a rien fait de cela, Anthony, répondit-elle en posant une main sur son ventre. C'est même exactement le contraire.

Elle ne sut jamais s'il avait été surpris par ces paroles, car elle le vit poser les yeux sur son secrétaire, puis froncer les sourcils.

— Qu'est-ce que c'est ?

Suivant son regard, elle aperçut la pile des brouillons de la lettre destinée à Simon.

— Rien du tout, répliqua-t-elle en retournant à la table pour s'emparer des pièces à conviction.

— Tu lui écris ?

Le visage déjà menaçant d'Anthony prit une expression effrayante.

— Et pour l'amour du Ciel, ne me mens pas ! J'ai vu son nom en haut du papier.

Daphné froissa les feuillets raturés et les jeta dans la corbeille sous le bureau.

— Ce ne sont pas tes affaires.

Anthony loucha sur le panier comme s'il envisageait de plonger sous le secrétaire pour s'emparer des lettres. Finalement, posant les yeux sur Daphné, il se contenta de déclarer :

— Je ne le laisserai pas s'en sortir à si bon compte.

— Anthony, cela ne te regarde pas.

Il ne se donna pas la peine de répondre.

— Je le retrouverai, sois-en certaine. Je le débusquerai, et je l'abatt…

— Oh, assez ! s'impatienta Daphné. Il s'agit de *mon* couple, Anthony, pas du tien. Si tu te mêles de ma vie privée, je te préviens, je ne t'adresserai plus jamais la parole.

Son regard était si ferme, son ton si résolu qu'Anthony perdit un peu de sa superbe.

— Très bien, marmonna-t-il. Je l'épargnerai…

— Comme c'est magnanime ! commenta-t-elle, sarcastique.

— … mais je le retrouverai, poursuivit-il d'une voix vibrante de colère, et je lui signifierai clairement ma désapprobation.

Un seul regard suffit à Daphné pour comprendre qu'il était sincère.

— Très bien, dit-elle en prenant la lettre qu'elle avait glissée dans un tiroir. Tu lui apporteras ceci.

— Entendu.

Il tendit la main, mais Daphné recula d'un pas.

— À la condition expresse que tu me fasses deux promesses.

— À savoir ?

— En premier lieu, que tu ne la liras pas.

Le seul fait qu'elle l'en croie capable parut le vexer mortellement.

— Épargne-moi tes airs vertueux, se moqua-t-elle. Je te connais, Anthony Bridgerton. Je sais que tu t'empresserais de la lire si tu espérais y arriver sans te faire pincer.

Anthony lui lança un regard furibond.

— Je sais également, enchaîna-t-elle, que tu ne briserais pas une promesse formulée sans la moindre ambiguïté. J'attends, Anthony.

— Allons, Daph', est-ce bien nécessaire ?

— Promets ! ordonna-t-elle.

— C'est bon, grommela-t-il. Je promets.

— Parfait.

Elle lui confia la lettre, qu'il couva d'un regard brillant de convoitise.

— En second lieu, ajouta-t-elle d'une voix sonore pour attirer son attention, tu dois t'engager à ne pas lui faire de mal.

— Dis donc, attends un instant ! s'impatienta Anthony. Tu m'en demandes beaucoup trop !

Elle tendit la main.

— Alors rends-moi cette lettre.

Il cacha aussitôt le pli derrière son dos.

— Tu me l'as déjà donnée.

Elle lui décocha un sourire suffisant.

— Oui, mais pas l'adresse.

— Je peux l'obtenir, répliqua-t-il.

— Non, et tu le sais. Il possède je ne sais combien de domaines ; il te faudrait plus d'une semaine pour déterminer dans lequel il se trouve.

— Ah, ah ! s'écria Anthony, triomphant. Alors il est dans une de ses propriétés. Ma chère, tu viens de me livrer un indice essentiel dans ce jeu.

— C'est un *jeu* ? s'exclama Daphné, stupéfaite.
— Allons, sœurette, dis-moi où il se cache.
— Pas tant que tu n'auras pas donné ta parole. Pas de violence, Anthony.
Elle croisa les bras.
— Et ce n'est pas négociable, ajouta-t-elle.
— C'est bon, maugréa Anthony.
— Dis-le.
— Tu es dure en affaires, Daphné Bridgerton.
— C'est Daphné Basset, et j'ai été à bonne école.
— Je promets… commença-t-il du bout des lèvres.
Son élocution manquait singulièrement de conviction.
— Cela ne me suffit pas.
Décroisant les bras, elle dévida de sa main droite un rouleau invisible, comme pour faire jaillir les paroles de la bouche de son frère.
— Je promets… de ne pas…
— Je promets de ne pas lever la main sur la triple buse qui te tient lieu de mari, marmonna Anthony. Là, es-tu satisfaite ?
— Tout à fait, approuva-t-elle.
Ouvrant un tiroir, elle en sortit la lettre qu'elle avait reçue quelques jours auparavant de la part du régisseur de Simon, et sur laquelle figurait l'adresse de ce dernier.
— Voilà.
Anthony la lui arracha des mains d'un geste aussi dénué d'élégance que de respect. Il baissa les yeux, parcourut le feuillet d'un regard rapide, puis déclara :
— Je serai de retour dans quatre jours.
— Tu pars aujourd'hui ? s'étonna Daphné.
— J'ignore combien de temps je pourrai brider mes pulsions meurtrières, rétorqua-t-il avec des intonations traînantes.
— Alors je t'en conjure, dépêche-toi ! l'exhorta Daphné.
Anthony ne se le fit pas répéter.

— Donnez-moi une bonne raison, une seule, de ne pas vous étriper sur-le-champ, Hastings !

Simon leva les yeux de son bureau. Sur le seuil de son cabinet de travail, se tenait un Anthony Bridgerton couvert de poussière et manifestement fou de rage.

— Moi aussi, je suis ravi de vous retrouver, Anthony, murmura-t-il.

L'intéressé entra dans la pièce avec la délicatesse d'une tornade, posa ses paumes sur le plateau de la table et se pencha d'un air menaçant.

— Pourriez-vous m'expliquer pourquoi ma sœur se trouve à Londres, passant toutes ses soirées à pleurer, pendant que vous êtes dans le…

Il regarda autour de lui en fronçant les sourcils.

— Où sommes-nous, au fait ?

— Dans le Wiltshire, répondit Simon.

— Pendant que vous êtes dans le Wiltshire, jouant les ermites dans cette propriété sans importance ?

— Daphné est à Londres ?

— On pourrait penser, grommela Anthony, qu'un mari sait ce genre de choses.

— On pourrait penser beaucoup de choses, marmonna Simon, et dans l'ensemble, on se tromperait.

Voilà deux mois qu'il avait quitté Clyvedon. Deux mois que, plongeant les yeux dans ceux de Daphné, il avait été frappé de mutisme. Deux longs mois de solitude absolue.

Il s'étonnait sincèrement qu'elle eût attendu si longtemps pour reprendre contact avec lui, même si elle avait préféré passer par l'intermédiaire de ce frère aîné aux manières agressives. Il ne savait exactement pourquoi, mais il aurait cru qu'elle se manifesterait plus tôt, ne serait-ce que pour le harceler. Daphné n'était pas le genre de femme à ruminer ses contrariétés en silence. En vérité, il n'aurait pas été surpris qu'elle se lance à sa poursuite pour l'accabler d'interminables reproches.

Et pour tout avouer, après environ un mois, il avait même commencé à espérer qu'elle le ferait.

— Je vous arracherais la tête, tonna Anthony, si je n'avais pas promis à Daphné de ne pas lever la main sur vous.

— Gageons que cela n'a pas été un engagement facile à prendre, commenta Simon.

Croisant les bras, Anthony darda sur lui un regard noir.

— Ni à respecter, ajouta-t-il.

Simon s'éclaircit la gorge. Comment demander des nouvelles de Daphné sans se trahir ? Elle lui manquait terriblement. Il s'était comporté comme le dernier des imbéciles, et son absence lui était insupportable. Il regrettait son rire, son parfum, et cette façon qu'elle avait, au beau milieu de la nuit, d'enrouler ses jambes autour des siennes.

Il avait l'habitude de la solitude, mais jamais il n'en avait autant souffert.

— Daphné vous envoie me chercher ? s'enquit-il finalement.

— Non.

Anthony porta une main à sa poche et en sortit une petite enveloppe de vélin qu'il déposa sur le bureau dans un claquement sec.

— Elle cherchait quelqu'un pour vous apporter ceci.

Simon considéra le pli avec un sentiment d'horreur croissante. Cela ne pouvait avoir qu'une signification. Il essaya de formuler une réponse neutre, comme « Je vois », mais sa gorge se noua.

— Je l'ai assurée que je me ferais une joie d'être son messager, poursuivit Anthony, sarcastique.

Simon l'ignora. Il tendit une main vers l'enveloppe, en espérant qu'Anthony ne remarquerait pas le tremblement qui agitait ses doigts.

En vain.

— Bon sang, que vous arrive-t-il ? demanda Anthony d'un ton rogue. Vous avez une mine épouvantable.

Simon prit l'enveloppe d'un geste sec et la ramena à lui.

— Pour moi aussi, c'est toujours un plaisir de vous retrouver, parvint-il à répliquer.

Anthony le considéra, visiblement partagé entre la colère et l'inquiétude. Il toussota plusieurs fois, avant de s'enquérir, avec une douceur inattendue :

— Seriez-vous souffrant ?

— Bien sûr que non.

Anthony pâlit.

— Alors, c'est Daphné ?

Simon redressa brusquement la tête.

— Pas à ma connaissance, pourquoi ? A-t-elle l'air malade ? Aurait-elle... ?

— Non, elle semble en parfaite santé.

Une lueur de curiosité brilla dans l'œil d'Anthony.

— Simon, reprit-il finalement, que faites-vous ici ? Manifestement, vous l'aimez. Et aussi incompréhensible que cela soit à mes yeux, elle paraît également très éprise de vous.

Simon pressa ses doigts contre ses tempes dans l'espoir d'en chasser la migraine qui le tenaillait depuis des jours.

— Il y a certaines choses que vous ignorez, dit-il, épuisé, en fermant les yeux sous les assauts de la douleur. Des choses que vous ne pourriez pas comprendre.

Une longue minute silencieuse passa. Enfin, alors que Simon rouvrait les paupières, Anthony s'écarta du bureau et retourna vers la porte.

— Je ne vous ramènerai pas de force à Londres, dit-il à voix basse. Je devrais, mais je ne le ferai pas. Daphné doit être certaine que vous rentrez pour elle, pas parce que son frère aîné braque un pistolet entre vos omoplates.

Simon faillit rétorquer que c'était pourtant sous une telle menace qu'il l'avait épousée, mais il se mordit la langue. Ce n'était pas vrai. Pas tout à fait, du moins. Dans une autre vie, c'est lui qui aurait supplié Daphné à genoux de lui accorder sa main...

— Sachez néanmoins, poursuivit Anthony, que l'on commence à jaser. Daphné est rentrée seule à Londres, tout juste quinze jours après votre mariage hâtif. Elle fait bonne figure, mais elle doit souffrir. Personne n'est réellement venu la narguer, mais on ne peut pas supporter indéfiniment la pitié des autres, aussi bien intentionnée soit-elle. Et cette peste de Whistledown ne s'est pas privée de la citer dans ses colonnes.

Simon tressaillit. Il n'était pas en Angleterre depuis très longtemps, mais suffisamment pour avoir compris la capacité de nuisance de la fictive lady Whistledown.

Anthony laissa échapper un juron de mépris.

— Consultez un médecin, Hastings. Et allez retrouver votre femme.

Sur ce, il s'en alla à grandes enjambées.

Simon regarda longuement la lettre qu'il tenait entre ses mains. L'irruption d'Anthony avait été un choc, et le fait de savoir que celui-ci n'avait quitté Daphné que depuis peu l'avait empli de nostalgie.

Bon sang, il n'avait pas prévu qu'elle lui manquerait autant !

Cela ne signifiait pas, toutefois, qu'il n'était plus fâché contre elle. Elle lui avait volé ce qu'il ne pouvait absolument pas lui offrir. Il ne voulait pas d'enfant. Il le lui avait dit. Elle le savait en l'épousant. Elle avait trahi sa confiance.

Quoique… En était-il certain ? Il frotta ses paupières douloureuses et son front en essayant de convoquer les souvenirs de cette nuit désastreuse. C'était indiscutable, Daphné avait pris l'initiative de le séduire, mais il s'entendait encore la supplier de continuer. Il n'aurait jamais dû encourager une étreinte dont il savait qu'il ne pourrait l'interrompre quand il le déciderait !

Au demeurant, la probabilité qu'elle soit enceinte était faible, se dit-il pour se rassurer. Sa propre mère n'avait-elle pas attendu plus de dix ans pour mettre au monde son unique enfant vivant ?

Le soir, seul dans son lit, il s'avouait la vérité. Il n'avait pas fui parce que Daphné lui avait désobéi, ou par crainte qu'elle ne porte un bébé.

Il était parti parce qu'il n'avait pas supporté ce qu'elle avait fait de lui. En sa présence, il avait recommencé à bégayer et à bafouiller comme le gamin qu'il avait été autrefois. Elle lui avait fait perdre l'usage de la parole, ravivant cette effrayante impression d'étouffement, ainsi que l'horreur d'être incapable d'exprimer ce qu'il ressentait.

Il se remémora l'époque où il la courtisait – où il *feignait* de la courtiser, songea-t-il avec un sourire nostalgique – et se rappela combien cela était facile d'être en sa compagnie, de discuter avec elle. Ses souvenirs étaient cependant ternis par la conclusion de toute cette histoire, dans la chambre de Daphné, en ce matin de cauchemar où il s'était réveillé, la langue paralysée et la gorge nouée.

Comme il détestait celui qu'il avait été en cet instant !

Alors il s'était réfugié dans l'une de ses villégiatures – en tant que duc, il en possédait un certain nombre. Celle-ci se trouvait dans le Wiltshire, c'est-à-dire, avait-il estimé, pas trop loin de Clyvedon. Il pouvait être de retour en un jour et demi en chevauchant à bride abattue. Ce n'était pas vraiment une fuite, n'est-ce pas, s'il pouvait revenir aussi facilement ?

À présent, il allait probablement devoir rentrer.

Prenant une profonde inspiration, il saisit son coupe-papier et fendit l'enveloppe, dont il retira un simple feuillet. Il le parcourut du regard.

Simon,

Mes tentatives, comme tu les appelles, ont été couronnées de succès. Afin de me rapprocher de ma famille, je me suis installée à Londres, où j'attends tes directives.

Bien à toi,

Daphné

Simon ne sut jamais combien de temps il demeura assis à son bureau, le souffle coupé, la feuille de vélin entre ses doigts. Puis, tout à coup, un courant d'air le chatouilla, ou peut-être est-ce la lumière qui avait changé, ou bien y eut-il un craquement quelque part dans la maison… Toujours est-il que quelque chose le tira de sa rêverie. Il bondit sur ses pieds, traversa le hall en trombe et appela le majordome.

— Faites préparer l'attelage ! tonna-t-il. Je pars pour Londres !

20

Le mariage de la saison semble avoir fait long feu. La duchesse de Hastings, anciennement miss Bridgerton, est rentrée à Londres voici maintenant deux mois, et votre dévouée chroniqueuse n'a toujours pas vu l'ombre de son nouvel époux, le duc.

La rumeur affirme que celui-ci a disparu de Clyvedon, où le couple, du temps de son bonheur, avait choisi de passer sa lune de miel. En vérité, votre dévouée chroniqueuse n'a rencontré personne qui prétende savoir où il se trouve – si la duchesse le sait, elle ne le dit pas, et en outre on a rarement l'occasion de lui poser la question, car elle fuit la société, à l'exception de sa nombreuse famille.

C'est bien entendu le rôle, et même le devoir, de votre dévouée chroniqueuse que de spéculer sur les raisons d'une telle rupture, mais nous devons avouer que même nous, nous sommes déconcertée. Ils semblaient tellement épris l'un de l'autre !

La Chronique mondaine de lady Whistledown,
2 août 1813

Le voyage de Simon dura deux jours, soit deux jours en tête à tête avec ses ruminations. Simon avait apporté quelques livres pour la route dans l'espoir de se distraire de l'ennui du trajet, mais ceux qu'il avait réussi à ouvrir étaient restés sur ses genoux, sans qu'il en lise une seule ligne.

Il avait bien du mal à ne pas penser à Daphné…

Et encore plus à chasser de son esprit la perspective d'être père !

Une fois à Londres, il donna l'ordre au cocher de l'emmener directement à Bridgerton House. Il était couvert de la poussière du voyage, et il aurait sans doute eu bien besoin de se changer, mais après deux interminables journées à se préparer à retrouver Daphné, il ne voyait pas l'intérêt de prolonger son supplice.

À destination, une surprise l'attendait. Daphné n'était pas là !

— Comment, la duchesse n'est pas ici ? demanda-t-il d'une voix menaçante, totalement indifférent au fait que le majordome n'avait rien fait pour s'attirer ses foudres. Que voulez-vous dire ?

Ce dernier fit la grimace.

— Je veux dire, monsieur, répondit-il sans aménité, que lady Hastings ne réside pas ici.

— J'ai une lettre de ma femme…

Simon glissa la main dans sa poche, mais la maudite enveloppe ne s'y trouvait pas.

— Eh bien, j'ai quelque part une lettre de ma femme, maugréa-t-il, dans laquelle celle-ci m'informe en termes explicites qu'elle s'est installée à Londres.

— C'est le cas, monsieur.

— Alors où diable se trouve-t-elle ? tonna-t-il.

Le majordome arqua imperceptiblement un sourcil.

— Madame est à Hastings House, monsieur.

Simon se mordit les lèvres. Quoi de plus humiliant que de se faire clouer le bec par un domestique ?

— N'est-elle pas, poursuivit ce dernier d'un air secrètement ravi, l'épouse de *monsieur*, à présent ?

Simon le fusilla du regard.

— Vous ne manquez pas d'assurance !

— C'est bien possible, monsieur.

Simon lui décocha un bref hochement de tête – il ne parvenait pas à remercier l'audacieux majordome – et s'en alla à grands pas, furieux de s'être ridiculisé.

Bien sûr, Daphné était allée à Hastings House ! Elle ne l'avait pas *quitté,* après tout. Elle avait seulement voulu se rapprocher de sa famille.

S'il avait pu se botter les fesses, songea-t-il en retournant à son attelage, il l'aurait fait !

Une fois sur la banquette, il poussa un nouveau soupir d'exaspération. Il habitait juste de l'autre côté de Grosvenor Square. Il aurait eu plus vite fait de traverser à pied cette fichue place !

Au demeurant, il n'y avait aucune urgence, comprit-il lorsque, ayant ouvert à la volée la porte de Hastings House et traversé le hall en trombe, il s'aperçut que sa femme n'était pas à la maison.

— Madame est partie se promener à cheval, expliqua Jeffries.

Simon dévisagea son majordome, incrédule.

— À cheval ? répéta-t-il.

— Exactement, monsieur. À cheval.

Simon se demanda un instant quelle était la peine légale encourue pour strangulation de majordome.

— Où est-elle allée ? questionna-t-il d'un ton sec.

— Dans Hyde Park, je crois, monsieur.

Le cœur de Simon se mit à cogner violemment dans sa poitrine. Daphné pratiquait encore l'équitation ? Avait-elle perdu la raison ? Elle était enceinte, nom de nom ! Même *lui,* il savait que les femmes dans son état ne devaient pas monter !

— Faites seller un cheval, ordonna-t-il. Sur-le-champ !

— Monsieur a-t-il une préférence ? s'enquit Jeffries.

— Le plus rapide, répliqua Simon. Dépêchez ! Ou plutôt, non. Je m'en charge.

Sur ce, il pivota sur ses talons et sortit à grandes enjambées.

À mi-chemin des écuries, son inquiétude se transforma en peur panique, et il s'élança au pas de course.

Chevaucher en amazone était moins commode que de monter à califourchon, songea Daphné.

À la campagne, adolescente, elle empruntait les culottes de Colin pour suivre ses frères dans leurs folles cavalcades. Leur mère manquait se trouver mal chaque fois qu'elle la voyait rentrer couverte de boue, et la plupart du temps ornée d'un bleu aux proportions impressionnantes, mais Daphné n'en avait cure. De même, elle se moquait éperdument de savoir où allaient ses frères. Tout ce qui comptait, c'était d'aller vite.

En ville, où elle ne pouvait pas porter de pantalon, elle en était réduite à monter en amazone, sur une selle pour dame. Toutefois, en sortant suffisamment tôt, à l'heure où le beau monde paressait encore au lit, et à condition de choisir les coins les plus reculés de Hyde Park, elle pouvait se pencher sur sa monture pour la lancer au galop. Le vent défaisait son chignon, projetant dans ses yeux des mèches folles qui la faisaient pleurer, mais en ces instants magiques, elle oubliait tout.

Au dos de sa jument préférée, chevauchant à travers champs, elle éprouvait un intense sentiment de liberté. Elle ne connaissait pas de meilleur remède pour un cœur brisé !

Une fois de plus, elle avait semé son valet, feignant de ne pas l'entendre lorsqu'il s'était écrié :

— Madame ! Madame la duchesse !

Elle n'aurait qu'à prendre un air désolé quand il la retrouverait… À Bridgerton House, le personnel était habitué à ses lubies et connaissait son agilité à cheval. Cet homme, qui appartenait à la maison de son époux, devait sûrement s'inquiéter pour elle.

Daphné ressentit un pincement de culpabilité, qui ne dura guère. Elle avait besoin de solitude. Elle avait besoin de vitesse !

Elle ralentit l'allure en parvenant sous la fraîcheur des arbres pour humer avec délices les senteurs automnales. Fermant les paupières, elle s'imprégna des parfums et des bruissements du sous-bois. Elle se rappela ce que lui avait dit un aveugle qu'elle avait rencontré un jour, et qui lui avait affirmé que sa cécité avait affiné ses autres sens. Assise sur sa monture, enveloppée par les fragrances de bois et d'humus, elle songea qu'il devait avoir raison.

Elle tendit l'oreille. D'abord, elle entendit le chant haut perché des passereaux. Puis elle distingua le sautillement des écureuils en quête de noisettes à stocker pour l'hiver. Ensuite…

Fronçant les sourcils, elle rouvrit les yeux, contrariée. Peste ! Ce trot était bel et bien celui d'un autre cheval qui approchait.

Daphné ne voulait pas de compagnie. Elle désirait être seule avec ses pensées et sa douleur, et elle n'avait pas la moindre envie d'expliquer à l'un de ses pairs, aussi bien intentionné soit-il, la raison de sa présence ici. Elle écouta de nouveau pour savoir d'où provenait l'importun et fit tourner sa jument dans la direction opposée.

Elle maintint celle-ci à un pas régulier. Si elle ne barrait pas le passage à l'autre cavalier, il la dépasserait probablement sans se soucier d'elle.

Hélas ! se dit-elle quelques instants plus tard. Quelle que soit l'allée qu'elle empruntait, celui-ci semblait déterminé à la suivre…

Talonnant sa monture, elle prit de la vitesse. Elle chevauchait à présent bien plus vite qu'elle n'aurait dû dans cette zone boisée du parc, où abondaient les branches basses et les racines sortant du sol, mais elle était soudain inquiète. Son cœur battait si fort qu'elle en était assourdie, tandis que d'horribles interrogations défilaient dans son esprit.

Et si le cavalier n'était pas, comme elle l'avait cru, un membre de la bonne société ? Il pouvait très bien s'agir d'un criminel, ou d'un ivrogne ! À cette heure matinale, le parc était désert. Si elle appelait à l'aide, qui l'entendrait ? Son valet était-il à portée d'oreille ? Était-il resté là où elle l'avait laissé, ou avait-il tenté de la suivre ? Dans ce cas, était-il au moins parti dans la bonne direction ?

Son valet? Mais bien sûr! Elle faillit laisser échapper un soupir de soulagement. Il ne pouvait s'agir que de lui! Elle ralentit l'allure et se retourna dans l'espoir d'apercevoir son poursuivant. La livrée de la maison Hastings était d'un rouge facile à reconnaître. Elle saurait vite si…

Bam!

Il lui sembla que tout son corps se vidait de son air : une branche basse venait de la frapper en plein milieu de la poitrine. Un son étranglé jaillit de ses lèvres, tandis que sa jument continuait d'avancer, sans elle. Elle s'aperçut alors qu'elle tombait… tombait…

Sa chute lui parut durer une éternité.

Puis elle s'abattit sur le sol dans un bruit mat, effrayant, sur le maigre tapis de feuilles rougies par l'automne. Dans un réflexe, elle se roula en boule. Comme si, en devenant la plus petite possible, elle pouvait faire en sorte que la douleur soit elle aussi la plus petite possible…

Car elle souffrait, bonté divine! Elle souffrait comme une damnée! Fermant les paupières, elle s'efforça d'apaiser sa respiration. Un chapelet de blasphèmes lui vint à l'esprit, que son éducation lui interdit évidemment de proférer à haute voix. Mais Dieu qu'elle avait mal! Même le contact de l'air dans ses poumons la mettait au supplice.

Il le fallait, pourtant.

Respire, Daphné! s'exhorta-t-elle. Inspire. Expire. Tu vas y arriver…

— Daphné!

— Simon? murmura-t-elle, incrédule.

La soudaine apparition de Simon était parfaitement improbable, mais c'était pourtant sa voix. Elle ne le voyait pas, n'ayant pas encore réussi à soulever les paupières, mais elle le *percevait*. Lorsqu'il était là, un changement subtil s'opérait dans l'atmosphère…

Une main légère la parcourut, sans doute à la recherche d'une éventuelle blessure. La main de Simon.

— Dis-moi où tu as mal.

— Partout, répondit-elle dans un souffle.

Elle l'entendit grommeler, mais son toucher demeura si doux, si apaisant que c'en était presque insoutenable.

— Ouvre les yeux, ordonna-t-il d'une voix tendue. Regarde-moi.

Elle secoua la tête.

— Je n'y arrive pas.

— Si, tu le peux !

Elle distingua le froissement de ses gants qu'il ôtait, puis elle perçut la chaleur de ses doigts sur ses tempes et s'apaisa aussitôt sous le léger massage qu'il lui prodigua. Il passa ensuite à ses sourcils, puis au point situé entre ses yeux.

— Chut ! murmura-t-il. Laisse-toi faire. La douleur va s'en aller. Ouvre les yeux, Daphné.

Lentement, au prix d'un effort considérable, elle souleva les paupières. Le visage de Simon apparut, emplissant son champ de vision. L'espace d'un instant, elle oublia tous leurs griefs pour ne garder que l'amour qu'elle lui vouait. Elle l'aimait. Il était là. Il était en train de chasser la douleur.

— Regarde-moi, répéta-t-il d'une voix grave et pénétrante. Regarde-moi et ne me quitte plus des yeux.

Elle approuva d'un imperceptible hochement de tête et obéit. Hypnotisée par la puissance qui émanait de lui, elle demeura immobile.

— Maintenant, je veux que tu te détendes.

Sa voix était douce mais impérieuse, et cela était exactement ce dont Daphné avait besoin. Tout en parlant, il avait recommencé à la palper, à la recherche de fractures ou d'entorses.

Pas un instant il ne détacha ses yeux des siens.

Simon continua de parler à Daphné pendant qu'il l'examinait pour s'assurer qu'elle n'avait pas été blessée. À l'exception de quelques belles contusions et de sa difficulté à respirer, elle ne semblait pas avoir trop souffert, mais on n'était jamais trop prudent, et avec le bébé…

Il crut que son cœur allait s'arrêter de battre. Dans son affolement, il avait presque oublié la petite vie qu'elle portait. Son enfant.

Leur enfant !

— Daphné ? s'enquit-il avec prudence. Comment te sens-tu ?

Elle hocha la tête.

— As-tu encore mal ?

— Un peu, répondit-elle d'une voix étranglée en battant des cils, mais ça va déjà mieux.

— Tu en es sûre ?

Elle acquiesça de nouveau.

— Bon, dit-il très calmement.

Il demeura silencieux quelques instants… avant de hurler de toute la force de ses poumons :

— *Alors peux-tu me dire, nom de nom, quelle mouche t'a piquée ?*

Daphné le regarda, bouche bée, et se mit à battre des cils. Un son étranglé jaillit de ses lèvres, qui aurait pu devenir un mot intelligible s'il avait cessé de vociférer :

— Que diable faisais-tu ici, sans escorte ? Et pourquoi as-tu lancé ta monture au galop sur un terrain aussi accidenté ?

Il fronça furieusement les sourcils.

— Et, au nom du Ciel, que fabriques-tu sur un cheval ?

— Je me promenais, répondit-elle d'une petite voix.

— Sans te soucier de l'enfant ? Tu n'as pas pensé une seule seconde à sa sécurité !

— Simon ! protesta-t-elle faiblement.

— Une femme enceinte ne devrait pas s'approcher à moins de dix pas d'un cheval !

Elle leva vers lui un regard las.

— Que t'importe ? Tu ne voulais pas de ce bébé.

— Non, en effet, mais maintenant qu'il est là, je refuse que tu l'*assassines* !

— Eh bien, rassure-toi.

Elle se mordit brièvement la lèvre inférieure, avant d'ajouter :

— Il n'est pas là.

Simon ouvrit des yeux ronds de surprise.

— Que veux-tu dire ?

Elle détourna les yeux.

— Je ne suis pas enceinte.

— Tu n'es pas…

Il ne put finir sa phrase. Une émotion qu'il n'aurait su nommer l'envahit soudain. Ce n'était certainement pas de la déception… mais il n'en aurait pas juré.

— Tu m'as menti ? demanda-t-il dans un souffle.

Elle secoua vigoureusement la tête et s'assit.

— Non ! s'écria-t-elle. Non, je n'ai jamais fait cela, je te le jure ! J'ai cru que je portais un enfant. Je l'ai sincèrement cru. Et puis… Et puis…

Elle étouffa un sanglot et ferma les yeux comme pour refouler des larmes. Repliant les jambes sur sa poitrine, elle posa le front contre ses genoux.

Simon ne l'avait jamais vue en proie à un tel chagrin. Il la contempla, furieux de sa propre impuissance. Sa seule envie était de l'aider à se sentir mieux, et le fait de se savoir responsable de ses souffrances ne le réconfortait guère.

— Et puis quoi, Daphné ?

Elle leva enfin vers lui un regard agrandi par la détresse.

— Je ne sais pas… Je crois que je désirais tellement cet enfant que j'en ai interrompu mon cycle. Si tu savais comme j'ai été heureuse pendant un mois !

Elle laissa échapper un soupir saccadé qui ressemblait à s'y méprendre à un sanglot.

— J'ai attendu, par prudence. J'avais préparé tout ce qu'il me fallait, au cas où mon cycle reviendrait, mais rien ne se passait.

Ses lèvres tremblèrent tandis qu'elle esquissait un petit sourire ironique.

— Jamais de ma vie je n'avais connu un tel bonheur, parce qu'il ne se passait rien !

Il fronça les sourcils.

— As-tu eu des nausées ?

Elle secoua la tête.

— J'étais exactement comme d'habitude, sauf que mon cycle ne venait pas. Et puis, il y a deux jours…

Simon posa les doigts sur les siens.

— Je suis désolé, Daphné.

— Non, tu ne l'es pas, répliqua-t-elle en retirant brusquement sa main. Ne fais pas semblant d'avoir de la peine. Et je t'en conjure, ne me mens plus jamais. Tu n'as jamais voulu de cet enfant.

Elle laissa échapper un petit rire sans joie.

— *Cet* enfant ? Ma parole, je parle comme s'il existait vraiment. Comme s'il avait été autre chose que le produit de mon imagination…

Elle baissa les yeux avant d'ajouter, d'une voix brisée :

— Et de mes rêves.

Simon dut s'y reprendre à trois fois avant de réussir à articuler :

— Je déteste te voir aussi malheureuse.

Elle leva vers lui un regard où se mêlaient les regrets et l'incrédulité.

— Comment voudrais-tu qu'il en soit autrement ?

— Je… je… je…

Il déglutit dans l'espoir de détendre sa gorge nouée par l'émotion, et les mots jaillirent tout droit de son cœur.

— Je veux que tu reviennes.

Daphné ne répondit pas. Il lui adressa une prière muette pour qu'elle dise quelque chose, mais elle garda le silence. Il réprima un geste d'humeur. Manifestement, elle attendait qu'il se montre plus persuasif !

— Quand nous avons eu cette querelle, reprit-il avec lenteur, j'ai perdu le contrôle de moi-même. Je… je ne pouvais plus parler.

Il ferma les yeux tandis que ses mâchoires se contractaient douloureusement. Enfin, après un long soupir, il avoua :

— Je ne me supporte pas moi-même, dans ces moments-là.

Daphné redressa la tête en haussant les sourcils, surprise.

— C'est pour cela que tu es parti ?

Il acquiesça.

— Ce n'est pas à cause de... ce que j'ai fait ? s'enquit-elle.

Il soutint fermement son regard.

— Cela, je ne l'ai pas apprécié.

— Mais ce n'est pas pour cette raison que tu es parti ? insista-t-elle.

Simon attendit un bref instant avant de répondre :

— Ce n'est pas pour cela.

Daphné resserra les bras autour de ses genoux et réfléchit à ses paroles. Dire que pendant tout ce temps, elle avait cru qu'il l'avait abandonnée parce qu'il la détestait, qu'il haïssait ce qu'elle avait fait, alors qu'en réalité, c'était contre lui-même qu'était tournée sa colère !

— Tu sais, je ne ressens aucun mépris pour toi quand tu bégaies, dit-elle très doucement.

— Moi, si.

Elle hocha la tête, pensive. Quoi d'étonnant à cela ? Il était si fier, si entêté ! Et la bonne société ne jurait que par lui ! Les hommes recherchaient sa complicité, les femmes flirtaient outrageusement... pendant qu'en son for intérieur, il était terrifié chaque fois qu'il devait prendre la parole !

Enfin, peut-être pas à chaque fois, rectifia-t-elle en le scrutant avec attention. Lorsqu'ils étaient ensemble, il lui avait toujours parlé avec une telle aisance, avait toujours répondu avec un tel esprit de repartie que, c'était évident, les mots jaillissaient spontanément de ses lèvres.

Elle posa sa main sur la sienne.

— Tu n'es pas le petit garçon que croyait ton père.
— Je sais, répondit-il en détournant les yeux.
— Simon, regarde-moi, ordonna-t-elle d'une voix tendre.
Quand il obtempéra, elle répéta :
— Tu n'es pas le petit garçon que croyait ton père.
— Je sais ! dit-il de nouveau d'un air désorienté, et vaguement contrarié.
— Vraiment ? insista-t-elle avec douceur.
— Bon sang, Daphné, je sais très bien que…
Sa phrase demeura en suspens, tandis qu'il était agité d'un frisson si violent qu'elle crut qu'il allait pleurer. Toutefois, aucune larme ne roula de ses yeux, et lorsqu'il leva de nouveau la tête vers elle, encore tout tremblant, il déclara simplement :
— Je le hais. Je le… Je le…
Elle tendit la main vers sa joue pour l'obliger à tourner le visage vers elle et le regarda avec fermeté.
— C'est normal, dit-elle. C'était un homme cruel, mais tu dois oublier tout cela.
— Je ne peux pas.
— Si, tu le peux. Ta colère est tout à fait compréhensible, mais tu ne dois pas la laisser diriger ta vie. Encore aujourd'hui, c'est lui qui te dicte tes choix.
Simon se détourna.
Lâchant son visage, elle posa ses paumes sur les genoux de Simon. Elle avait besoin de ce contact. Étrangement, il lui semblait que si elle laissait se défaire le lien en cet instant, elle perdrait Simon pour toujours.
— T'es-tu jamais demandé si *tu* voulais une famille ? Si *tu* voulais des enfants ? Tu as tout pour être un père merveilleux, Simon, et tu ne t'es même pas autorisé à y songer ! Tu crois que tu tiens ta revanche, mais tu ne fais rien d'autre que le laisser mener ta vie depuis la tombe.
— Si je lui donne un héritier, il aura gagné.
— Si tu *te* donnes un héritier, *tu* auras gagné, rectifia-t-elle. Nous aurons tous gagné.

Il ne répondit pas, mais elle vit qu'il tremblait de tous ses membres.

— Ne pas vouloir d'enfant parce que *tu* n'en désires pas, c'est tout à fait respectable, mais te priver du bonheur d'être père à cause d'un homme mort, c'est de la pure lâcheté !

Daphné tressaillit quand ces mots durs franchirent ses lèvres, mais elle devait dire la vérité.

— Il faudra bien que tu le laisses derrière toi et que tu commences à vivre ta vie. Il faudra bien que tu renonces à ta colère pour…

Il secoua la tête. Une détresse sans fond hantait son regard.

— Ne me demande pas cela. C'est tout ce que j'ai. Ne vois-tu pas que c'est *tout ce que j'ai* ?

— Pardon ? demanda-t-elle sans comprendre.

Il éleva la voix :

— Pourquoi penses-tu que j'aie appris à parler correctement ? À ton avis, qu'est-ce qui me motivait ? La colère. Toujours la colère, et le besoin de lui prouver que j'en étais capable !

— Simon…

Un éclat de rire amer monta de ses lèvres.

— N'est-ce pas merveilleux ? Je le hais. Je le hais plus que tout au monde, mais si je m'en suis sorti, c'est uniquement à cause de lui !

Daphné fit un geste de dénégation.

— C'est faux ! s'emporta-t-elle. Tu aurais réussi de toute façon. Tu es doué et obstiné, je commence à te connaître ! Si tu as appris à parler, c'était d'abord *pour toi-même,* pas pour lui.

Comme il ne répondait pas, elle ajouta, radoucie :

— Cela aurait simplement été plus facile pour toi s'il t'avait manifesté de l'amour.

Simon fit non de la tête, mais elle l'interrompit en prenant sa main pour la serrer très fort entre ses doigts.

— Moi, j'ai reçu de l'amour, murmura-t-elle. Je n'ai rien connu d'autre que l'amour et la confiance dans mon enfance. Et crois-moi, cela change tout !

Simon demeura d'une fixité de marbre un long moment. Daphné n'entendait que son souffle, tandis qu'il luttait contre le flot d'émotions qui semblait le submerger. Finalement, alors qu'elle commençait à croire son combat perdu, elle le vit lever vers elle un regard égaré.

— Je veux être heureux, chuchota-t-il.

— Tu le seras, promit-elle en le prenant dans ses bras. Tu seras heureux, Simon.

21

Le duc de Hastings est de retour !

La Chronique mondaine de lady Whistledown, 6 août 1813

Simon garda le silence durant le trajet jusqu'à la maison. Ils avaient retrouvé le cheval de Daphné, broutant paisiblement dans une clairière proche, mais malgré l'insistance de son épouse, il avait refusé de laisser cette dernière monter de nouveau. Après avoir attaché les rênes de sa jument à son hongre, il avait soulevé Daphné pour la déposer en selle et bondi derrière elle, avant de prendre le chemin de Grosvenor Square.

En vérité, il avait besoin de la serrer contre lui.

Il commençait à comprendre que le temps était venu pour lui de se trouver une nouvelle raison de vivre. Daphné avait peut-être raison ; la colère n'était pas nécessairement la solution. Sans doute – ce n'était encore qu'une hypothèse – avait-il besoin de faire une place à l'amour dans sa vie.

À leur arrivée à Hastings House, un valet courut à leur rencontre pour s'occuper des montures. Simon gravit le perron au bras de Daphné et entra dans le hall.

Pour se trouver nez à nez avec les trois aînés du clan Bridgerton, qui le considéraient d'un œil mauvais.

— Puis-je savoir ce que vous faites chez moi ? demanda-t-il d'un ton rogue.

Il n'avait qu'une envie, emmener sa femme à l'étage pour de tendres retrouvailles sur l'oreiller, et voilà qu'il était accueilli par l'infernal trio ! Les trois frères avaient adopté une posture identique : solidement campés sur leurs jambes, les poings sur les hanches, le menton fièrement relevé. Si Simon n'avait pas été aussi furieux de les trouver là, il en aurait conçu une salutaire inquiétude.

Car s'il était capable de tenir tête à l'un d'entre eux, voire à deux, il n'avait aucune chance contre les trois à la fois.

— Il paraît que vous êtes de retour ? lança Anthony.

— Comme vous pouvez le constater, répliqua Simon. Maintenant, sortez d'ici.

— Pas si vite ! protesta Benedict en croisant les bras.

Simon se tourna vers Daphné.

— Sur lequel puis-je faire feu en premier ?

Elle parcourut ses frères d'un regard noir.

— Je n'ai aucune préférence.

— Nous avons quelques conditions avant de vous laisser garder Daphné, déclara Colin.

— Pardon ? s'écria celle-ci.

— C'est *ma* femme ! rugit Simon, couvrant la voix de Daphné.

— C'était d'abord notre sœur, gronda Anthony, et vous la rendez malheureuse.

— Cela ne vous regarde pas, riposta Daphné.

— Nous devons nous occuper de toi, dit Benedict.

— C'est *moi* qui m'occupe d'elle ! tonna Simon. Une dernière fois, fichez le camp de ma maison.

— Quand vous serez mariés, tous les trois, vous viendrez me donner vos avis, contre-attaqua Daphné. Mais en attendant, mêlez-vous de vos affaires.

— Désolé, Daph', rétorqua Anthony, mais nous ne reculerons pas sur ce point.

— Sur quel point ? s'emporta-t-elle. Vous n'avez pas à reculer ou à avancer sur quoi que ce soit ! Ce qui se passe ici ne vous concerne en aucun cas !

Colin fit un pas en avant.

— Nous ne partirons pas tant que nous n'aurons pas la preuve qu'il t'aime.

Daphné se figea. Jamais Simon ne lui avait rien dit de la sorte. Il lui avait montré son amour de mille façons différentes, mais sans rien formuler à haute voix. S'il devait un jour le faire, elle n'avait aucune envie que ce soit sous la menace de ses frères. Elle voulait que les mots jaillissent librement de ses lèvres et viennent tout droit de son cœur.

— Colin, murmura-t-elle d'une voix suppliante, pathétique, qui lui faisait horreur. N'interviens pas. Laisse-moi mener mes propres batailles.

— Daph'...

— S'il te plaît.

Simon se plaça entre eux.

— Si vous voulez bien nous excuser ! dit-il à Colin, ainsi qu'à ses deux frères, avant d'entraîner Daphné à l'écart, loin des oreilles indiscrètes.

Il aurait préféré s'isoler avec elle dans une autre pièce, mais il ne doutait pas que ses trois lourdauds de frères les auraient suivis.

— Je suis désolée, murmura Daphné. Ce sont des rustres ; ils n'ont pas à s'introduire ainsi chez toi. Si je le pouvais, je les renierais ! Je comprends tout à fait qu'après une telle scène, le mot « famille » te fasse horreur, et...

Simon la fit taire en posant un doigt sur ses lèvres.

— Pour commencer, c'est chez nous, pas chez moi. Et en ce qui concerne tes frères, ils m'exaspèrent, mais ils agissent par amour pour toi.

Il se pencha légèrement vers elle, juste assez pour qu'elle perçoive sur sa peau la caresse de son souffle.

— Qui pourrait les en blâmer ? ajouta-t-il à voix basse.

Daphné crut que son cœur allait s'arrêter.

Simon s'approcha encore, jusqu'à ce que son front effleure le sien.

— Je t'aime, Daphné, murmura-t-il.

Le cœur de celle-ci repartit dans un hoquet douloureux.

— Vraiment ?

Il hocha la tête, frottant son nez contre le sien.

— Je ne peux pas m'en empêcher.

Un faible sourire étira les lèvres de la jeune femme.

— Voilà qui n'est pas terriblement romantique !

— Non, mais c'est la vérité, répondit-il en haussant les épaules d'un geste fataliste. Tu sais mieux que quiconque que je n'ai pas souhaité tout cela. Je ne voulais pas me marier, je ne voulais pas avoir d'enfant, et je ne voulais *surtout pas* tomber amoureux.

Il posa sa bouche sur la sienne, éveillant en elle de délicieux petits frissons.

— Seulement, poursuivit-il en continuant son ballet sensuel, j'ai découvert à ma grande consternation qu'il était impossible de *ne pas* t'aimer.

Daphné se jeta dans ses bras.

— Oh, Simon ! s'écria-t-elle dans un soupir.

Simon captura ses lèvres, dans l'espoir de lui montrer par un baiser ce qu'il apprenait tout juste à exprimer par les paroles. Il l'aimait. Il l'adorait ! Il aurait marché pieds nus sur les braises pour elle ! Il l'aimait tant qu'il en oubliait…

Ses trois frères, à quelques pas dans le hall.

S'arrachant avec peine à la douceur de ce baiser, il se tourna dans leur direction. Anthony, Benedict et Colin n'avaient pas bougé. Le premier étudiait le plafond, le deuxième feignait d'inspecter ses ongles, et le troisième les observait sans vergogne.

Simon serra un peu plus fort Daphné contre lui tout en leur jetant un regard furieux.

— Vous êtes encore là, vous trois ?

Comme il fallait s'y attendre, aucun d'eux ne trouva rien à répondre.

— Dehors ! tonna-t-il.

— Allons ! renchérit Daphné sans trop de politesse.

— C'est bon, dit Anthony en donnant une claque sur la nuque de Colin. Mission accomplie, les gars.

Simon entraîna Daphné vers les escaliers.

— Vous connaissez le chemin ! leur cria-t-il par-dessus son épaule.

Anthony acquiesça d'un signe de tête et poussa ses cadets vers la porte.

— Bon vent ! commenta Simon. Nous, nous avons à faire là-haut.

— Simon ! le gronda Daphné dans un murmure.

— Comme s'ils n'avaient pas compris ce que nous allons faire ! répliqua-t-il à son oreille.

— Tout de même. Ce sont mes *frères* !

— Trois fois hélas !

Ils n'avaient pas atteint le palier que la porte d'entrée fut ouverte à la volée, cédant le passage à un déluge d'imprécations aux intonations indubitablement féminines.

— Mère ? demanda Daphné d'une voix étranglée de stupeur.

Violet, car c'était elle, n'avait d'yeux que pour ses trois aînés.

— Je savais que je vous trouverais ici ! s'exclama-t-elle d'un ton accusateur. Je reconnais bien là mes stupides entêtés de…

Daphné n'entendit pas le reste de sa phrase, qui se perdit sous les éclats de rire de Simon.

— Il la rendait malheureuse ! plaida Benedict. En tant que frères, nous avons considéré qu'il était de notre devoir de…

— De croire suffisamment en son intelligence pour la laisser régler seule ses problèmes, l'interrompit Violet. Notez qu'elle n'a pas l'air trop désespérée, pour l'instant.

— Justement, c'est…

— Si vous essayez de me faire croire que c'est parce que vous avez foncé chez elle comme une horde de béliers furieux, je vous déshérite tous les trois.

Aucune protestation ne s'éleva du trio.

— Et maintenant, poursuivit-elle d'un ton sans appel, je crois qu'il est temps de nous en aller. N'est-ce pas ?

Comme ses rejetons ne réagissaient pas avec la célérité espérée, elle tendit une main vers l'un d'eux et...

— Non, mère ! supplia Colin. Pas par...

Elle lui pinça le lobe de l'oreille.

— ... l'oreille, finit-il d'un ton dépité.

Daphné prit Simon par le bras. Il riait à présent si fort qu'elle craignait de le voir dévaler les marches.

Violet donna à sa petite troupe le signal du départ d'un « Ouste ! » retentissant, puis se tourna vers Daphné et Simon.

— Ravie de vous voir de retour à Londres, Hastings, le salua-t-elle avec un sourire radieux. Encore une semaine et c'est moi qui venais vous chercher, en vous traînant derrière moi au besoin.

Puis elle sortit, avant de refermer la porte derrière elle.

Simon pivota vers Daphné, encore secoué de rire.

— C'était ta mère ? demanda-t-il en s'essuyant les yeux.

— Maman possède des ressources insoupçonnées.

— En effet.

Daphné se rembrunit.

— Simon, je suis désolée que mes frères t'aient obligé à...

— À rien du tout, l'interrompit-il. Ils ne peuvent pas me contraindre à prononcer des paroles auxquelles je ne souscris pas de toute mon âme.

Il pencha la tête, songeur.

— Enfin, sauf s'ils sont armés.

Daphné lui donna une petite tape sur l'épaule, qu'il ignora.

— Ce que je t'ai dit, je le ressens vraiment, assura-t-il en l'attirant pour l'enlacer. Je t'aime. Il y a un moment que je le sais, mais...

— C'est bon, l'interrompit-elle en posant la joue sur sa poitrine. Tu n'as aucun compte à me rendre.

— Si, insista-t-il. Je… Je…

Les mots se dérobaient sous sa langue. La faute aux violentes émotions qui déferlaient en lui, au trop-plein de sentiments qui l'envahissait…

— Laisse-moi te montrer, reprit-il d'une voix brisée. Laisse-moi te montrer combien je t'aime.

Pour toute réponse, Daphné lui offrit ses lèvres. Lorsque sa bouche effleura la sienne, elle dit dans un soupir :

— Moi aussi, je t'aime.

Simon l'embrassa avec dévotion, en serrant sa taille entre ses mains comme s'il craignait qu'elle ne disparaisse d'un instant à l'autre.

— Viens là-haut, chuchota-t-il. Tout de suite !

Elle hocha la tête, mais avant qu'elle ait eu le temps de faire un pas, il l'avait soulevée entre ses bras pour l'emporter jusqu'à l'étage.

Quand Simon parvint sur le palier, il était déjà dur comme le roc, et impatient d'assouvir le brasier qui courait dans ses veines.

— Dans quelle chambre t'es-tu installée ? s'enquit-il, le souffle court.

— Dans la tienne, répondit-elle, apparemment surprise qu'il ne l'ait pas deviné.

Grommelant son approbation, il se dirigea aussitôt vers sa… non, rectifia-t-il, vers *leur* chambre, dont il referma la porte derrière eux d'un coup de pied.

— Je t'aime, dit-il en roulant avec elle sur le lit.

À présent qu'il avait prononcé ces mots, ils jaillissaient librement de ses lèvres ; il fallait qu'il les lui répète afin de s'assurer qu'elle avait bien compris tout ce qu'elle représentait à ses yeux.

Et s'il devait les répéter un millier de fois, ce n'était pas un problème !

— Je t'aime, enchaîna-t-il en faisant courir fiévreusement ses doigts sur les boutons de sa robe.

— Je sais, répondit-elle, tremblante.

Elle saisit son visage entre ses mains pour l'obliger à la regarder.

— Moi aussi, je t'aime.

Puis elle l'embrassa avec une candeur qui acheva de le rendre fou.

— Si jamais je te fais à nouveau souffrir, murmura-t-il d'une voix fervente sans écarter sa bouche de la sienne, je veux que tu me tues.

— Jamais ! rétorqua-t-elle en souriant.

Il posa ses lèvres dans son cou, juste sous son oreille.

— Alors soumets-moi à la torture. Inflige-moi les pires supplices…

— Ne dis pas n'importe quoi, répliqua-t-elle en glissant sa main sur son menton pour tourner son visage vers elle. Tu ne me feras pas de mal.

La passion qu'il éprouvait pour elle l'emplissait tout entier. Elle inondait son cœur, éveillait des picotements dans ses mains, lui coupait la respiration.

— Parfois, chuchota-t-il, je t'aime tant que cela m'effraie. Si je pouvais t'offrir le monde, je le ferais. Tu le sais, n'est-ce pas ?

— Tout ce que je veux, c'est toi. Je n'ai pas besoin de posséder le monde, mais juste que tu m'aimes. Et aussi, ajouta-t-elle avec un petit sourire en coin, que tu enlèves tes bottes.

Un sourire étira les lèvres de Simon. Sa femme détenait le don de toujours savoir exactement ce qu'il lui fallait. À l'instant précis où ses émotions menaçaient de le submerger, au risque de lui arracher des larmes, elle le faisait sourire et allégeait la tension entre eux.

— Les désirs de madame sont des ordres, répondit-il avant de rouler sur le côté pour se déchausser.

Une botte tomba sur le plancher tandis que la seconde volait à travers la chambre.

— Y a-t-il autre chose pour le service de madame ?

Elle pencha la tête d'un air provocant.

— Ta chemise aussi pourrait s'en aller, suggéra-t-elle.

Il obtempéra, et le vêtement de lin atterrit sur la table de chevet.

— Est-ce que ce sera tout ?

— Ceci, dit-elle en glissant l'index sous la taille de son pantalon, n'a rien à faire là.

— Tout à fait d'accord, déclara-t-il en se débarrassant de ses culottes.

Puis il s'étendit sur elle, prenant appui sur ses mains et ses genoux pour l'emprisonner dans sa chaleur.

— Et maintenant ?

Elle eut un petit hoquet de surprise.

— Ma foi, te voilà presque nu.

— Exact, acquiesça-t-il en la couvant d'un regard brûlant.

— Et moi pas.

— Tout aussi exact.

Il lui décocha un sourire carnassier, avant d'ajouter :

— Et fort regrettable.

Incapable de parler, elle approuva d'un hochement de menton.

— Assieds-toi, ordonna-t-il d'une voix très douce.

Elle obéit et, quelques secondes plus tard, sa robe passait par-dessus sa tête.

— Eh bien, commenta-t-il d'une voix enrouée par le désir, les yeux fixés sur ses seins, voilà ce que j'appelle une considérable amélioration.

Ils se trouvaient à présent à genoux l'un en face de l'autre, au milieu du vaste lit à baldaquin. Daphné observa son mari, et son cœur battit un peu plus fort au spectacle de sa large poitrine qui se soulevait et s'abaissait au rythme de son souffle. D'une main tremblante, elle effleura son torse et fit courir un doigt léger sur lui. Sa peau était tiède et soyeuse.

Simon retint sa respiration jusqu'à ce que Daphné atteigne son téton. Alors il recouvrit sa main de la sienne d'un geste vif.

— Je te veux, dit-il.

Elle baissa les yeux, puis il vit un imperceptible sourire éclore sur ses lèvres.

— Je vois, répliqua-t-elle dans un murmure espiègle.

— Non, gronda-t-il en l'attirant à lui. Je veux être dans ton cœur…

Simon fut parcouru d'un frisson lorsque leurs peaux se touchèrent.

— Je veux être dans ton âme, reprit-il.

— Oh, Simon… gémit-elle.

Elle enfonça les doigts dans son épaisse chevelure sombre.

— Tu y es déjà !

Puis il n'y eut plus de mots, mais seulement des baisers, des caresses, et la volupté de tendres et fougueuses retrouvailles.

Laissant libre cours à sa passion, Simon s'autorisa toutes les fantaisies, toutes les audaces pour prouver à Daphné combien il était fou d'elle. Il fit courir ses paumes sur ses jambes, embrassa l'intérieur de ses genoux, souligna les courbes de ses hanches d'une main de velours, traça de la pointe de la langue un sillon de feu autour de son nombril… Et quand il s'étendit au-dessus d'elle, prêt à lui donner le dernier assaut, luttant de toutes ses forces contre un torrent de désir presque incontrôlable, il l'enveloppa d'un regard brillant d'adoration qui fit venir les larmes aux yeux de Daphné.

— Je t'aime, murmura-t-il d'une voix tremblante. Tu es la seule que j'aie jamais aimée.

Daphné hocha la tête. Ses lèvres formulèrent une réponse, telle une prière muette. *Moi aussi*.

Alors il se plaça à l'orée de sa féminité et, d'un lent coup de reins, entra en elle. Il l'emplissait à présent totalement, et soudain, rien ne lui paraissait plus important au monde.

Le visage rejeté en arrière, elle entrouvrit les lèvres en cherchant son souffle. Il parsema de baisers ses joues rosies par le désir.

— Tu es ce qu'il y a de plus beau dans ma vie, chuchota-t-il. Jamais je n'ai vu… Jamais je ne saurai…

En réponse, elle se cambra sous lui.

— Aime-moi ! supplia-t-elle. S'il te plaît, fais-moi l'amour !

Il commença à aller et venir en elle, danse sensuelle au rythme immémorial. Chaque fois qu'il plongeait un peu plus loin, elle resserrait un peu plus fort ses petites mains dans son dos, enfonçant ses ongles dans sa chair.

Bientôt, les halètements impudiques de Daphné emplirent la chambre, avivant encore l'incendie qui le consumait. Il allait perdre le contrôle… Il ne s'en fallait que de quelques secondes… Déjà, ses coups de reins se faisaient plus fiévreux, plus impérieux.

— Je ne vais pas tenir longtemps, dit-il entre ses dents.

Il voulait tant attendre, afin de s'assurer qu'il l'avait amenée jusqu'au plaisir avant de sombrer à son tour dans la volupté !

Enfin, à l'instant même où il craignait que son corps ne refuse de supporter davantage l'effroyable pression à laquelle il le soumettait, Daphné frémit entre ses bras, l'appela dans un gémissement de pure félicité, tandis que les plis les plus secrets de sa chair, tel un étau de velours, se refermaient convulsivement autour de lui.

La respiration coupée, Simon regarda son visage. Il avait toujours été si absorbé par la crainte de déverser en elle sa semence qu'il n'avait jamais prêté attention à son expression au moment du plaisir. Sa tête était rejetée en arrière sur l'oreiller, sa gorge offerte, ses lèvres ouvertes sur un cri silencieux.

Il la contempla, éperdu d'adoration.

— Je t'aime, dit-il en plongeant plus vigoureusement en elle. Si tu savais combien je t'aime !

Elle entrouvrit les paupières alors qu'il reprenait ses va-et-vient entre ses cuisses à un rythme frénétique.

— Simon ? demanda-t-elle, un peu inquiète. Es-tu certain que… ?

Ils savaient l'un comme l'autre ce qu'elle voulait dire.

Simon acquiesça.

— Ne le fais pas pour moi, chuchota-t-elle. Il faut que toi aussi, tu en aies envie.

Une curieuse émotion lui noua la gorge, qui n'avait rien à voir avec ce qu'il ressentait lorsqu'il était pris de bégaiements. Cela n'était, comprit-il soudain, que de l'amour. Les larmes aux yeux, incapable de parler, il hocha la tête… et, dans un ultime assaut, sombra dans la jouissance.

Que c'était bon ! Jamais de sa vie il n'avait connu une si profonde extase !

Ses bras se mirent à trembler. Vidé de ses forces, il se laissa retomber sur elle et, pendant quelques instants, seuls ses halètements emplirent la chambre.

Puis Daphné écarta une mèche de son front pour y déposer un baiser.

— Je t'aime, murmura-t-elle. Je t'aimerai toujours.

Il enfouit son visage au creux de son cou pour respirer le parfum de sa peau. Elle l'enveloppait de son corps, l'entourait de son amour. Il n'aurait pu connaître de bonheur plus absolu.

Quelques heures plus tard, Daphné ouvrit les yeux. Elle s'étira, avant de constater que les rideaux avaient été fermés. Par Simon, probablement, songea-t-elle en étouffant un bâillement. La lumière du jour éclairait les bords des tentures, baignant la pièce d'une lueur tamisée.

Elle se glissa hors du lit et se rendit dans le dressing afin d'y prendre une robe de chambre. Ce n'était pas dans ses habitudes de s'assoupir en plein jour… mais, songea-t-elle aussitôt, cette journée n'était pas comme les autres !

Elle enfila le vêtement et noua la ceinture autour de sa taille. Où était donc Simon ? Il ne devait pas avoir quitté le lit depuis bien longtemps, car elle se souvenait confusément de s'être trouvée entre ses bras très peu de temps auparavant.

Les appartements privés du maître des lieux étaient composés de cinq pièces – deux chambres, chacune dotée d'un dressing privé, reliées par un salon aux vastes proportions. Par la porte entrouverte qui donnait sur ce séjour, passait une vive lueur. Les rideaux y étaient donc ouverts, se dit Daphné. Marchant sur la pointe des pieds, elle franchit le seuil et regarda autour d'elle.

Simon, devant la fenêtre, contemplait les toits de la ville. Il avait passé un moelleux peignoir grenat, mais il était encore pieds nus. Ses yeux bleu pâle semblaient songeurs, perdus, et un peu tristes.

Daphné fronça les sourcils. Elle traversa la pièce dans sa direction avant de le saluer d'un tranquille :

— Bonjour.

Elle n'était plus qu'à un pas de lui. Simon tourna la tête en l'entendant, et son expression s'adoucit aussitôt.

— Bonjour à toi aussi, murmura-t-il en la prenant dans ses bras.

Sans savoir comment, elle se retrouva face à la fenêtre, le dos contre le torse de Simon. Ce dernier posa le menton sur le sommet de son crâne tandis qu'elle laissait son regard errer au-delà de Grosvenor Square.

Il fallut à Daphné quelques instants pour trouver le courage de demander :

— Aurais-tu des regrets ?

Elle ne pouvait pas le voir mais, au frottement de son menton sur ses cheveux, elle comprit qu'il secouait négativement la tête.

— Aucun, répondit-il avec douceur. Seulement des pensées.

Alertée par une fêlure inhabituelle dans sa voix, Daphné pivota pour scruter son visage.

— Simon, qu'est-ce qui ne va pas ?

— Rien, répliqua-t-il en détournant les yeux.

Elle l'entraîna jusqu'à un petit canapé, où elle s'assit en le tirant par le bras pour l'obliger à prendre place auprès d'elle.

— Si tu n'es pas prêt à devenir père, ce n'est pas grave.

— Ce n'est pas ça.

Elle n'en crut pas un mot. Il avait répondu trop vite, avec des intonations étranglées qui la mettaient mal à l'aise.

— Je peux attendre, assura-t-elle.

Puis, d'un ton un peu timide :

— À vrai dire, cela ne me dérangerait pas d'avoir un peu de temps rien que pour nous deux.

Simon garda le silence, et ses yeux s'emplirent un peu plus de tristesse. Puis il ferma les paupières en portant une main à son front pour le masser.

De plus en plus anxieuse, Daphné se mit à parler à tort et à travers.

— Ne va pas t'imaginer que je voulais un bébé tout de suite. J'aimerais seulement en avoir un, un jour, mais c'est tout, et il me semble que toi aussi, tu pourrais en avoir envie, si tu t'autorises à y réfléchir. J'étais furieuse parce que je détestais te voir nous refuser le droit de fonder une famille pour le seul plaisir de contrarier ton père, mais ne va pas t'imaginer pour autant que…

Simon plaqua sa main sur sa cuisse.

— Daphné, arrête. S'il te plaît.

Il y avait tant d'angoisse, tant d'émotion dans sa voix qu'elle se tut immédiatement. Elle se mordit la lèvre inférieure et attendit. C'était à lui de parler. Il semblait oppressé par une vive inquiétude, mais s'il lui fallait toute la journée pour trouver les mots afin de l'exprimer, elle attendrait.

Pour lui, elle aurait toute la patience du monde.

— Je ne peux pas dire que l'idée d'être père m'enchante particulièrement, commença-t-il avec lenteur.

Remarquant sa respiration oppressée, elle mit sa main sur son avant-bras dans un geste de réconfort.

Il tourna vers elle un regard soucieux.

— Il y a si longtemps que j'ai décidé de ne pas en avoir, vois-tu, que…

Il déglutit péniblement.

— Je ne sais même pas comment me faire à cette idée.

Daphné lui adressa un sourire rassurant.

— Tu apprendras, chuchota-t-elle. Et j'apprendrai avec toi.

— Ce n'est p-pas cela, dit-il en secouant la tête dans un soupir impatient. Je ne veux p-pas consacrer ma vie à contrarier mon p-père.

Lorsqu'il se tourna vers elle, Daphné fut bouleversée par l'émotion intense qui se lisait sur son visage. Son menton tremblait, un muscle de sa joue tressaillait, et son port de tête était raide, tendu, comme s'il avait besoin de toute son énergie pour formuler ses paroles.

Elle aurait voulu le prendre dans ses bras pour réconforter le petit garçon malheureux en lui, effacer d'une caresse la ride de concentration qui barrait son front, serrer sa main dans la sienne pour lui communiquer tout son amour. Elle aurait voulu tout cela, et bien plus, mais elle demeura immobile et l'encouragea du regard à poursuivre.

— Tu avais raison, reprit-il d'une élocution maladroite. Depuis le début, tu as raison. Au sujet de mon p-père. De ma façon de le laisser gagner.

— Oh, Simon !

— Seulement, qu-que se passera-t-il si… ?

Son beau visage aux traits si nets, à l'expression si résolue, parut se décomposer.

— Que se passera-t-il si nous avons un enfant et qu'il est c-comme moi ?

Pendant un instant, Daphné ne sut que dire. Les larmes qu'elle s'interdisait de verser lui brûlaient les paupières.

Simon avait détourné la tête, mais pas assez vite. Elle avait eu le temps de remarquer la détresse absolue dans son regard, son sanglot étouffé, et le long soupir qu'il avait poussé en essayant de maîtriser le flot d'émotions qui le submergeait.

— Si notre enfant bégaie, répondit-elle prudemment, je l'aimerai. Je l'aiderai. Et…

Elle marqua une pause en priant pour que sa réaction soit la plus adéquate.

— Et je te demanderai des conseils, puisque manifestement, tu as appris à surmonter cette difficulté.

Il pivota vers elle avec une surprenante vivacité.

— Je refuse de mettre au monde un enfant qui souffrira autant que j'ai souffert.

Il fallut un instant à Daphné pour s'apercevoir qu'un léger sourire venait de fleurir sur ses propres lèvres… comme si son corps avait compris avant son esprit qu'elle possédait déjà la réponse à ces paroles.

— Comment pourrait-il souffrir, avec un père comme toi ?

L'expression de Simon resta imperturbable, mais une nouvelle lueur envahit son regard.

— Rejetterais-tu un enfant parce qu'il bégaie ? l'interrogea-t-elle d'un ton calme.

Il répondit par un « non » ferme et résolu, vibrant d'indignation, qui arracha un sourire à Daphné.

— Dans ce cas, je n'ai aucune raison de m'inquiéter pour lui.

Simon demeura immobile pendant un bref moment puis, d'un geste soudain, il la prit dans ses bras et enfouit son visage au creux de son cou.

— Je t'aime, dit-il d'une voix étranglée. Si tu savais comme je t'aime !

Daphné comprit alors que tout irait bien.

Quelques heures plus tard, ils se trouvaient toujours dans le petit canapé du salon privé. Tout l'après-midi, ils étaient restés main dans la main, tête contre tête. Les mots n'avaient pas été indispensables. Le soleil brillait, les oiseaux chantaient, et ils étaient ensemble.

Cela suffisait à leur bonheur.

Toutefois, un souvenir rôdait à la lisière des pensées de Daphné. Ce n'est qu'en posant les yeux sur un nécessaire à correspondance posé sur un secrétaire qu'elle se souvint.

Les lettres du père de Simon.

Fermant les paupières, elle expira profondément pour se donner du courage. En les lui confiant, le vieux duc de Middlethorpe l'avait assurée qu'elle saurait trouver le moment approprié pour les rendre à leur destinataire.

Elle s'arracha aux bras de Simon et se dirigea vers la chambre.

— Où vas-tu ? demanda d'une voix ensommeillée celui-ci, qui paressait dans la tiédeur du soleil de l'après-midi.

— Chercher… quelque chose.

Il dut déceler l'hésitation dans sa voix car il ouvrit tout grand les yeux et se redressa pour la suivre du regard.

— Quoi donc ? l'interrogea-t-il, intrigué.

Sans répondre, Daphné se hâta de gagner la chambre.

— J'en ai pour un instant ! cria-t-elle depuis l'autre pièce.

Elle avait rangé dans le tiroir du bas de son bureau les lettres reliées par un ruban rouge et or – les couleurs ancestrales de la maison Hastings. À vrai dire, elle les avait presque oubliées pendant les premières semaines de son retour à Londres, alors qu'elles se trouvaient dans son ancienne chambre de Bridgerton House. Un jour qu'elle rendait visite à sa mère, celle-ci lui avait proposé de monter prendre un certain nombre d'affaires. En cherchant ses flacons de parfum et une taie d'oreiller qu'elle avait brodée à l'âge de dix ans, Daphné avait retrouvé les enveloppes, intactes.

Plus d'une fois, elle avait été tentée d'en ouvrir au moins une, ne fût-ce que pour mieux comprendre son mari. Et pour tout dire, si les plis n'avaient pas été cachetés par un sceau de cire, elle aurait sans doute oublié ses scrupules.

Elle prit le paquet et revint lentement dans le salon. Simon était toujours sur le canapé, mais il s'était assis bien droit et l'observait.

— Ceci t'appartient, annonça-t-elle en s'approchant pour lui tendre les lettres.

— De quoi s'agit-il ?

Si elle en jugeait au ton de sa voix, il le savait déjà.

— Les lettres de ton père. Le duc de Middlethorpe me les a remises, t'en souviens-tu ?

Il hocha la tête.

— Je me souviens également de lui avoir demandé de les brûler.

Elle lui adressa un faible sourire.

— Apparemment, il a désobéi.

Simon avait les yeux fixés sur la liasse. Comme s'il voulait éviter de croiser son regard.

— Et toi aussi, on dirait, ajouta-t-il d'une voix très calme.

Elle acquiesça et s'assit à son côté.

— Ne veux-tu pas les lire ?

Simon réfléchit quelques instants à ce qu'il allait répondre, puis décida de jouer cartes sur table.

— Je ne sais pas.

— Cela pourrait t'aider à tourner la page.

— Ou compliquer encore la situation.

— C'est vrai, reconnut-elle.

Pensif, il considéra le paquet retenu par un ruban. Malgré l'apparence tout à fait inoffensive de ces enveloppes, il s'attendait à ressentir de l'animosité. De la colère.

Étrangement, il n'éprouvait aucune émotion.

Et cela était extrêmement déstabilisant. Il tenait entre ses mains une série de lettres, toutes écrites pour lui de la main de son père, et cependant il n'avait pas envie de les jeter au feu, ni de les déchirer en mille morceaux… et encore moins de les lire.

— Je crois que je vais attendre, dit-il en souriant.

Daphné battit des paupières, comme si elle refusait de le croire.

— Tu ne veux pas les lire ?

Il secoua la tête.

— Tu n'as pas l'intention de les brûler ? ajouta-t-elle.

Il haussa les épaules, évasif.

— Non, pas particulièrement.

Elle posa les yeux sur le paquet, avant de chercher son regard.

— Que comptes-tu en faire, alors ?

— Rien.

— Rien ?

Le sourire de Simon se fit plus franc.

— Tu as bien entendu.

— Oh.

Elle paraissait si confuse que c'en était attendrissant.

— Dois-je les remettre dans mon secrétaire ?

— Si tu veux.

— Et… elles vont y rester ?

Il tira sur la ceinture de sa robe de chambre pour l'attirer à lui.

— Hmm, hmm, répondit-il.

— Mais… bafouilla-t-elle. Mais… mais…

— Encore un « mais », et tu vas commencer à me ressembler.

Daphné le regarda, bouche bée. Il n'en fut pas surpris. C'était sans doute la première fois de sa vie qu'il était capable de plaisanter au sujet de son handicap.

— Ces lettres peuvent attendre, déclara-t-il au moment où elles glissaient des genoux de Daphné et s'éparpillaient sur le plancher. Je viens enfin, grâce à toi, de chasser mon père de ma vie.

Il secoua la tête en souriant.

— Les lire maintenant ne ferait que le ramener.

— Tu ne veux même pas voir ce qu'il avait à te dire ? insista-t-elle. Peut-être te demandait-il de l'excuser ? Peut-être faisait-il amende honorable !

Elle voulut ramasser les lettres, mais Simon la plaqua fermement contre lui pour l'en empêcher.

— Simon ! protesta-t-elle.

Il arqua un sourcil hautain.

— Oui ?

— Que fais-tu ?

— J'essaie de te séduire. Est-ce que j'y arrive ?

Ses joues s'empourprèrent.

— Peut-être, marmonna-t-elle.

— C'est tout ? Peste ! J'ai perdu la main !

Il glissa ses paumes sous ses fesses, lui arrachant un cri de surprise.

— Tu n'as rien perdu du tout, répondit-elle en hâte.

— Vraiment ? Cela manque d'enthousiasme.

— D'accord, admit-elle, j'étais en dessous de la réalité.

Simon ne put retenir le sourire qui naissait au plus profond de lui pour s'épanouir sur ses lèvres. En un éclair, il bondit sur ses pieds pour entraîner sa femme vers la chambre conjugale.

— Daphné, annonça-t-il d'un ton grave, j'ai une proposition à te soumettre.

— Une proposition ? répéta-t-elle en haussant les sourcils.

— Une demande, rectifia-t-il.

Elle pencha la tête en souriant.

— Quel genre de demande ?

Il lui fit franchir le seuil pour la pousser dans la pièce.

— En fait, c'est une offre en deux temps.

— Tu piques ma curiosité !

— La première étape fait intervenir trois éléments : toi, moi…

Il la souleva dans ses bras pour la déposer sur le matelas.

— … et cette solide antiquité de lit.

— Solide ?

Dans un rugissement de fauve, il la rejoignit.

— Il vaudrait mieux.

Elle poussa un petit cri et se mit à rire tout à la fois, en reculant pour lui échapper.

— Je pense qu'il devrait résister. Et la seconde étape ?

— J'ai peur qu'elle n'exige de ta part un engagement sur le long terme.

Elle fronça les sourcils, mais un sourire éclairait toujours son visage.

— Combien de temps, exactement ?

Sans prévenir, il roula sur elle.

— Environ neuf mois.

Une expression de surprise passa sur le visage de Daphné.

— En es-tu certain ?

— Que *cela* prend neuf mois ? répliqua-t-il, hilare. C'est ce que l'on m'a toujours dit.

Il n'y avait plus aucune trace de légèreté dans le regard de Daphné.

— Tu sais que ce n'est pas ce que je voulais dire, protesta-t-elle doucement.

— Oui, je le sais.

Il soutint son regard, avant d'ajouter avec une gravité nouvelle :

— Et, oui, j'en suis certain. Cela me fait horriblement peur. Cela me rend fou de joie. Cela me donne encore je ne sais combien d'émotions que je n'avais jamais ressenties avant toi.

Daphné battit des cils pour retenir les larmes qui lui montaient aux yeux.

— C'est la plus jolie déclaration que tu m'aies faite.

— Je te dis la vérité, insista-t-il. Avant de te rencontrer, je n'étais pas complètement vivant.

— Et maintenant ?

— Maintenant ? répéta-t-il. Il n'y a plus que le bonheur, la joie, et une femme que j'adore. Et tu sais quoi ?

Elle secoua la tête, trop bouleversée pour parler.

Il se pencha vers elle pour l'embrasser.

— Ce que je vis aujourd'hui n'arrive pas à la hauteur de ce que je vivrai demain, et demain n'aura rien à voir avec ce qui viendra ensuite. Aussi parfait que soit l'instant présent, il est sans commune mesure avec ce que sera l'avenir. Daphné…

Il posa ses lèvres sur les siennes.

— Chaque jour, je t'aimerai un peu plus. Je t'en fais le serment. Chaque jour…

Épilogue

C'est un garçon ! Le duc et la duchesse de Hastings ont un fils !

Après trois filles, le couple le plus épris de Londres a enfin mis au monde un héritier. Votre dévouée chroniqueuse ne peut qu'imaginer le soulagement qui doit régner dans la maison Hastings. N'est-ce pas une vérité universellement reconnue que tout homme marié et détenteur d'une grande fortune espère un héritier ?

Le prénom du nouveau-né n'a pas encore été rendu public, mais nous nous croyons assez qualifiée pour donner notre opinion sur la question. Après tout, après trois sœurs baptisées Amelia, Belinda et Caroline, le nouveau lord Clyvedon peut-il s'appeler autrement que David ?

La Chronique mondaine de lady Whistledown, 15 décembre 1817

Furieux, Simon leva les bras au plafond, faisant voler le journal à travers la pièce.

— Comment sait-elle cela ? tonna-t-il. Nous n'avons dit à personne que nous voulions le prénommer David !

Daphné réprima un sourire en voyant son mari arpenter le salon à pas rageurs.

— Elle a deviné, voilà tout.

Elle baissa les yeux vers le nourrisson qu'elle tenait dans ses bras. Il était encore trop tôt pour savoir si ses yeux resteraient bleus ou s'ils prendraient la même nuance marron que ceux de ses sœurs, mais l'enfant était déjà le portrait de son père. Elle n'imaginait pas que ses iris puissent s'assombrir, atténuant ainsi la ressemblance !

— Elle doit avoir un espion parmi le personnel, grommela Simon, les poings sur les hanches. C'est obligé !

— Tu te fais des idées, répondit-elle sans lever les yeux vers lui, trop occupée à observer la façon dont David agrippait son doigt dans son minuscule petit poing.

— Tout de même…

Elle se décida à croiser son regard.

— Simon, ne sois pas ridicule. Ce journal n'est qu'un tissu de ragots.

— Whistledown… Ah, ah ! Ce nom-là n'existe pas. Je donnerais cher pour savoir qui est cette satanée lady Whistledown !

— Toi, et tout le monde à Londres, murmura Daphné.

— Il est temps que quelqu'un mette un terme à ses méfaits.

— Si tu le voulais vraiment, ne put-elle s'empêcher de lui faire remarquer, tu commencerais par ne pas acheter son journal.

— Je…

— Et n'essaie pas de me faire croire que tu prends le *Whistledown* pour moi.

— Tu le lis, maugréa-t-il.

— Toi aussi.

Elle déposa un baiser sur le front de David, avant d'ajouter :

— La plupart du temps, bien avant que j'aie le temps de m'en emparer. Cela dit, j'éprouve une certaine affection pour lady Whistledown, en ce moment.

Simon la couva d'un regard suspicieux.

— Pourquoi donc ?

— Tu n'as pas lu ce qu'elle dit de nous ? Elle nous appelle « le couple le plus épris de Londres ».

Elle lui décocha un sourire espiègle.

— Cela me plaît assez.

Simon grommela :

— C'est seulement parce que Philipa Featherington...

— Elle s'appelle Philipa Berbrooke, à présent, lui rappela Daphné.

— Eh bien, mariée ou non, elle est toujours aussi incapable de discrétion ! Depuis qu'elle m'a entendu t'appeler « mon cœur » au théâtre le mois dernier, je n'ai pas pu remettre les pieds dans aucun des clubs où je vais d'habitude.

— Cela est donc si ridicule d'aimer sa femme ? feignit-elle de s'étonner.

Simon fit la grimace. Ainsi, il ressemblait à un petit garçon en colère.

— Peu importe, ajouta-t-elle. Je ne veux pas entendre ta réponse.

Un sourire attendrissant, à la fois penaud et rusé, éclaira le visage de Simon.

— Tiens, reprit-elle en lui tendant David. Veux-tu le prendre ?

— Bien sûr.

Il traversa la pièce pour soulever l'enfant entre ses bras. Il le berça quelques instants, puis regarda sa femme.

— J'ai l'impression qu'il me ressemble.

— Moi, j'en suis sûre.

Simon déposa un baiser sur le bout de son petit nez en murmurant :

— Ne t'inquiète pas, mon bonhomme. Je t'aimerai toujours. Je t'apprendrai à réciter ton alphabet, et à compter, et à monter à cheval. Je te protégerai contre tous les méchants, surtout contre cette sorcière de Whistledown...

Non loin de Hastings House, dans une petite chambre élégamment meublée, une jeune femme s'assit à son bureau, prit une plume et un flacon d'encre, et sortit une feuille de papier.

Le sourire aux lèvres, elle trempa sa plume dans l'encre et écrivit :

19 décembre 1817

Ah, ami lecteur ! Votre dévouée chroniqueuse a le plaisir de vous informer que…

Découvrez les prochaines nouveautés de nos différentes collections J'ai lu pour elle

Le 1er avril :

La forteresse des Highlands ꙮ **Kathleen Givens (n°8923)**
La vie de Margaret MacDonald paraît toute tracée. En tant que fille de laird, elle épousera celui à qui elle est promise depuis l'enfance, puis elle vivra à la cour du roi d'Angleterre. Cet avenir est bien différent de celui que lui a prédit une voyante : « Il te faudra affronter des dragons, ma fille ! » Élucubrations de sorcière, sans doute. Pourtant, quand Margaret surprend son fiancé au lit avec sa meilleure amie, elle se rebelle. Il a trahi sa confiance, elle ne l'épousera pas, quoi qu'en dise le roi ! Mais son destin va être bouleversé par une horde de Vikings sanguinaires et sa rencontre avec un guerrier celte à la chevelure d'or.

Le maître-chanteur ꙮ **Julie Garwood (n° 5782)**
Lady Gillian n'a pas le choix. Si elle veut sauver son oncle, retenu prisonnier par le félon Alford, il lui faut retrouver le trésor que convoite ce dernier et se rendre en Écosse, alors qu'une guerre sans merci oppose l'Angleterre aux Highlanders. Brodick, chef du clan Buchanan, admire le courage de Gillian. Et, peu à peu, succombe à l'amour. Qu'importe, qu'elle soit Anglaise, elle sera sienne…

Les Carsington —1. Irrésistible Mirabel ꙮ
Loretta Chase (n° 8922)
Alistair Carsington, troisième fils du comte de Hargate, est un jeune homme charmant, qui a pour seul défaut de tomber amoureux du premier jupon qui passe, ce qui ne lui attire que des ennuis. Deux ans après son retour de Waterloo où il a été grièvement blessé, il est devenu un parfait dandy qui ne s'intéresse qu'à sa toilette et dépense sans compter. En désespoir de cause, lord et lady Hargate le mettent en demeure de trouver une occupation sérieuse ou de se marier. Son ami, lord Douglas Gordmor, qui veut creuser un canal dans le Derbyshire, lui propose de l'aider à vaincre les réticences des habitants de Longledge Hill. C'est là qu'il rencontre Mirabel Oldridge, la fille du plus gros propriétaire terrien et la plus farouche opposante au projet de canal…

Nouveau ! 2 rendez-vous mensuels aux alentours du 1er et du 15 de chaque mois.

Le 15 avril :

Les sœurs Lockwood —1. La belle et l'espion ☙
Julie Anne Long (n° 8925)

1820. Susannah Makepeace a grandi dans le luxe et reçu la meilleure éducation. Elle a tout, sauf l'amour d'un père distant. Le jour où celui-ci meurt assassiné, Susannah apprend avec stupeur qu'il la laisse sans un sou ! Mise au ban de la société, la jeune fille quitte Londres pour s'installer au village de Barnstable. Elle y rencontre Christopher Kit Whitelaw, un drôle de personnage qui se dit naturaliste et prétend avoir besoin de ses talents de dessinatrice pour constituer un herbier. Comme il est aussi très séduisant, Susannah accepte. Bientôt d'étranges incidents se produisent et il devient vite évident que quelqu'un cherche à la tuer…

La viking insoumise ☙ **Johanna Lindsey (n° 3115)**

Norvège, IXe siècle. Kristen Haardrad a été capturée par Royce de Windhurst, mais jamais elle ne s'avouera vaincue. Le Saxon n'en revient pas. Elle ose lui résister ! Une jeune Viking blonde, fière, qui éveille en lui un désir irrésistible. La prendre de force serait trop facile. Elle sera sienne, de son plein gré, par amour. Mais Kristen n'a qu'une idée : venger la mort de son frère. Le meurtrier ? Royce, bien sûr !

La mariée fugitive ☙ **Karyn Monk (n° 6841)**

Décidément assister à un mariage est une perte de temps ! Des affaires urgentes attendent Jack Kent en Écosse. En outre, il connaît à peine le duc de Whitcliffe, un vieillard arrogant. Quant à Amelia Belford, la richissime jeune Américaine sur laquelle le duc a jeté son dévolu, Jack ne l'a jamais rencontrée. Il s'esquive dans le jardin. Soudain, un léger cri lui fait lever les yeux vers la balustrade. La mariée vient de l'enjamber pour se laisser choir dans le vide. Et la voilà qui se relève pour s'enfuir à toutes jambes, dans un nuage de tulle et de dentelle !